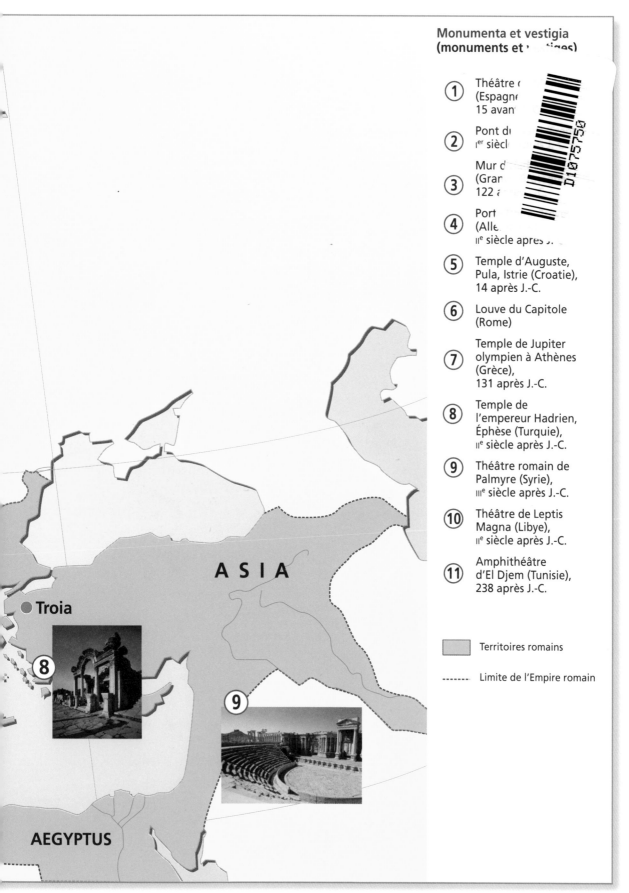

## Monumenta et vestigia
(monuments et vestiges)

(1) Théâtre (
(Espagne
15 avan

(2) Pont du
Iᵉʳ siècle

(3) Mur d'
(Gran
122 à

(4) Port
(Alle
IIᵉ siècle apres J.

(5) Temple d'Auguste,
Pula, Istrie (Croatie),
14 après J.-C.

(6) Louve du Capitole
(Rome)

(7) Temple de Jupiter
olympien à Athènes
(Grèce),
131 après J.-C.

(8) Temple de
l'empereur Hadrien,
Éphèse (Turquie),
IIᵉ siècle après J.-C.

(9) Théâtre romain de
Palmyre (Syrie),
IIIᵉ siècle après J.-C.

(10) Théâtre de Leptis
Magna (Libye),
IIᵉ siècle après J.-C.

(11) Amphithéâtre
d'El Djem (Tunisie),
238 après J.-C.

Territoires romains

------- Limite de l'Empire romain

ASIA

● Troia

AEGYPTUS

L'Empire romain aux IIᵉ et IIIᵉ siècles après J.-C.

# Avant-propos

L'enseignement du latin s'inscrit dans l'étude des Langues et cultures de l'Antiquité, définie par le nouveau programme.

C'est dans ses œuvres, dans ses mots et dans ses monuments, témoins de l'histoire des hommes, que se découvrent une civilisation et une culture.

Notre manuel est donc une invitation à découvrir :

- des auteurs et des textes latins, d'un intérêt littéraire et culturel majeur, donnés avec leur traduction en vis-à-vis ;
- des documents iconographiques variés, mis en relation directe avec les textes ;
- des mots-clés, notions cardinales pour comprendre la **représentation du monde** dans la pensée romaine.

L'étude de la langue aborde les **points fondamentaux**, retenus pour leur fréquence, selon une approche concertée.

Le fait de langue est **observé** dans un texte latin simplifié ou adapté, étroitement mis **en relation avec le français**.

La leçon synthétise l'essentiel à retenir, accompagné d'une citation et du vocabulaire à mémoriser.

Les exercices proposent des entraînements fonctionnels pour conduire vers **la lecture et la traduction autonome de textes simples**.

Dans cette démarche progressive, fondée sur l'observation et le réinvestissement, le lien est constamment maintenu avec la grammaire et le lexique du français.

Grâce au manuel vidéoprojetable enrichi, tous les textes à découvrir et à observer peuvent être entendus en latin et en français.

Enfin des compléments et approfondissements prolongent la découverte des éléments culturels, historiques et linguistiques. On fait appel aux nouvelles technologies pour effectuer des recherches documentaires ou élaborer des productions orales ou écrites, dans le cadre du **B2i**.

Le manuel est structuré en **cinq grandes parties** suivant les prescriptions du programme. Chaque partie offre une double page d'initiation à l'**histoire des arts** et se clôt par un bilan invitant à mobiliser les connaissances pour éprouver les compétences effectivement acquises.

Nous avons voulu que ce manuel témoigne concrètement de la richesse d'un patrimoine fondateur de notre culture. Nous souhaitons qu'il éveille la curiosité de tous les apprentis latinistes et suscite en eux le désir de poursuivre l'étude du latin.

Les auteurs

# LATIN 5<sup>e</sup>

programme 2010

## Langue & culture

**Marie Berthelier**
Agrégée de Lettres classiques

**Annie Collognat-Barès**
Agrégée de Lettres classiques

Les auteurs et les éditions Magnard remercient vivement Cédric Caon (collège Henri Wallon, Varennes Vauzelles), Valérie Faranton-Deleporte (collège Jean Rostand, Armentières) et Anne Lutrin-Le Bouédec (collège Professeur Marcel Dargent, Lyon) pour leur relecture et leurs suggestions, ainsi que tous les enseignants qui ont participé aux études menées sur ce manuel.

**MAGNARD**
www.magnard.fr

# PROGRAMME D'APRÈS LE BULLETIN OFFICIEL N° 31 DU 27 AOÛT 2009

programme de la classe de 5e

## Les thèmes

| HISTOIRE ET VIE DE LA CITÉ | | VIE PRIVÉE, VIE PUBLIQUE | | REPRÉSENTATIONS DU MONDE | |
|---|---|---|---|---|---|
| La construction d'un empire | Le citoyen romain, repères et valeurs | Espaces et cadres de vie | Emplois du temps | Des dieux et des hommes | Naturel et surnaturel |
| **Panorama général historique et géographique**<br>*Mots-clés proposés : orbis terrarum, mundus ; rex, populus, respublica, imperium ; memoria* | | La vie familiale<br>• Habitat<br>• Famille<br>• Religion domestique : lares, pénates et mânes<br>• Vie quotidienne : soins du corps, repas et banquets…<br>*Mots-clés proposés : domus, insula, villa ; gens, familia, pater familias, matrona, majores, nomina, toga ; cena, triclinium ; religio, sacer ; Penates, Lares, Genius* | Au fil de la vie<br>• Mesure du temps<br>• Âges de la vie : naissance, enfance, mariage, vieillesse, mort<br>• L'école<br>*Mots-clés proposés : tempus, aetas ; infans, puer, juvenis, senex, virgo ; magister, discipulus, litterae* | Dieux et puissances de la nature<br>• Genèses et âges de l'humanité<br>• Dieux et héros grecs et romains<br>*Mots-clés proposés : genus, aetas ; mundus, terra ; deus, numen* | Histoires et prodiges d'animaux<br>• Fables d'animaux<br>• Animaux prodigieux, monstres et métamorphoses (le récit merveilleux)<br>*Mots-clés proposés : monstrum, prodigium, fabula* |
| Les origines : naissance d'une cité<br>• *Res publica* : Site de Rome, la Rome royale<br>• *Imperium* : Rome et ses voisins Les peuples italiques<br>*Mots-clés proposés : fata, templum, auspicium ; genus, urbs, imperium ; arx, pomoerium ; hostis* | Les temps héroïques : les fondements de l'identité romaine<br>• Légendes de fondation : Énée, Romulus<br>• Épisodes et figures de l'épopée des origines<br>*Mots-clés proposés : fabula ; pius, penates, patria, fides* | | | | |
| Le latin après le latin | | | | | |

## Ouverture vers l'histoire des arts

| Représentations de la louve | Fondation mythique :<br>– représentations antiques<br>– peinture classique et néo-classique | *Domus* et *insula* à Ostie et Pompéi<br>Autour des repas : « Trésors » d'argenterie et objets de la vie quotidienne<br>Cultes : le laraire | Saisons et mois : mosaïques<br>Les âges de la vie : stèles et tombeaux | Dieux et héros dans l'art gréco-romain<br>Divinités mineures liées à la nature | Animaux prodigieux, monstres et métamorphoses : fresques et mosaïques |
|---|---|---|---|---|---|
| Manuscrits et premiers livres imprimés | | | | | |

## La langue

| | OBSERVER ET COMPRENDRE | MÉMORISER ET RÉINVESTIR |
|---|---|---|
| Lire le latin | Prononciation. Différences essentielles entre le latin et le français : les éléments constitutifs de la phrase latine et l'ordre des mots. Système de la langue | |
| Cohérence du système flexionnel | – Rapports entre la déclinaison latine et les fonctions (1re approche) | – Cas et fonctions – Terminaisons des 1re, 2e, 3e déclinaisons<br>– Adjectifs qualificatifs de la 1re classe, participe parfait passif<br>– Pronoms personnels : *ego, tu, nos, vos ; is, ea, id* |
| Cohérence du système verbal | – Régularité de la morphologie : composition du verbe, pour les temps à mémoriser<br>– Les cinq types de verbes, les temps primitifs<br>– *Infectum* et *perfectum* : morphologie et valeur (présent, imparfait et parfait) – Observation des différents modes | – Désinences personnelles actives et passives<br>– Présent, imparfait, actifs et passifs ; parfait actif à l'indicatif, y compris *sum* et *possum*<br>– Infinitif présent et parfait actifs, y compris *sum* et *possum* |
| Groupe nominal | – Rapports entre les constituants des groupes de mots latins et des groupes de mots français<br>– Expansions du nom, y compris la subordonnée relative | – Adjectifs épithètes<br>– Compléments du nom<br>– Adjectifs possessifs non réfléchis |
| Groupe verbal | – Complément d'objet et attribut du sujet<br>– Proposition infinitive | – Nominatif : sujet et attribut du sujet<br>– Compléments d'objet à l'accusatif – Datif |
| Expression des circonstances | – Situation dans le temps et dans l'espace | – Expression du lieu et du temps : groupes nominaux et subordonnées circonstancielles<br>– Ablatif absolu avec le participe parfait passif |

## Les compétences attendues en fin de 5e

| Lire et comprendre | • comprendre le sens global d'un texte latin lu en classe, le résumer en français<br>• réinvestir ses connaissances morphologiques (identifier les formes nominales et verbales) et syntaxiques (reconnaître les groupes de mots) |
|---|---|
| Lire et traduire | • ébaucher une traduction orale ou écrite avec l'aide du professeur |
| Lire et dire | • lire à voix haute de manière expressive • mémoriser et réciter de courts extraits |
| Lire l'image | • identifier un support iconographique (référencer un document avec précision)<br>• utiliser des outils élémentaires de l'analyse de l'image fixe ou mobile • mettre en relation textes et images |
| Commenter | • acquérir des repères : histoire littéraire, histoire des arts, genres et registres<br>• utiliser des outils élémentaires d'analyse littéraire pour commenter un texte |
| Maîtriser les techniques usuelles de l'information et de la communication permettant la validation du B2i | • utiliser le traitement de texte<br>• rechercher sources et prolongements d'un mythe, d'un motif littéraire et/ou artistique<br>• utiliser les ressources en ligne en vérifiant leur validité<br>• construire un exposé associant textes et images |

# Sommaire

  Retrouvez la liste des mots-clés dans le lexique pp.154-156.

3

# Sommaire

# Sommaire

Retrouvez la liste des mots-clés dans le lexique pp.154-156.

# Rome : une ville, un peuple, un empire

À l'origine, au VIIIᵉ siècle avant J.-C., Rome n'est qu'un minuscule village, un point sur la carte de l'Italie. Huit siècles après sa création, les Romains ont imposé leur « empire » (imperium) à la quasi totalité du monde connu de cette époque, qu'ils nomment « cercle des terres » (orbis terrarum).

## « Le peuple romain »

**Populus** Romanus a rege Romulo in Caesarem Augustum,
Le **peuple** romain, depuis le roi Romulus jusqu'à César Auguste,
septingentos per **annos**, tantum operum pace belloque gessit,
pendant sept cents **ans**, a accompli tant de choses dans la paix et dans la guerre,
ut, si quis magnitudinem **imperii** cum **annis** conferat,
que, si l'on compare la grandeur de son **empire** avec le nombre de ses **années**,
aetatem ultra putet.
on croira qu'il a une durée plus grande.
5 Ita late per **orbem terrarum** arma circumtulit,
Il a mené ses armées si loin à travers le **monde entier**,
ut qui res illius legunt,
que ceux qui lisent les récits de ses exploits
non unius **populi**, sed generis humani fata discant.
n'apprennent pas le destin d'un seul **peuple**, mais de tout le genre humain.
Nam tot laboribus periculisque jactatus est,
En effet il a été confronté à tant de travaux et à tant de dangers
ut ad constituendum ejus **imperium**
que, pour établir son **empire**,
10 contendisse virtus et fortuna videantur.
le courage et la bonne fortune semblent avoir réuni leurs efforts.

**Publius Annius Florus**, *Epitome*, Prooemium.
**Florus**, *Abrégé de l'histoire romaine*, Préface, IIᵉ siècle après J.-C.

Statue en marbre de l'empereur Auguste, petit-neveu de Jules César, Iᵉʳ siècle après J.-C., Rome, Musées du Vatican.

### → LIRE LE TEXTE

❶ Quel est le nom du premier roi de Rome ?

❷ Par quel moyen le peuple romain s'est-il imposé ? Quels sont les deux éléments qui l'ont aidé ?

❸ Cherchez des mots français issus des mots latins populus, annos, imperium.

❹ Ces trois mots sont répétés dans le texte : retrouvez-les. Recopiez les deux formes prises par chacun d'eux. Que remarquez-vous ?

## Rome et le monde

Comme vous pouvez le voir sur cette carte antique, les Romains situent leur ville au centre des terres connues. Son fondateur, Romulus, imagine ainsi l'avenir de sa ville : « Roma caput orbis terrarum ».
→ Rome, « tête » (au sens de « capitale ») du monde (p. 37).

L'**orbis terrarum**, d'après la carte entreprise sous la direction de Marcus Vipsanius Agrippa pour l'empereur Auguste en 27 avant J.-C.

### Orbis terrarum

**Cercle des terres,** c'est ainsi que les Romains nommaient le globe terrestre, car ils se le représentaient souvent comme un disque plat entouré d'eau.

→ **LIRE LA CARTE**

❶ L'**orbis terrarum** comporte trois continents. Nommez-les en latin, puis en français.

❷ Comparez avec un globe terrestre moderne. Quels continents ne sont pas représentés ? Pourquoi ?

## Rome et son empire

Les Romains sont si fiers de leur empire qu'ils considèrent l'avoir reçu des dieux eux-mêmes. Ils se voient comme un peuple élu par le destin pour dominer le monde. Grâce aux cartes et à la chronologie placées en début et en fin de manuel (en pages de garde), vous pouvez suivre l'expansion de Rome et repérer les grandes étapes de son histoire.

> JUPITER : **Imperium** sine fine dedi.
> Je leur ai donné un **empire** sans fin.
>
> **Virgile,** *Énéide,* livre I, vers 279.

### Imperium

Le mot **imperium** (**empire**) désigne l'autorité, le pouvoir, la puissance. Celui qui l'exerce dans l'armée est l'**imperator** (général en chef). Au fil du temps, Rome n'a cessé d'étendre son **imperium**.

En histoire, ce que nous nommons « empire » est une période et une forme de pouvoir exercé par un chef tout-puissant, l'« empereur ». Auguste est le premier empereur de Rome.

### Res publica

Les Romains nomment **res publica** (**la chose publique**) tout ce qui concerne les affaires et le gouvernement de l'État. En histoire, la République est une période et une forme de pouvoir exercé par des magistrats élus.

→ **LIRE LES CARTES ET LA FRISE** en pages de garde

❶ Quelle est la date de la fondation de Rome ? À quelle date est-elle la plus puissante ?

❷ Rome a connu trois formes de pouvoir : lesquelles ? Citez-les dans l'ordre chronologique.

❸ Qui est le petit-neveu de Jules César ? Quand a-t-il régné ? Avec quel titre ?

❹ Combien de siècles a duré l'**imperium Romanum** ?

# Rome : une langue, une culture

## Aux origines du latin

Des spécialistes ont comparé les langues de l'Antiquité parlées en Europe et en Asie. Ils ont constaté des ressemblances et reconstitué une langue « mère », l'**indo-européen**, qui remonterait à la fin de la préhistoire. Elle aurait légué à ses « filles » des caractéristiques communes, comme le système de la déclinaison (p. 18) et les bases de formation des mots (les racines). Le latin est l'une des branches de cet arbre indo-européen. Des tribus indo-européennes venues d'Europe centrale au IIe millénaire avant J.-C. auraient apporté leur langue et leurs coutumes dans la péninsule appelée « Italie ». Au VIIIe siècle avant J.-C., divers peuples italiques se rassemblent. Les **Latins** s'imposent à leurs voisins. Rome sera leur capitale et le latin leur langue.

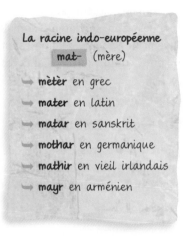

La racine indo-européenne

mat- (mère)

→ **mètèr** en grec

→ **mater** en latin

→ **matar** en sanskrit

→ **mothar** en germanique

→ **mathir** en vieil irlandais

→ **mayr** en arménien

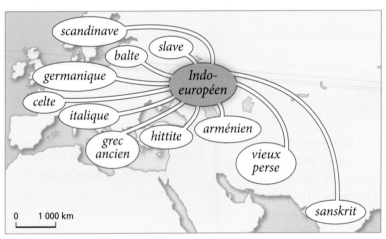

Les groupes de langues indo-européennes.

### → LIRE LA CARTE

❶ Faites la liste des langues « filles » de l'indo-européen parlées en Europe.

❷ Dans quel pays est parlé le sanskrit, considéré comme une langue sacrée ?

❸ Comment dit-on *mère* en anglais, allemand, italien, espagnol ? Que constatez-vous ?

## Du latin aux langues romanes

Au Ier siècle avant J.-C., Rome a largement étendu son **imperium**. Avec ses armées et ses lois, elle impose aussi sa langue, son mode de vie et sa culture. Le latin se répand dans tous les pays conquis et devient ainsi la première langue de communication européenne.

La langue « classique » est le privilège d'une élite riche et cultivée, mais un latin « vulgaire » (**vulgus** désigne la masse des gens ordinaires) s'introduit partout.

En Gaule, le latin populaire fait disparaître le gaulois, d'origine celtique et uniquement oral. En Europe, le latin est l'**ancêtre commun** de plusieurs langues nationales (portugais, espagnol, français, italien, roumain) et régionales (galicien et catalan en Espagne, occitan en France, romanche en Suisse, sarde en Italie). C'est pourquoi on qualifie ces langues de « romanes » (de l'adjectif **Romanus**, romain).

## Latin ou français ?

Au fil du temps, le latin « classique » n'est plus compris que par les gens cultivés. Plus simple et plus populaire, la langue « romane » a gagné du terrain. Elle fait le succès des « romans » (récits d'aventures chevaleresques écrits en langue romane).

**En 812** sous le règne de Charlemagne, les autorités religieuses ordonnent de traduire les sermons (propos du prêtre) **in rusticam Romanam linguam** (en langue rustique romane) pour que le peuple puisse les comprendre.

**En 842** les petits-fils de Charlemagne se disputent son empire. Deux d'entre eux décident de s'unir et se prêtent serment, à Strasbourg, dans une langue qui n'est pas encore du français, mais qui n'est plus du latin. C'est l'**acte de naissance du français**. Cependant le latin classique est toujours utilisé dans la littérature, à l'école, à l'église, dans les tribunaux. C'est en latin qu'écrivent les grands humanistes de la Renaissance, comme Érasme.

**En 1539** le roi François I<sup>er</sup> ordonne, par l'édit de Villers-Cotterêts, le **remplacement du latin par le français** dans tous les tribunaux de France. Mais le latin écrit reste solidement implanté dans l'enseignement. Jusqu'à la fin du XIX<sup>e</sup> siècle, les élèves composent souvent des devoirs de littérature et d'histoire en latin.

## Le latin du III<sup>e</sup> millénaire

Le latin n'a pas disparu, loin de là !
Bientôt, vous pourrez entendre Astérix,
le Petit Prince ou Harry Potter parler en latin.
Savez-vous que vous pouvez même écouter
la radio et consulter Internet en latin ?

## Activités B2i

Faire une recherche sur Internet

**1.** Retrouvez les titres français des ouvrages dont vous pouvez voir ci-dessus la couverture en latin.

**2.** À partir des trois mots latins **Tela Totius Terrae**, cherchez à quoi correspondent les initiales **T. T. T.**

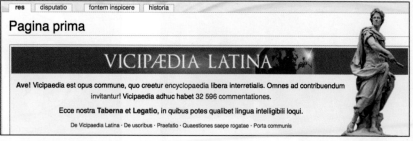

Le site Wikipedia existe aussi en latin, sous le nom de Vicipædia latina.

# À la découverte du latin

## Lire et écrire

### L'alphabet

L'alphabet latin comporte **23 lettres**, reprises par l'alphabet français. 5 représentent les sons voyelles et 18 les sons consonnes.

| Voyelles | | | | | Consonnes | | | | | | | | | | | | | |
|---|---|---|---|---|---|---|---|---|---|---|---|---|---|---|---|---|---|---|
| A | E | I | O | V | B | C | D | F | G | H | K | L | M | N | P | Q | R | S | T | V | X | Z |
| a | e | i | o | u | b | c | d | f | g | h | k | l | m | n | p | q | r | s | t | v | x | z |

Les textes anciens qui nous sont parvenus (inscriptions dans la pierre ou le bronze, graffitis sur les murs, manuscrits) sont écrits en « majuscules ». Les lettres dites « minuscules » ne sont utilisées qu'à partir du IVe siècle par les « copistes » (qui copient les textes). Le **Y** (dit « i grec ») n'apparaît que tardivement dans les textes pour reproduire la lettre *upsilon* (u) des Grecs. À partir du XVIe siècle, on écrit i ou j pour le **I** latin et u ou v pour le **V** latin.

### La prononciation

En latin, chaque lettre correspond à un son distinct. La plupart des lettres se prononcent comme nous prononçons le français. Cependant, il faut retenir quelques particularités.

| Voyelles | | | Diphtongues | | |
|---|---|---|---|---|---|
| **Lettres** | **Prononciation** | **Exemples** | **Lettres** | **Prononciation** | **Exemples** |
| e | **é** ou **è** *comme dans* r**é**ception | **receptus** (reçu) | ae | **aé** *comme dans* **aé**rien | **Caesar** (César) |
| u | **ou** *comme dans* l**ou**ve | **lupa** (louve) | oe | **oé** *comme dans* N**oé** | **moenia** (remparts) |
| y | **u** *comme dans* **u**ne | **Aegyptus** (Égypte) | au | **ao** *comme dans* b**ao**bab | **nauta** (marin) |
| | | | eu | **éou** *comme dans* S**éou**l | **Europa** (Europe) |

Graffiti gallo-romain découvert à Périgueux représentant un chien tenu en laisse qui aboie : VAVA.

Obélix et son chien, *Caelum in caput ejus cadit*, www.asterix.com
© 2010 les éditions Albert René / Goscinny-Uderzo.

Le latin se prononçait avec une accentuation dite « tonique » qui correspond à une montée de la voix sur certaines syllabes (en général l'avant-dernière), comme en espagnol ou en italien.

Le latin distinguait dans sa prononciation les sons voyelles longs (ā) des sons voyelles brefs (ă), comme dans pâte / patte.

| Consonnes | | |
|---|---|---|
| Lettres | Prononciation | Exemples |
| c, ch | **k** (toujours dur) *comme dans* **c**arte *ou* **ch**orale | pa**c**e (paix), **ch**arta (papier) |
| g | **g** (toujours dur) *comme dans* **g**amme *ou* **gu**erre | a**g**er (champ) |
| j | **y** *comme dans* bala**y**er | ma**j**or (plus grand) |
| ll | *comme dans* vi**ll**a (son de 2 l) | be**ll**o (guerre) |
| nn | *comme dans* a**nn**oter (son de 2 n) | a**nn**os (années) |
| qu | **kw** *comme dans* a**qu**arium | **qu**i (qui) |
| s | **s** (jamais z) *comme dans* aju**s**ter, autobu**s**, mou**ss**e | populu**s** (peuple) |
| t | **t** *comme dans* oue**st** | es**t** (est) |
| v | **w** *comme dans* sand**w**ich | **v**irtus (courage) |
| x | **x** *comme dans* Féli**x** | e**x**emplum (exemple) |

# Quand les Romains écrivaient

- Nous avons conservé de très nombreuses traces écrites montrant comment les Romains écrivaient : documents épigraphiques (textes inscrits dans la pierre, le bronze, etc.), graffitis sur les murs, fragments de lettres...

- **Un graffiti**
Les petits Romains apprenaient souvent à lire et à écrire en recopiant des vers de Virgile. Un enfant a peut-être tracé ces lettres.

Reproduction d'un graffiti trouvé sur un mur de Pompéi, Iᵉʳ siècle après J.-C.

> **Arma virumque cano Troiae** [qui primus]
> **Je chante les armes et le héros**
> [qui, le premier, des rivages] **de Troie** (vint en Italie).
>
> **Virgile** (70-19 avant J.-C.) *Énéide*, livre I, vers 1.

- **Une inscription**

*Table Claudienne*, texte gravé dans le bronze, 48 après J.-C., Fourvière (Lyon), Musée de la civilisation gallo-romaine.

→ DÉCOUVRIR LE LATIN

❶ Lisez à voix haute les quatre lettres du graffiti gallo-romain (p. 10). Quelle indication donnent-elles sur la prononciation de la lettre **V** ?

❷ Dans cet album d'Astérix traduit en latin, le chien s'appelle Notabenix. D'où vient ce nom ? Pour trouver, lisez à voix haute les paroles d'Obélix (p. 10).

❸ Déchiffrez quelques mots du discours de l'empereur Claude gravé dans le bronze. Lisez à voix haute le premier mot de la première ligne puis écrivez-le en majuscules et en minuscules.

❹ Même consigne pour les trois premiers mots de la dernière ligne.

# D'une langue à l'autre

La langue française est née de la langue latine. Mais la langue « fille » a évolué par rapport à la langue « mère ». Vous allez apprendre progressivement à reconnaître les ressemblances et les différences pour pouvoir lire et comprendre des textes latins.
Pour commencer, voici quelques points de comparaison.

| En français | En latin |
|---|---|
| **L'ordre des mots, le sens de la phrase** | |
| Le peuple romain (sujet) **a bâti** un grand empire (COD). <br> ~~Un grand empire **a bâti** le peuple romain.~~ <br> (La phrase n'a pas de sens.) <br><br> Le sens de la phrase est donné par **l'ordre des mots**. | **1.** Populus Romanus (sujet) magnum imperium (COD) **condidit**. <br> **2.** Magnum imperium **condidit** populus Romanus. <br> **3.** Populus Romanus **condidit** magnum imperium. <br><br> **L'ordre des mots** est libre, même si le verbe est souvent en fin de phrase. |
| **Le rôle des terminaisons** | |
| **1. Le nom** <br> La fonction <br><br> Romulus **aime** le peuple <u>de</u> Rome. <br> Le peuple <u>de</u> Rome **aime** Romulus. <br><br> La **fonction** du nom est indiquée par sa **position** dans la phrase. <br> Elle peut être aussi marquée par la présence d'une **préposition** (<u>de</u> Rome). | Romul**us** Rom**ae** popul**um** amat. <br> Romul**um** Rom**ae** popul**us** amat. <br><br> La **fonction** du nom est indiquée par sa **terminaison**. C'est ce qu'on appelle **un cas** (du nom latin **casus**, la chute d'un mot : sa ou ses dernières lettres). <br> L'ensemble des cas forme la **déclinaison**. |
| Le genre <br><br> le peuple (m.), la fortune (f.), l'empire (m.) <br><br> Les noms sont du **genre masculin** ou **féminin**. | populus (m.), fortuna (f.), imperium (n.) <br><br> Les noms sont du genre **masculin**, **féminin** ou **neutre** (du latin neuter : ni l'un, ni l'autre). |
| Le nombre <br><br> un peuple → des peuple**s** <br> un cheval → des chev**aux** <br><br> La différence entre le **singulier** et le **pluriel** est marquée par l'**ajout d'une terminaison** (s ou x) ou par une **forme différente**. | magn**us** popul**us** → magn**i** popul**i** <br> equ**us** → equ**i** <br><br> La différence entre le **singulier** et le **pluriel** est marquée par la variation de la **terminaison**. |
| *Remarque* <br><br> Le français utilise des **articles** définis (**le** peuple) et indéfinis (**un** empire). | Le latin n'a **pas d'article**. |
| **2. L'adjectif** <br><br> L'adjectif **s'accorde en genre et en nombre** avec le nom auquel il se rapporte. | L'adjectif **s'accorde en genre, en nombre et <u>en cas</u>** avec le nom auquel il se rapporte. |
| **3. Le verbe** <br><br> il aim**e**, nous aim**ons** <br> il voi**t**, nous voy**ons** | am**at**, ama**mus** <br> vide**t**, vide**mus** <br><br> En général, le **pronom personnel sujet** n'est pas exprimé. |
| La **terminaison** indique la voix, le mode, le temps et la personne. | |

# Le latin dans le français

## Retour aux sources

La plupart des mots français sont issus du latin. Cependant, au fil du temps et au gré des peuples conquis, la langue des Romains a bien changé. Il n'est pas toujours facile de retrouver le latin dans les mots d'aujourd'hui.

Connaissez-vous, par exemple, l'histoire des mots *eau* et *aquarium* ?

**Langue d'oïl**
(parlée au nord de la Loire)
*ewe* (apparu en 1080) d'où vient *évier*

**Langue d'oc ou occitan**
(parlée au sud de la Loire)
*aiga*

### AQVA
(aqua, *ae*, f. : eau)

**Autres langues romanes**
catalan : *aigua*
espagnol : *agua*
italien : *acqua*
portugais : *água*
roumain : *apǎ*

**Nom de formation récente**
*aquarium*
(apparu en 1860)

### → MOT LATIN, MOTS FRANÇAIS

**❶** **Complétez ces phrases avec des mots directement construits sur aqua.**
**1.** Une peinture à l'eau, c'est une … . **2.** Pour faire venir l'eau dans cette ville, on a construit un … .
**3.** Cette plante pousse dans l'eau : c'est une espèce … . **4.** La voiture a dérapé sur une flaque d'eau :
c'est un phénomène d' … . **5.** Dans ce parc d'attractions, on vient d'inaugurer un … avec une piscine géante et douze toboggans.

## • Latin ou français ?

Comme les Gaulois, nous parlons latin sans le savoir...

*Astérix, La Rentrée gauloise,*
www.asterix.com © 2010
les éditions Albert René /
Goscinny-Uderzo.

**❷** Relevez les mots latins dans les deux vignettes d'*Astérix* et donnez leur sens.

**❸** Que signifient un spécimen, un agenda, un veto, un alibi, une vidéo, un visa, un lavabo, un post-scriptum ?

À votre tour, vous pourrez bientôt dire quelques **mots en latin** (Latinis verbis). Rendez-vous dans les pages *Bilan* pour apprendre des expressions de la conversation courante (*bonjour, au revoir*...).

### Activités **B2i** ⋯ Faire une recherche sur Internet

**1.** Quel est le sens du mot **confer** ? Sous quelle forme le rencontre-t-on généralement ?

**2.** À quelle expression latine correspond l'abréviation **CV** ? Écrivez-la en toutes lettres.

**3.** Quels mots latins sont inscrits sur la médaille ? Recopiez-les. Quel est leur sens ?

Médaille olympique, 1948.

Découvrir le texte

## « *Je cherche l'Italie...* »

*Des réfugiés ont débarqué sur une côte d'Afrique du Nord (nommée Libye dans l'Antiquité).*
*Voici comment leur chef se présente.*

| | |
|---|---|
| 1 **N**os Troia antiqua (si vestras forte per auris | 1 **N**ous venons de l'antique Troie (si par hasard jusqu'à vos oreilles |
| 2 Troiae nomen iit), diversa per aequora vectos | 2 le nom de Troie est arrivé), nous avons été emportés de mer en mer, |
| 3 forte sua Libycis tempestas adpulit oris. | 3 et la tempête, au gré de sa fantaisie, nous a jetés sur la côte libyenne. |
| 4 Sum pius Aeneas, raptos qui ex hoste Penates | 4 Je suis le pieux Énée ; ce sont nos Pénates arrachés à l'ennemi, |
| 5 classe veho mecum, fama super aethera notus. | 5 que j'emporte avec moi sur mes vaisseaux et je suis connu jusqu'au ciel grâce à ma réputation. |
| 6 Italiam quaero patriam et genus ab Jove summo. [...] | 6 Je cherche l'Italie pour en faire ma patrie et ma race est issue de Jupiter, le souverain suprême. [...] |
| 7 Ipse ignotus, egens, Libyae deserta peragro, | 7 Moi-même, ignoré de tous, manquant de tout, je parcours les déserts de Libye, |
| 8 Europa atque Asia pulsus. | 8 chassé d'Europe et d'Asie. |

**Publius Vergilius Maro**, *Aeneis*, liber primus.

**Virgile** (70-19 avant J.-C.), *Énéide*, livre I, vers 375-385.

### → LIRE LE TEXTE

❶ À quel vers apprenez-vous l'identité du réfugié ? Dites son nom en français puis en latin. Qui est l'ancêtre de sa famille (vers 6) ?

❷ D'où vient le réfugié ? Où est-il arrivé ? Où veut-il aller ? Citez les noms des trois lieux en français puis en latin.

❸ Retrouvez ces lieux sur la carte. Sur quels continents se trouvent-ils ? Quel est le nom de la mer ?

❹ Pourquoi le réfugié fait-il ce voyage ? Quelle est sa situation ?

❺ Au vers 4, relevez en français puis en latin l'adjectif qui qualifie le réfugié et le nom du trésor qu'il a emporté avec lui.

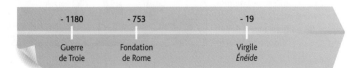

| - 1180 | - 753 | - 19 |
|---|---|---|
| Guerre de Troie | Fondation de Rome | Virgile *Énéide* |

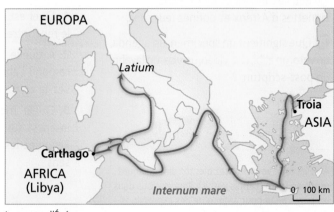

Le voyage d'Énée.

▶ Les Romains sont très fiers de leur origine.
Mais qui est donc leur grand ancêtre ?

*Découvrir l'image*

# La fuite d'Énée

Après dix ans de guerre, Troie est tombée aux mains des Grecs qui incendient la ville et massacrent ses habitants. Voici comment Énée raconte sa fuite à la reine de Carthage.

**2.** «— Eh bien allons ! **cher père**, dis-je à Anchise, mets-toi sur mon dos ! je te porterai sur mes épaules et ton poids ne me pèsera pas ! »

**1.** « Déjà on entend le bruit de l'incendie qui vient des remparts : **les tourbillons de feu** se rapprochent de nous dangereusement. »

**3.** « J'ajoute :
– Toi, mon père, prends dans tes mains **les Pénates** de la patrie. »

**4.** « Je me baisse pour prendre mon père et je me plie sous le fardeau. Mon fils, **le petit Iule** s'est cramponné à mon côté droit. »

Federico Barocci (1533-1612), *La Fuite d'Énée*, huile sur toile, 1598, Rome, Galerie Borghèse.

**5.** « Derrière nous, marche **mon épouse Créüse**. »
**Virgile**, *Énéide*, livre II, vers 707-725.

Malheureusement, Créüse disparaît dans la panique générale. Désespéré, Énée réunit quelques bateaux et s'embarque avec une petite troupe de rescapés.

*Gros plan sur...* Les Pénates sont deux dieux honorés par les Romains comme les protecteurs de la maison. Ils sont représentés par des **statuettes** que chaque père de famille conserve chez lui. Énée les confie à son père pour les sauver.

→ **LIRE L'IMAGE**

❶ Que voyez-vous à l'arrière-plan du tableau ? Comment est représentée Troie ?

❷ Que suggèrent les objets au premier plan ?

❸ Nommez chacun des personnages, puis décrivez leurs visages et leurs gestes. Quelles émotions montrent-ils ?

# Énée, père de la patrie

Les Romains considèrent Énée comme leur **père fondateur**. En donnant **naissance** à la famille royale d'où Rome tirera son **origine** quatre siècles plus tard, il a inventé la **patrie** romaine.

La généalogie d'Énée.

## Genus

**Genus** ab Jove → **Ma race** est issue de Jupiter. (p. 14)

Le mot **genus** désigne l'origine, la naissance, la race, au sens d'espèce d'hommes ou d'animaux. Il vient de la racine indo-européenne **gen-** qu'on trouve dans le grec ancien *génésis* (origine, naissance, création, genèse) et dans de nombreux mots latins et français (comme **gén**étique et **gén**éalogie).

Le **gen**itor (père, **gén**iteur) est celui qui donne naissance à une **gen**s (famille, dynastie).

En grammaire, le **gen**itivus casus (**gén**itif) sert à désigner l'élément qui détermine une origine, une appartenance (p. 18).

## Patria

Quaero **patriam** → Je cherche **une patrie**. (p. 14)

La racine **patr-** exprime le lien de **pater**nité qui unit le père (**pater**) à ses enfants. On la retrouve dans de nombreuses langues.

La **patria** (patrie) est « la terre des pères », celle à laquelle tout individu se sent attaché comme un enfant à ses parents.

Pour les Romains, le sentiment d'appartenir à une même grande famille est fondamental. C'est pourquoi ils accordent tant d'importance au **Pater Aeneas** (le Père Énée, comme le nomme Virgile avec respect et affection) et au **pater familias** (le père de famille, p. 51).

## Jouez avec les mots

### ❶ Qui sont-ils ?

Complétez la grille à l'aide des définitions.
Le nom que vous obtiendrez est celui du fondateur de Rome.
**1.** Femme d'Énée **2.** Fils aîné du roi de Troie **3.** Roi de Troie **4.** Mère d'Énée. **5.** L'un des noms du fils d'Énée **6.** À la fois le grand-père d'Énée et son arrière-arrière-arrière-grand-père **7.** Père d'Énée.

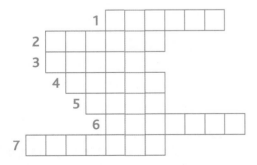

### ❷ L'arbre à mots

Retrouvez les noms manquants dans l'arbre qui a poussé sur la racine **patr-**.

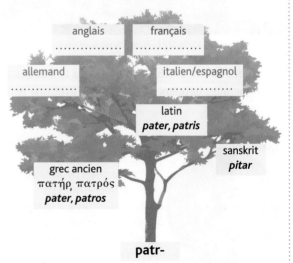

## Père et fils

1 **Pater** filium audit.
   **Le père** écoute son fils.

2 Anchises Aeneae **pater** est.
   Anchise est **le père** d'Énée.

3 Aeneas vocat : «Ergo age, care **pater** !»
   Énée appelle : «Eh bien allons, cher **père** !»

4 Aeneas **patrem** portat.
   Énée porte **son père**.

5 Filius **patris** vitam servat.
   Le fils sauve la vie **de son père**.

6 Aeneas **patri** Penates dedit.
   Énée a donné les Pénates **à son père**.

7 Filius **cum patre** fugit.
   Le fils s'enfuit **avec son père**.

Sum pius **Aeneas**.

*Énée fuyant Troie,*
statuette d'argile trouvée
à Pompéi (17, 8 cm),
Iᵉʳ siècle après J.-C., Naples,
Musée archéologique national.

### 🔑 Les fonctions et les cas, le verbe *être*

Lisez à voix haute les phrases 1 à 7 en latin puis en français.

**En français**

❶ Observez attentivement les mots en gras. Quelle est leur fonction ? Pour chaque phrase, choisissez la bonne réponse :
**a.** C.O.S. du verbe *donne* **b.** C.O.D. du verbe *porte*
**c.** attribut du sujet *Anchise* **d.** complément du nom *la vie* **e.** sujet du verbe *écoute* **f.** complément circonstanciel **g.** nom mis en apostrophe (pour interpeller).

**En latin**

❷ Quelle différence remarquez-vous entre les formes du nom en gras traduit par *père* ?

❸ Relevez le verbe de la phrase 2. Comparez avec le français.

❹ Retrouvez la phrase « Sum pius Aeneas » p. 14. Comment est traduit *sum* ?

### 🔑 La présentation d'un nom dans le dictionnaire

Observez la présentation des noms (on l'appelle *entrée*) dans un dictionnaire français et dans un dictionnaire latin-français à partir des exemples suivants.

| Dictionnaire français | Dictionnaire latin-français |
|---|---|
| • **Asie**, n. f. – XIᵉ ; lat. *Asia* | • **Asia**, *ae*, f. |
| • **fils**, n. m. – Xᵉ ; lat. *filius* | • **filius**, *ii*, m. |
| • **nom**, n. m. – Xᵉ ; lat. *nomen* | • **nomen**, *inis*, n. |
| • **père**, n. m. – XIIᵉ ; lat. *pater* | • **pater**, *tris*, m. |
| • **patrie**, n. f. – XVIᵉ ; lat. *patria* | • **patria**, *ae*, f. |

❺ Dans les entrées du dictionnaire français, que signifient les lettres « n. f. » ou « n. m. » ? Quelles autres indications sont données ?

❻ Dans les entrées du dictionnaire latin-français, que signifient les lettres « f., m., n. » ? Que voyez-vous entre ces lettres et le mot lui-même ?

# 1 Les cas et les déclinaisons

- Le **cas** est la forme prise par le mot latin selon sa **fonction** dans la phrase (Panorama p. 12).
- On distingue **six cas**. Ils sont marqués par des **terminaisons** variables qui s'ajoutent au **radical**. La série des cas s'appelle **la déclinaison**.

| Cas | Sens général | Fonction | Exemple |
|---|---|---|---|
| **Nominatif** (N.) | • du latin nominare (désigner par un nom) sert à nommer | • sujet<br><br>• attribut du sujet | **Pater** filium audit.<br>**Le père** écoute son fils.<br>Anchises Aeneae **pater** est.<br>Anchise est **le père** d'Énée. |
| **Vocatif** (V.) | • du latin vocare (appeler par la voix) sert à interpeller | • apostrophe | « Ergo age, care **pater** ! »<br>« Eh bien allons, cher **père** ! » |
| **Accusatif** (Acc.) | • du latin accusare (mettre en cause) sert à désigner l'objet de l'action | • complément d'objet direct (COD) | Aeneas **patrem** portat.<br>Énée porte **son père**. |
| **Génitif** (G.) | • du latin genitus (engendré) sert à préciser l'appartenance | • complément du nom | Filius **patris** vitam servat.<br>Le fils sauve la vie **de son père**. |
| **Datif** (D.) | • du latin dare (donner) sert à désigner celui à qui on fait un don | • complément d'objet second (COS)<br>• complément d'objet indirect (COI) | Aeneas **patri** Penates dat. Énée donne les Pénates **à son père**.<br>Aeneas **patri** paret.<br>Énée obéit **à son père**. |
| **Ablatif** (Abl.) | • du latin ablatus (enlevé) sert à indiquer diverses circonstances | • compléments circonstanciels (cause, moyen, manière...) | Filius **cum patre** fugit.<br>Le fils s'enfuit **avec son père**. |

- Pour décliner un nom, il faut connaître son **radical** et son **modèle** de déclinaison :
  radical → patr|is| ← la terminaison du génitif sg. (toujours donnée par le dictionnaire) indique le modèle de déclinaison.
- Les noms sont répartis en **cinq déclinaisons**. Cette année vous en apprendrez trois.

| 1<sup>re</sup> déclinaison | 2<sup>e</sup> déclinaison | 3<sup>e</sup> déclinaison | 4<sup>e</sup> déclinaison | 5<sup>e</sup> déclinaison |
|---|---|---|---|---|
| **-ae** | **-i** | **-is** | **-us** | **-ei** |

# 2 Le verbe *être* au présent de l'indicatif

| 1<sup>re</sup> pers. sing. | **sum** | je **suis** |
|---|---|---|
| 2<sup>e</sup> pers. sing. | **es** | tu **es** |
| 3<sup>e</sup> pers. sing. | **est** | il, elle **est** |
| 1<sup>re</sup> pers. pl. | **sumus** | nous **sommes** |
| 2<sup>e</sup> pers. pl. | **estis** | vous **êtes** |
| 3<sup>e</sup> pers. pl. | **sunt** | ils, elles **sont** |

- **Sum** signifie *j'existe*, *je suis* (dans un lieu, dans une situation, dans un état).
- Le verbe *être* est construit le plus souvent avec un **attribut du sujet** (nom, adjectif).

**VOCABULAIRE** à retenir

gens, *gentis*, f.   famille
genus, *eris*, n.   origine, race, espèce, genre
pater, *tris*, m.   père
patria, *ae*, m.   patrie

Patria est ubicumque est bene.
La patrie, c'est partout où on est bien.

**Cicéron**, *Tusculanes*, V, 37.

# S'exercer

## ▸ S'entraîner à lire et à dire en latin

**① Histoire courte : Paroles de Troyen**
**Énée se présente. Lisez sa déclaration et retrouvez sa traduction p. 14.**
« Sum pius Aeneas. Italiam quaero patriam. Ipse ignotus, egens, Libyae deserta peragro, Europa atque Asia pulsus. »

## ▸ Réviser les fonctions en français

**② a. Identifiez le sujet de chaque phrase. Réécrivez-la en encadrant le sujet par « c'est (ce sont) ... qui ».**
1. Créüse est l'épouse d'Énée. 2. L'ancienne Troie est une cité perdue. 3. Énée, Anchise et Iule prennent la mer. 4. Énée doit fuir sans Créüse.
**b. Repérez deux attributs du sujet. À quel indice les reconnaît-on ?**

**③ Lisez le texte à voix haute. Donnez à l'oral la fonction de chaque mot ou groupe de mots en gras.**
1. **Énée** a perdu **sa femme Créüse** pendant la destruction de **Troie**. 2. Il l'a beaucoup cherchée dans **la ville dévastée**. 3. Mais quand il croit l'avoir enfin retrouvée, elle n'est plus qu'**un fantôme**. 4. Vénus veille sur le voyage de **son fils Énée**. Elle demande **de l'aide** à **son père Jupiter**.

## ▸ Associer les fonctions et les cas

**④ a. Lisez à voix haute les phrases en latin.**
1. Toi, mon père, prends les Pénates.
   Tu, genitor, cape Penates.
2. Nous connaissons le nom de Troie.
   Troiae nomen cognovimus.
3. Le fils donne les Pénates à son père.
   Filius patri Penates dat.
4. Venez-vous d'Europe ? Ex Europa venitis ?
**b. Donnez la fonction des mots en couleur puis le cas correspondant en latin.**

## ▸ Conjuguer le verbe être

**⑤ a. Associez chaque phrase latine à sa traduction.**
**b. Complétez la traduction avec les formes verbales manquantes.**
1. Advenae, salvete, qui estis ? 2. Sum militum Trojanorum dux. 3. Advena, salve, quis es ? 4. Duae statuae sunt Penates. 5. Nunc Italia Aeneae patria est. 6. Milites Trojani sumus.
a. Étranger, salut, qui ... ? b. ... des soldats troyens.
c. Les Pénates ... deux statues. d. Étrangers, salut, qui ... ? e. Maintenant l'Italie ... la patrie d'Énée.
f. ... le chef des soldats troyens.

## ▸ Reconnaître les composants d'un nom

**⑥ Lisez à voix haute ces noms donnés au génitif singulier puis écrivez leur radical.**
vitae – tempestatis – indigenae – ingenii – filiae – patris – gentis – manus – doloris – fabulae – rei.

## ▸ Reconnaître la déclinaison d'un nom

**⑦ a. À quelle déclinaison appartient chaque nom ?**
imperium, *ii*, n. – pater, *tris*, m. – natura, *ae*, f. – fama, *ae*, f. – mare, *is*, n. – Creusa, *ae*, f. – dolor, *oris*, m. – homo, *inis*, m. – virtus, *utis*, f. – fabula, *ae*, f. – dux, *ducis*, m. – corpus, *oris*, n.
**b. Quel indice vous a permis de répondre ?**

**⑧ Mêmes consignes que l'exercice 7.**
auris, *is*, f. – Iulus, *i*, m. – dea, *ae*, f. – patria, *ae*, f. – tempestas, *atis*, f. – genitor, *oris*, m. – dies, *ei*, m. – gens, *gentis*, f. – genus, *eris*, n. – tribus, *us*, f.

**⑨ Recopiez le tableau. Pour chaque nom, écrivez la forme complète du génitif singulier dans la colonne correspondant à sa déclinaison.**
gens, *gentis*, f. – populus, *i*, m. – puer, *eri*, m. – dea, *ae*, f. – deus, *i*, m. – filius, *ii*, m. – equus, *i*, m. – natura, *ae*, f. – templum, *i*, n. – nomen, *inis*, n. – filia, *ae*, f.

| Déclinaison | 1re | 2e | 3e |
|---|---|---|---|
| Génitif sg. | | | |

## ▸ Comprendre le sens des mots

**⑩ Remplacez les mots en gras par un mot de sens équivalent issu de la racine *patr-*.**
1. Énée a trouvé une nouvelle **nation** en Italie.
2. En quittant Troie, il s'est **exilé**.
3. Il est parti avec plusieurs **compagnons**.

**⑪ Complétez les phrases avec ces noms : genre – générique – apatrides – indigènes.**
1. Ces ... ont été chassés de leur terre d'origine.
2. Son nom est inscrit au ... du film.
3. En grammaire, le féminin est un ... .
4. Ces exilés n'ont plus aucune patrie : ils sont ... .

**Chassez l'intrus !** **⑫ Retrouvez le mot « intrus » dans chaque liste.**
1. géniteur – genou – gens – génération – génotype.
2. patrouille – paternel – patron – rapatrié – patriarche.
3. généreux – ingénieux – génial – gêne – gène.

# De Troie à Rome

## Une installation difficile

Au bout de sept ans de voyage, les réfugiés troyens ont enfin découvert leur **terre promise** en Italie. Énée est bien accueilli par Latinus, roi des Latins, qui lui donne sa fille Lavinia en mariage. Mais il doit se battre contre un rival jaloux, Turnus, roi des Rutules. Blessé d'une flèche à la cuisse, il est ramené dans son camp.

Énée se tient debout,
appuyé sur sa lance, au milieu
d'un attroupement de soldats.
Son fils Iule pleure à ses côtés,
5 mais le héros reste impassible.
Pour être plus à l'aise, le vieux
médecin Iapyx a retroussé
son vêtement ; il cherche
à saisir la pointe de la flèche
10 avec une forte pince.
C'est alors que Vénus, émue
de voir souffrir son fils, vient
en secret apporter une plante
miraculeuse pour le guérir.

**Virgile**, *Énéide*, livre XII,
vers 398-417.

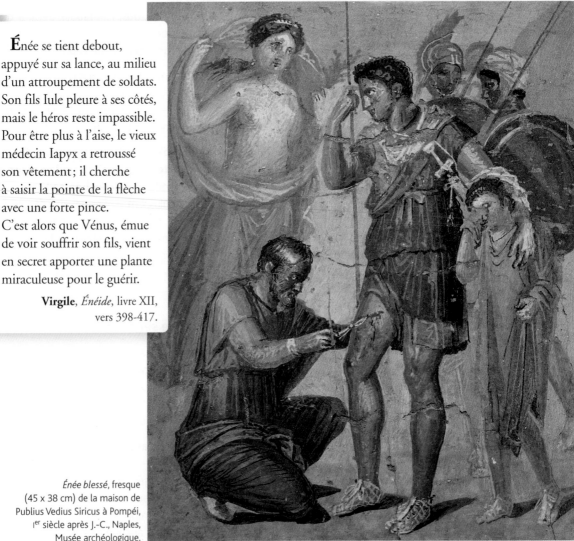

*Énée blessé*, fresque
(45 x 38 cm) de la maison de
Publius Vedius Siricus à Pompéi,
Iᵉʳ siècle après J.-C., Naples,
Musée archéologique.

Les exploits d'Énée sont très célèbres dans l'Antiquité. Les riches Romains aiment faire décorer leurs maisons avec des scènes tirées de l'épopée de Virgile, un récit qui mêle faits réels et merveilleux.
Vous en voyez un exemple sur cette fresque découverte à Pompéi, la fameuse cité ensevelie par l'éruption du Vésuve en 79 après J.-C.

### → DU TEXTE À L'IMAGE

❶ Combien d'années séparent la publication de l'*Énéide* de la disparition de Pompéi ?

❷ Nommez les personnages de la fresque.

❸ Que sont-ils en train de faire ?

## Le héros modèle

Virgile définit Énée par l'adjectif **pius**
(pieux, p. 14), ce qui signifie qu'il pense
toujours à honorer les dieux, sa famille et sa patrie.
Les Romains voient en lui le modèle parfait
de la **pietas** (piété). C'est une valeur fondamentale
pour eux. On peut la résumer par la règle du respect
aux **trois P** : **p**ater, **p**atria, **P**enates. La scène
de la fuite d'Énée (p. 15) en est le symbole.

**Pius**

**④** Indiquez à quels noms propres correspondent
les numéros sur la pièce de monnaie.

Pièce de monnaie
romaine, I<sup>er</sup> siècle après J.-C.

---

Le Latium.

## Énée, père des Romains

Les Troyens ont installé leur camp dans le **Latium**.
L'*Énéide* s'achève sur la mort de Turnus, tué par
Énée au cours d'un duel. Désormais Troyens et
Latins réunis vont vivre ensemble. Énée règne sur
**Lavinium**, la ville qu'il a fondée. Après sa mort, son
fils Ascagne fonde à son tour **Albe-la-longue**.
Un jour, l'un des descendants d'Énée aura
le privilège de fonder la ville appelée à devenir
la maîtresse du monde : **Rome**. Mais ceci est
une autre histoire...

**⑤** À l'embouchure de quel fleuve les Troyens se sont-ils installés ?

**⑥** Pourquoi Énée a-t-il appelé sa ville Lavinium ?

---

### Activités B2i

**Faire une recherche
sur Internet**

**1. Que savez-vous de la guerre qui a conduit à la
destruction de Troie ?**
Faites un court exposé pour présenter :
• les causes de la guerre de Troie (pourquoi et pour qui
elle a eu lieu),
• ses principaux héros (faites une liste pour chaque
camp),
• son déroulement et sa fin (sélectionnez les épisodes
qui vous semblent les plus importants en notant le rôle
que tient Énée).

**2. Qu'est-il arrivé à Énée lorsqu'il était en Afrique ?**
Racontez le séjour du chef troyen à Carthage, chez la
reine Didon.

---

### Pour aller plus loin À LIRE

L'*Iliade* et l'*Odyssée* d'Homère,
l'*Énéide* de Virgile,
© Pocket Jeunesse Classiques
département Univers poche, 2009.

**Le Dernier Troyen** de V. Mangin
et T. Démarez, © Soleil.
Librement inspiré d'Homère et
de Virgile, cette série de six bandes
dessinées mélange Antiquité et
science-fiction. Énée vit dans
un univers fabuleux où s'affrontent des empires
galactiques, comme dans la saga *StarWars*.

*Découvrir* le texte

### Drôle de nourrice !

*Près de quatre cents ans après l'arrivée d'Énée en Italie,*
*vers 775 avant J.-C., son lointain descendant Numitor,*
*roi d'Albe-la-Longue (p. 21), est chassé du trône par son frère*
*Amulius. Ce dernier condamne Rhéa Silvia, fille de Numitor,*
*à devenir prêtresse de la déesse Vesta, ce qui lui interdit d'avoir*
*des enfants. Mais le dieu Mars s'unit en secret à Rhéa Silvia, qui accouche*
*de jumeaux. Furieux, Amulius fait jeter la mère en prison et les bébés*
*dans le Tibre. Mais le destin veille…*

Détail d'une pièce de monnaie, env. 330 après J.-C.

**S**ed debebatur, ut opinor, fatis tantae origo urbis maximique secundum deorum opes imperii principium. […]

**C**'est bien au destin, à mon avis, qu'était due l'origine d'une ville aujourd'hui si grande et d'un empire devenu le plus puissant juste après celui des dieux. […]

*En effet, par un merveilleux hasard, signe de la protection divine, le Tibre était en crue : ses rives étaient inondées*
*par endroits. C'est là que les serviteurs abandonnent les enfants.*

Vastae tum in his locis solitudines erant. Tenet
5 fama cum fluitantem alveum, quo expositi
erant pueri, tenuis in sicco aqua destituisset,
lupam sitientem ex montibus qui circa sunt
ad puerilem vagitum cursum flexisse ; eam
submissas infantibus adeo mitem praebuisse
10 mammas ut lingua lambentem pueros magister
regii pecoris invenerit (Faustulo fuisse nomen
ferunt) ; ab eo ad stabula Larentiae uxori
educandos datos.

**Titus Livius**, *Ab Urbe condita libri*, liber primus.

À cette époque, les lieux étaient déserts. Une tradition
5 qui dure raconte que l'eau, peu profonde à cet endroit,
laissa à sec le berceau flottant qui portait les deux
enfants ; [elle raconte] qu'une louve assoiffée, descendue
des montagnes proches, accourut au bruit de leurs
vagissements ; elle offrit ses mamelles aux bébés si
10 tendrement que le berger des troupeaux du roi la trouva
en train de caresser les enfants de sa langue (on raconte
qu'il s'appelait Faustulus) ; il les emporta dans sa bergerie
et les confia à sa femme Larentia pour qu'elle les élève.

**Tite-Live** (59 avant J.-C.-17 après J.-C.), *Histoire romaine*, livre I, chapitre 4, 1-7.

→ **LIRE LE TEXTE**

❶ Comparez ce que dit Tite-Live de l'empire (imperium) de Rome avec ce que vous avez lu dans le Panorama (p. 6). Quels points communs constatez-vous ?

❷ Quels événements précis montrent que les jumeaux sont protégés par une force supérieure ?

❸ Quel animal vient en aide aux jumeaux ? Repérez le mot latin à la l. 7.

❹ Comment se comporte cet animal ? Cela vous paraît-il normal ?

❺ Comment cette histoire s'est-elle transmise ? Repérez le mot latin à la l. 5.

▶ Sans la crue d'un fleuve et la tendresse d'une louve, Rome aurait-elle vu le jour ?

*Découvrir l'image*

## Une scène de légende

Les jumeaux s'appellent Romulus et Rémus. La tradition fait des péripéties qui accompagnent leur naissance un épisode sacré de l'histoire de Rome.

Panneau d'un autel en marbre consacré à Mars et à Vénus, Ostie, début du IIe siècle après J.-C., Rome, Palazzo Massimo.

*Gros plan sur...*

*Les fleuves sont souvent personnifiés : on les représente comme de vieux barbus, appuyés sur une cruche d'où l'eau s'écoule. Le Tibre (Tiberis), le « torrent venu de la montagne », est honoré comme une force de la nature.*

### → LIRE L'IMAGE

❶ Identifiez les éléments de la scène repérés par les numéros 1 , 2 , 3 , 4 et 5 en retrouvant à quelle phrase ils correspondent.

**a.** Les deux serviteurs d'Amulius s'enfuient. **b.** La louve allaite les jumeaux. **c.** Un aigle, incarnant la toute-puissance de Jupiter, est perché sur le mont Palatin. **d.** Le Tibre se tient au pied du Palatin. **e.** Le berger Faustulus vient faire paître son troupeau.

❷ À quelles divinités est consacré cet autel ? Quel est leur lien avec Romulus et Rémus ?

# La force du destin

Avec beaucoup de fierté, les Romains pensent que leur ville a été « programmée » par le **destin (fatum)** pour dominer le monde. L'ancienne racine **fa-** exprime l'idée de **parler**. On reconnaît cette racine dans : le verbe **fa**ri (parler, dire), l'adjectif in**fa**ns, *tis*, (*qui ne parle pas*, d'où le sens de *petit enfant*), les noms **fa**ma et **fa**bula (Bilan, p. 40).

## Tria Fata → les trois Parques

*Dans la mythologie grecque, le destin est personnifié par trois vieilles fileuses, chargées de fabriquer puis de couper le fil de la vie. Les Romains les appellent* **Tria Fata** *(pluriel de fatum) ou* **Parcae** *(les Parques).*
*On imagine qu'elles interviennent à la naissance des bébés et qu'elles détiennent le secret de leur avenir inscrit sur un grand rouleau.*
*Cette croyance est à l'origine de nos* **fées** *(mot directement tiré de fata).*

*Les Parques*, dessin d'après un puits de marbre sculpté, I^er siècle avant J.-C., Madrid, Musée archéologique national.

 ## Fatum

Debebatur **fatis** tantae origo urbis → L'origine d'une ville si grande était due au **destin**. (p. 22)

Le mot **fatum**, *i*, **n.** désigne **ce qui a été dicté** par une force supérieure à laquelle même les dieux ne peuvent échapper. Il a plusieurs sens : destin, prédiction, oracle, destinée, fatalité.
Le **destin** se fait entendre à travers la **parole des dieux** (celle de Jupiter, en premier), que les **oracles** sont chargés de transmettre aux hommes.
Le **fatum** signifie donc que tout a été **prédit** d'avance dans la **destinée** de chaque individu, de sa naissance à son heure **fatale** (sa mort). C'est pourquoi on dit souvent « c'était **dit** (ou écrit) » pour exprimer la **fatalité** d'un événement.

 ## Fama

**Fama** tenet → Une **tradition** qui dure. (p. 22)

Le mot **fama**, *ae*, **f.** désigne ce qu'on dit de quelqu'un ou de quelque chose : la renommée, la réputation (bonne ou mauvaise), la rumeur.
Pour les Romains, la légende des origines de Rome est **fameuse**. C'est une **tradition** nationale solide, qui « tient » (dure) de génération en génération, d'abord par oral, puis par écrit.

### Jouez avec les mots

**❶ Qui sommes-nous ?**
**a.** Nous sommes comme les **tria Fata** et nous sommes venues fêter la naissance d'une princesse. Dans quel fameux conte de fées pouvez-vous nous rencontrer ?
**b.** Je représente la volonté de Jupiter et je veille sur le **fatum** de Rome. Retrouvez-moi sur l'autel d'Ostie (p. 23).

**❷ Des racines et des mots**
**a.** Cherchez le sens des mots français **fatalisme** et **fameux**.
**b.** Complétez la grille avec la traduction de ces noms en latin : **destin** (au pluriel), **tradition** (au singulier). Dans les cases colorées vous pourrez lire deux mots anglais. Quel est leur sens ? À quels mots latins les rattachez-vous ?

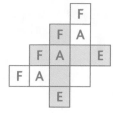

## Une longue tradition

**1a** Jamdiu tenet **fama**.
**La tradition** dure depuis longtemps.

**1b** Romanis Romuli et Remi fabula **fama** est.
Pour les Romains la légende de Romulus
et Rémus est **une tradition**.

**2** « O **fama**, claram lupam me fecisti ! »
« Ô **tradition**, tu as fait de moi une louve
célèbre ! »

**3** Pueri **famam** discunt.
Les enfants apprennent **la tradition**.

**4** Romani **famae** originem nesciunt.
Les Romains ignorent l'origine
de **la tradition**.

**5** Romani **famae** reverentiam semper habent.
Les Romains ont toujours du respect
**pour la tradition**.

**6** Romuli et Remi fabulam **fama** accipimus.
Nous apprenons la légende de Romulus et
Rémus **par la tradition**.

Mosaïque romaine, Aldborough,
IVe siècle après J.-C., Musée
de Leeds (Grande-Bretagne).

### 🔎 Les fonctions et les formes de la 1re déclinaison

Lisez à voix haute les phrases ci-dessus en latin,
puis en français.

**En français**

❶ Observez attentivement les mots en gras.
Quelle est leur fonction ? Pour chaque phrase,
complétez la réponse.
**1a.** ... du verbe ... **1b.** ... du sujet ... **2.** ... mis en
... **3.** ... du verbe ... **4.** ... du nom ... **5.** ... du verbe
... **6.** complément ... (moyen).

**En français et en latin**

❷ Comparez les mots en gras. Comptez le nombre de mots dans chaque langue. Que constatez-vous ?

**En latin**

❸ Quelles différences remarquez-vous entre les
formes du nom en gras traduit par *tradition* ?

### 🔎 Sujet et attribut du sujet

Lisez à voix haute ces phrases.

**1** **La tradition** dure.
Tenet **fama**.

**2** La légende est **une tradition**.
Fabula **fama** est.

**En français et en latin**

❹ Relevez le verbe et son sujet dans chaque
phrase.

**En latin**

❺ Quelle est la fonction du mot fama dans
la phrase 1 a ? Où se trouve-t-il par rapport au
verbe ?

## 1  La première déclinaison : fama, *ae*, f. : la tradition

- Tous les noms de la 1re déclinaison se terminent par **-ae** au génitif singulier.

| Cas | Singulier | Pluriel |
|---|---|---|
| Nominatif | fama | famae |
| Vocatif | fama | famae |
| Accusatif | famam | famas |
| Génitif | famae | famarum |
| Datif | famae | famis |
| Ablatif | fama | famis |

- La plupart des noms de la 1re déclinaison sont du genre **féminin**.
- Sont du genre masculin :
  – plusieurs noms de métier comme agricola, *ae* (le paysan) ; nauta, *ae* (le marin),
  – certains noms de nationalité comme Belga, *ae* (le Belge).

## 2  Le nominatif

- Le **nominatif** est le cas du **sujet**. Il commande l'accord du verbe en personne et en nombre.
  Exemple ▶ Tenet **fama**.
  **La tradition** dure.

- C'est aussi le cas de l'**attribut du sujet** avec le verbe *être* et tous les verbes d'état
  (*devenir, paraître, sembler…*).
  Exemple ▶ Romuli et Remi fabula **fama** est.
  La légende de Romulus et Rémus est **une tradition**.
  [légende = tradition]

Attention !

Il n'y a pas d'article en latin. On traduit donc fama par « la tradition » ou « une tradition », selon que le nom est déjà connu (défini) ou non (indéfini).

### VOCABULAIRE à retenir

*Noms*

causa, *ae*, f.  cause
copia, *ae*, f.  abondance, troupe militaire
cura, *ae*, f.  soin, souci
fama, *ae*, f.  tradition, réputation, rumeur
fortuna, *ae*, f.  sort, hasard, fortune
ira, *ae*, f.  colère
natura, *ae*, f.  nature
terra, *ae*, f.  terre
via, *ae*, f.  voie, chemin
vita, *ae*, f.  vie

*Mots invariables*

sed  mais
semper  toujours
tum  alors

**Fama volat.**
La rumeur vole.
(= Elle se répand comme le vent.)
**Virgile**, *Énéide*, livre III, vers 121.

# S'exercer

## ▶ S'entraîner à lire en latin

**❶** Histoire courte : Loup y es-tu ?

**a. Lisez ce début de fable.**

Ad rivum eumdem lupus et agnus venerant,
Au même ruisseau un loup et un agneau étaient arrivés,
siti compulsi ; superior stabat lupus
poussés par la soif ; en amont se tenait le loup
longeque inferior agnus… et plus loin, en aval, l'agneau…

**Phèdre**, *Fables*, I, 2, Iᵉʳ siècle après J.-C.

**b. Quel auteur français s'en est inspiré ?**

## ▶ Reconnaître les noms de la 1ʳᵉ déclinaison

**❷** À quelle déclinaison appartient chaque nom ?
Quel indice vous permet de répondre ?

fatum, *i*, n. : destin – urbs, *urbis*, f. : ville – alveus, *i*, m. :
berceau – aqua, *ae*, f. : eau – mons, *tis*, m. : montagne –
vagitus, *us*, m. : vagissement – uxor, *oris*, f. : épouse.

**❸** Parmi ces noms au génitif singulier, identifiez
ceux de la première déclinaison.

causae – principii – regis – linguae – originis – lupae.

## ▶ Décliner les noms de la 1ʳᵉ déclinaison

**❹ a. Recopiez ces noms par ordre alphabétique
en complétant la traduction des cinq derniers.**

cura, *ae*, f. : le soin – fortuna, *ae*, f. : le hasard – incola, *ae*,
m. : l'habitant – fama, *ae*, f. : … – nauta, *ae*, m : … –
vita, *ae*, f. : … – via, *ae*, f. : … – agricola, *ae*, m.: … .

**b. Recopiez et complétez le tableau pour chaque nom.**

| Génitif singulier | |
|---|---|
| Accusatif singulier | |
| Accusatif pluriel | |

**❺** À l'oral, mettez au génitif pluriel et au datif
singulier ces noms.

lingua – aqua – vita – via – causa – nauta.

**❻** Déclinez au singulier puis au pluriel ces noms.

copia, *ae*, f. : l'abondance – fortuna, *ae*, f. : le hasard.

**❼** Écrivez ces noms aux cas indiqués.

vita (D. sg.) – via (Acc. sg.) – copia (G. sg.) – terra
(Abl. sg.) – fortuna (V. sg.) – incola (D. pl.) – causa
(Abl. pl.) – nauta (G. pl.) – agricola (G. pl.) – lupa (N. pl.).

## ▶ Réviser les fonctions en français

**❽** Indiquez la fonction des mots ou groupes de
mots en gras.

**La tradition** raconte qu'**une louve** descendit **des
montagnes**, attirée par les vagissements **des jumeaux
abandonnés** ; elle leur présenta **ses mamelles** et
le berger **du roi** la vit les caresser **de sa langue**.

**❾ a. Identifiez le sujet de chaque phrase. Réécrivez-
la en encadrant le sujet par « c'est (ce sont) … qui ».**

1. Les jumeaux sont des enfants abandonnés.
2. Plus tard, une louve les découvre près d'un fleuve.
3. Le Tibre est le nom du fleuve.

**b. Repérez les attributs du sujet. À quel indice les
reconnaît-on ?**

## ▶ Associer les fonctions et les cas

**❿** Donnez la fonction des mots ou groupes de
mots en gras puis le cas correspondant en latin.

1. Plusieurs **auteurs** racontent **la légende** des **origines**.
2. Cette **histoire** n'est sans doute qu'**une fable**.
3. Les bergers veulent faire **une offrande** au dieu **Mars**.
4. La louve caresse **les bébés** avec **sa langue**.

**⓫** Recopiez le tableau et complétez-le en donnant
la fonction des noms en gras et le cas correspondant en latin.

| | Fonctions | Cas |
|---|---|---|
| La **louve** semble une bonne **nourrice**. | | |
| Le **destin** de Rome est célèbre. | | |
| La **rumeur** est la **cause** de nombreux maux. | | |
| Les **Parques** sont trois vieilles **fileuses**. | | |

## ▶ S'initier à la traduction

**⓬ a. Lisez à voix haute les phrases en latin.
Complétez les phrases en français.**

1. **Lupa** pueros audivit. … entendit les enfants.
2. Lupae **fabula** clarissima est. … de la louve est très
célèbre. 3. Nutrix **lupa** est. La nourrice est … .
4. **Lupa**, ut **fama** tradit, geminos aluit. … , comme
… le raconte, a nourri les jumeaux.

**b. Indiquez pour chaque nom traduit son cas et
sa fonction.**

## ▶ Comprendre le sens des mots

**⓭** Complétez les phrases avec ces mots :

fatalité – fataliste – fatal – fatidique – mal famé.

1. Ce soir, il connaîtra la vérité : c'est un jour … .
2. Cette mauvaise nouvelle lui a porté un coup … .
3. Cet endroit a mauvaise réputation : il est … .
4. Ils croient la guerre inévitable : ils sont … .
5. C'est un hasard malheureux, c'est la … .

**Chassez l'intrus !** **⓮** Retrouvez le mot « intrus »
dans chaque liste.

1. fatal – fatidique – fatigue – fatalisme – fatalement.
2. affamé – infâme – fameux – mal famé – fameusement.

# Sous le signe de la louve

## Mamma Lupa

C'est ainsi que les Romains nomment avec affection l'animal qui est devenu le symbole de Rome, une sorte de **totem** que l'on retrouve partout. Aujourd'hui comme dans l'Antiquité, elle est sur les étendards, les enseignes, les affiches, les fontaines, les pièces de monnaie, etc.

La plus célèbre représentation de la louve romaine est une **statue en bronze** conservée aux Musées du Capitole à Rome. On a longtemps cru qu'elle datait du V$^{e}$ siècle avant J.-C. (les jumeaux ayant été ajoutés au XVI$^{e}$ siècle après J.-C.). Mais des analyses très récentes ont contesté cette tradition : la louve serait en fait du XII$^{e}$ ou du XIII$^{e}$ siècle après J.-C.

La louve dite « du Capitole », statue en bronze (75 x 114 cm), Rome, Musées du Capitole.

Tag sur le mur d'une galerie piétonne, mai 2008, Rome, Via del Tritone.

Affiche pour la fête de la moto, février 2009, Rome.

D'autres représentations de **la louve** dans le dossier :
**Histoire des arts**, pp. 30-31.

### → DU TEXTE AUX IMAGES

1. Décrivez l'attitude de la louve du Capitole. Quelles ressemblances observez-vous avec le texte de Tite-Live (p. 22) ?
2. Quels détails précis du modèle sont repris sur le tag ?
3. L'affiche « détourne » partiellement le modèle. Comment ? Quel est l'effet produit ?

# Enfants trouvés

Des nouveau-nés abandonnés, nourris par des animaux, recueillis par des bergers : les histoires de ce genre ne manquent pas dans **la mythologie grecque**.

**4** Quels points communs relevez-vous avec la légende de Romulus ?

**5** En vous aidant de la généalogie d'Énée p. 16, retrouvez le nom d'un frère et d'une sœur de Pâris.

*Enceinte, la reine de Troie Hécube a fait un cauchemar. Elle se voit accoucher d'une torche qui met le feu à Troie. Pris de peur, le roi Priam décide de faire disparaître l'enfant.*

Quand le bébé naquit, Priam le confia à l'un de ses esclaves pour qu'il l'abandonne sur le mont Ida. Pendant cinq jours, le bébé fut allaité par une ourse. Quand l'esclave revint et le trouva sain et sauf, il le garda avec lui dans la campagne
5 et l'éleva comme son propre fils, en lui donnant le nom de Pâris.

**Apollodore d'Athènes**, *Bibliothèque*, IIe siècle après J.-C.

# Le Lupercal

C'est dans **une grotte** au pied du Palatin, là où précisément se serait échoué leur berceau, que la louve aurait nourri les jumeaux. Les Romains honoraient ce lieu mythique, nommé **Lupercal** (de **lupa**).

*En 2007, des archéologues italiens ont fait une étonnante découverte sur le mont Palatin...*

Une cavité souterraine voûtée ornée de coquillages, de mosaïques et de niches a été mise au jour [...]. Il s'agirait très probablement d'un lieu de culte oublié depuis longtemps, le Lupercal. [...]
5 « Cela pourrait raisonnablement être le site qui a abrité le mythe fondateur de Rome, l'un des plus célèbres au monde, la grotte légendaire où la louve a allaité Romulus et Rémus, leur sauvant ainsi la vie », a expliqué le ministre de la Culture,
10 Francesco Rutelli, en présentant la découverte.

**Dominique Poiret**, « On a retrouvé la grotte de Romulus et Rémus » (extrait), 20 novembre 2007, www.liberation.fr.

Voûte de la grotte du Lupercal, décorée au Ier siècle avant J.-C., Rome.

**6** Comment cette découverte fait-elle le lien entre la légende et l'histoire ?

---

**Activités B2i** .......... **Faire une recherche sur Internet**

**1. Quel sera le destin de Pâris ?**
Cherchez quel est le rôle de Pâris dans la guerre de Troie.

**2. Quels autres héros sont des enfants trouvés ?**
Ces héros ont été des enfants trouvés : Moïse, Mowgli, Tarzan, Superman. Choisissez l'un d'entre eux et tapez son nom sur Internet pour trouver des informations sur lui. Quels points communs relevez-vous avec la légende des jumeaux romains ?

**3. Les animaux symboliques**
Aujourd'hui l'image de la louve est associée à l'Italie. En tapant « animal symbolique » et le pays dans un moteur de recherche, cherchez quels animaux sont associés à la France, l'Allemagne, les États-Unis, la Chine.

**Pour aller plus loin** À LIRE

***Romulus et Rémus, les fils de la louve,*** roman d'Évelyne Brisou-Pellen, © Pocket Jeunesse département

Univers poche, 2006.

# La louve romaine

Vous avez découvert l'épisode le plus célèbre de la légende des origines de Rome (pp. 22-23). Voici cinq nouvelles représentations qui vont vous permettre de tester vos connaissances en faisant appel à votre sens de l'observation.

**1** Panneau du diptyque en ivoire de Rambona (détail), env. 900 après J.-C., Rome, Musées du Vatican.

**2** Pièce de monnaie en argent, 269 avant J.-C., Vienne, Kunsthistorisches Museum.

*Le Tibre personnifié*, sculpture en marbre **3** ▶ (165 x 317 x 131 cm), Rome, Champ de Mars, début du II<sup>e</sup> siècle après J.-C., Paris, Musée du Louvre.

## ✖ SITUER LES ŒUVRES

**1.** Classez les œuvres dans l'ordre chronologique, de la plus ancienne à la plus récente.

**2.** Combien d'œuvres datent de l'Antiquité ? Avec quels matériaux chacune d'elle a-t-elle été fabriquée ?

**3.** Où se trouvait l'œuvre **3** à l'époque de sa création ? Où peut-on la voir aujourd'hui ?

## ✖ RETROUVER L'HISTOIRE

**4.** Les cinq œuvres représentent la même scène. Résumez-la en quelques phrases.

**5.** Une phrase latine est inscrite sur l'œuvre **1**. Recopiez-la en latin et en français. Qu'est-ce qui vous surprend ?   ........ ET ........ A ........ NUTRITI

........ et ........ nourris par ........

**4** **John Leech**, *Romulus et Rémus découverts par un gentil berger*, gravure parue dans *The Comic History of Rome*, 1850.

**Pierre Paul Rubens**, **5** ▶
*Romulus et Rémus*,
huile sur toile
(210 x 212 cm),
env. 1614, Rome,
Pinacothèque capitoline.

## ✖ COMPARER LES ŒUVRES

**6.** Comparez la louve et les bébés dans les œuvres **1** et **2**, puis **3** et **5**. Quelles ressemblances observez-vous ?

**7.** Sous quelle forme est représenté le Tibre dans les œuvres **3** et **5** ?

**8.** Comparez le berger dans les œuvres **4** et **5**.

**9.** À quel genre d'histoire vous fait penser la gravure **4** ? Que pensez-vous de la façon dont est représentée la louve ?

**10.** Quel oiseau, présent sur l'autel d'Ostie (p. 23), retrouvez-vous sur cette gravure ?

## *Découvrir* le texte

Urne funéraire en forme
d'habitation, VIIIe siècle
avant J.-C., Rome,
Musée du Palatin.

## *Les premiers Romains*

*Les jumeaux ont chassé leur oncle Amulius et ils ont rendu le trône d'Albe-la-Longue
à leur grand-père Numitor. Mais à présent chacun voudrait fonder sa propre cité.*

**R**omulus ipse fluminis amator et montium,
apud quod erat educatus, moenia novae
urbis agitabat. **Gemini** erant fratres. [...]

**R**omulus lui-même, attaché au fleuve et aux montagnes
où il avait été élevé, projetait d'y bâtir les murs d'une
ville nouvelle. Mais les frères étaient . . . . [...]

*Alors ils décident de s'installer sur une colline et d'observer le passage des oiseaux :
ils attendent un signe des dieux pour désigner un chef.*

**Remus** montem Aventinum,
5 **Romulus Palatinum** occupat.

. . . prend place sur le mont Aventin,
5 . . . sur le . . . .

*Le premier, Rémus aperçoit six vautours, puis son frère en voit douze. Romulus se déclare alors
vainqueur ; avec une charrue, il délimite l'enceinte de sa ville. Mais Rémus se moque de lui et
franchit d'un bond le fossé. La bagarre éclate entre les jumeaux : Romulus tue son frère...*

Imaginem urbis magis quam urbem fecerat :
incolae deerant. Erat in proximo lucus : hunc
asylum facit ; et statim mira vis hominum,
**Latini** Tuscique pastores, quidam etiam
10 transmarini, Phryges qui sub **Aenea** duce
influxerant.
Ita ex variis quasi elementis congregavit
corpus unum, populumque **Romanum**
ipse fecit. Res erat unius aetatis, populus
20 virorum.

**Publius Annius Florus**, *Epitome*, liber primus.

Mais c'était plus l'idée d'une ville qu'une ville réelle :
elle manquait d'habitants. Il y avait un bois sacré dans
le voisinage : Romulus en fait un asile, et aussitôt arrive
une étonnante troupe d'hommes, des bergers . . . et
10 étrusques, mais aussi des réfugiés qui avaient traversé
la mer, des gens venus de Phrygie autrefois conduits
par . . . .
Ainsi, rassemblant en un seul corps ces éléments divers,
Romulus en fit lui-même le peuple . . . . Mais c'était l'affaire
20 d'une seule génération, un peuple d'hommes seulement.

**Florus**, *Abrégé de l'histoire romaine*, livre I, 1, IIe siècle après J.-C.

### → LIRE LE TEXTE

**1** Proposez une traduction pour les mots en gras.

**2** Pourquoi est-il difficile de choisir un chef entre les deux frères ?

**3** Pourquoi Romulus se considère-t-il comme le vainqueur ?

**4** Qui sont les premiers habitants de Rome ? D'où viennent-ils ?

**5** Quel nom de héros retrouvez-vous dans le texte ?

**6** D'après vous, qu'est-ce qui manque à la ville pour durer plus qu'une génération ?

▸ Romulus et Rémus sont devenus de fiers guerriers, comme leur père Mars.
Mais lequel des deux sera désormais le chef ?

# Un refuge pour des hors-la-loi

Rome a des débuts bien modestes. C'est tout juste un hameau d'humbles cabanes avec pour habitants des bergers misérables, des voleurs, des esclaves en fuite, des bandits, bref des « hors-la-loi ». C'est pour leur donner un refuge où ils ne seront pas poursuivis que Romulus crée un asylum (asile).

Le site de Rome.

### Gros plan sur...

La casa Romuli (cabane de Romulus) était pour les Romains un témoin sacré de leur origine. Pendant des siècles, ils l'ont restaurée à l'identique. Les archéologues modernes ont retrouvé sur le Palatin les fondations de cabanes en bois datant du VIIIᵉ siècle avant J.-C. La légende a ainsi un fondement historique.

### → LIRE L'IMAGE

❶ Nommez tous les lieux cités en italique sur la carte. À quoi correspondent-ils ?

❷ Où Romulus a-t-il tracé l'enceinte de sa cité ? Pourquoi ?

❸ Où s'était posté Rémus ? Où situez-vous ce lieu par rapport au précédent ?

❹ Où se trouvent la cabane de Romulus et l'asile qu'il a créé ? Cherchez le sens précis du mot **asile**.

# Une ville, un peuple

Pour les Romains, il n'y a qu'une seule **ville**, la leur !
Ils sont fiers d'être les héritiers de ces hommes si peu raffinés,
mais déterminés et courageux, réunis en un seul **peuple**
par le fils de Mars.

**21 avril 753 avant J.-C.**

*C'est la date officielle que les Romains célèbrent comme le jour de la fondation de leur ville. Ils en ont fait leur fête nationale. C'est aussi « le point zéro » de leur calendrier, à partir duquel ils datent un événement :*

*en latin* **ab Urbe condita**
*abrégé en* **AUC**
*(« depuis la Ville fondée »).*

*Rite de fondation d'une cité*, bas-relief d'Aquileia, Ier siècle avant J.-C., Rome, Musée de la civilisation romaine.

## Urbs

**Urbem** fecerat. → Il avait fait une **ville**. (p. 32)

Le mot **urbs**, *urbis*, **f.** désigne la **ville**. Fonder une ville est un **acte sacré**, souvent raconté par les légendes grecques et romaines. Les fondateurs, comme Romulus, tracent avec une charrue le fossé qui marque les limites du futur espace **urbain**. Ils dessinent ainsi l'enceinte (**pomoerium**, *ii*, n.) sur laquelle on bâtira les premiers remparts.

La tradition dit que Romulus a appelé sa ville Roma, d'après son nom. Lorsque Urbs est écrit avec une majuscule, il s'agit forcément de Rome, la Ville éternelle.

## Populus

**Populus** virorum. → Un **peuple** d'hommes. (p. 32)

Le mot **populus**, *i*, **m.** désigne l'ensemble des habitants d'une ville, d'une région, d'un pays. Il peut définir aussi les gens, le monde, la foule.

Romulus est le premier roi (**rex**, *regis*, m.) de Rome : il dirige (verbe **regere**) le peuple rassemblé sous son autorité. Son règne (**regnum**, *i*, n.) durera trente-huit ans (p. 43).

Constitué au départ d'une poignée d'hommes, le populus Romanus (peuple romain) ne cessera de s'agrandir au-delà des limites de l'Urbs, jusqu'à devenir le plus puissant de l'Antiquité.

### Jouez avec les mots

**1 Qui suis-je ?**
**a.** Recopiez les deux mots inscrits sur la pièce et traduisez-les.
**b.** Je suis une guerrière. Je suis la personnification d'une cité. Quel est mon nom ?

Pièce de monnaie, env. 330 après J.-C.

**2 Des racines et des mots**
**a.** Quels noms latins retrouvez-vous dans les mots suivants ?
**1.** urbain **2.** popularité **3.** urbanisme **4.** populaire **5.** régicide.
**b.** Associez chacun de ces mots à sa définition.
**a.** qui plaît au plus grand nombre **b.** qui est de la ville **c.** assassin d'un roi **d.** ensemble des techniques d'architecture en ville **e.** le fait d'être célèbre auprès de beaucoup de gens.

# Guerre et paix

**1** Titus Livius populi Romani historiam narrat.
Tite-Live raconte l'histoire du peuple romain.

**2** Romulus populo asylum fecit et populum Romanum creavit.
Romulus a fait un refuge pour le peuple et il a créé le peuple romain.

**3** Sed Romulus cum vicinis populis bellum gerere debet.
Mais Romulus doit faire la guerre avec les peuples voisins.

**4** Cum populo Romano, Romulus arma cepit.
Avec le peuple romain, Romulus a pris les armes.

**5** Rex Romanorum coronam auream habet, Acronis regis pulchra arma reportat.
Le roi des Romains a une couronne dorée, il ramène les belles armes du roi Acron.

**6** – Popule Romane, magnum periculum nobis fuit, sed magnam victoriam tenemus !
– Peuple romain, ce fut un grand danger pour nous, mais nous tenons une grande victoire !

Jean Auguste Dominique Ingres, *Romulus, vainqueur d'Acron* (roi d'un peuple voisin), 1812, Paris, Musée du Louvre.

## Les formes de la 2ᵉ déclinaison

**En français et en latin**

❶ Lisez les phrases 1 à 4. À quelle fonction correspond chaque couleur en français ? Indiquez le cas correspondant en latin.

❷ Le nom *populo* a la même forme dans les phrases 2 et 4. A-t-il la même fonction ?

❸ Lisez les phrases 5 et 6. Quelle est la fonction du nom *armes* ? Quelle est celle du nom *danger* ? À quel cas est *arma* ? À quel cas est *periculum* ?

❹ À quoi sert l'expression *peuple romain* dans la phrase 6 ? Quel cas lui correspond en latin ? Quelle terminaison observez-vous ?

## Les adjectifs qualificatifs

**En français**

❺ Repérez les groupes de mots comportant des adjectifs qualificatifs dans les phrases en français.

**En latin**

❻ Retrouvez les groupes correspondants en latin et identifiez l'adjectif dans chacun d'eux.

❼ Comparez les terminaisons des noms et des adjectifs. Que remarquez-vous ?

## 1 La deuxième déclinaison : populus, *i*, m. : le peuple – bellum, *i*, n. : la guerre

● Tous les noms de la 2ᵉ déclinaison se terminent par **-i** au génitif singulier.

| Cas | Masculin | | Neutre | |
|---|---|---|---|---|
| | **Singulier** | **Pluriel** | **Singulier** | **Pluriel** |
| **Nominatif** | popul**us** | popul**i** | bell**um** | bell**a** |
| **Vocatif** | popul**e** | popul**i** | bell**um** | bell**a** |
| **Accusatif** | popul**um** | popul**os** | bell**um** | bell**a** |
| **Génitif** | popul**i** | popul**orum** | bell**i** | bell**orum** |
| **Datif** | popul**o** | popul**is** | bell**o** | bell**is** |
| **Ablatif** | popul**o** | popul**is** | bell**o** | bell**is** |

● La plupart des noms en **-us** de la 2ᵉ déclinaison sont du genre **masculin**.
Sont du genre féminin : les noms d'arbres comme ficus, *i* (le figuier), certains noms de pays et de villes comme Aegyptus, *i* (l'Égypte).

● Pour quelques noms, le nominatif et le vocatif singuliers sont en **-er**.
Exemple ▶ puer, *pueri* : l'enfant – ager, *agri* : le champ.

● Les noms en **-um** sont tous du genre **neutre**.

## 2 Les adjectifs qualificatifs en -us, -a, -um

● Les adjectifs dits de **la première classe** sont en **-us**, **-a**, **-um**. Ils suivent la déclinaison des noms popul**us**, fam**a** et bell**um**.
Dans le dictionnaire, on les donne au nominatif singulier du masculin, du féminin et du neutre.
Exemple ▶ magn**us**, **a**, **um** : grand.

● Les adjectifs qualificatifs s'accordent en genre, en nombre et en cas avec les noms auxquels il se rapportent.
Exemples ▶ magnus populus – magnam victoriam – magnum periculum.

● Certains adjectifs de la première classe ont un nominatif en **-r** au masculin singulier et se déclinent comme puer, *pueri* et ager, *agri*. Le féminin indique le radical.
Exemples ▶ miser, misera, miserum : malheureux (radical miser-)
pulcher, pulchra, pulchrum : beau (radical pulchr-).

### VOCABULAIRE à retenir

*Noms*

| | |
|---|---|
| ager, *agri*, m. | champ |
| amicus, *i*, m. | ami |
| consilium, *ii*, n. | avis, conseil |
| dominus, *i*, m. | maître |
| equus, *i*, m. | cheval |
| filius, *ii*, m. | fils |
| locus, *i*, m. | lieu |
| periculum, *i*, n. | danger |
| puer, *eri*, m. | enfant |
| servus, *i*, m. | esclave |
| templum, *i*, n. | temple |
| verbum, *i*, n. | mot |

*Adjectifs*

| | |
|---|---|
| bonus, a, um | bon |
| longus, a, um | long |
| magnus, a, um | grand |
| malus, a, um | mauvais |
| multi, ae, a | nombreux |
| novus, a, um | nouveau |
| parvus, a, um | petit |
| pauci, ae, a | peu nombreux, quelques |

**Vox populi, vox dei.**
Voix du peuple, voix de dieu.
**Si vis pacem, para bellum.**
Si tu veux la paix, prépare la guerre.

Proverbes.

▶ **S'entraîner à lire et à dire en latin**

**1** Histoire courte : Paroles de Romain

À la fin de son règne, Romulus aurait été transporté au ciel auprès des dieux. Lisez l'ordre qu'il donne à l'un de ses anciens compagnons.

« Abi, nuntia Romanis caelestes ita velle ut mea Roma caput orbis terrarum sit ! »

« Va, annonce cette nouvelle aux Romains : les dieux du ciel veulent que ma Rome soit la capitale du monde ! »

**Tite-Live**, *Histoire romaine*, I, 16.

▶ **Reconnaître les noms de la 2e déclinaison**

**2** À quelle déclinaison appartient chaque nom ? Quel indice vous permet de répondre ?

fatum, *i*, n. : destin – urbs, *urbis*, f. : ville – regnum, *i*, n. : règne – ira, *ae*, f. : colère – natura, *ae*, f. : nature – verbum, *i,* n. : parole – amicus, *i*, m. : ami.

**3** **a.** Parmi ces noms au génitif singulier, identifiez ceux de la deuxième déclinaison.

amicae – viri – signi – corporis – vitae – loci – verbi – copiae – equi – oculi.

**b.** Quel autre indice est nécessaire pour identifier le genre du nom ?

▶ **Décliner les noms de la 1re et de la 2e déclinaison**

**4** **a.** Retrouvez la traduction de ces noms.

vita, *ae*, f. – imperium, *ii*, n. – annus, *i*, m – filius, *ii*, m. – puer, *eri*, m – periculum, *i*, n. – fama, *ae*, f.

**b.** Recopiez et complétez le tableau pour chacun.

| | |
|---|---|
| Nominatif singulier | |
| Génitif singulier | |
| Nominatif pluriel | |

**c.** Que remarquez-vous pour les formes du nominatif pluriel ?

▶ **Décliner les adjectifs de la 1re classe**

**5** **a.** Traduisez ces groupes donnés au nominatif singulier : longa vita – longus annus – bonus nauta – magnum periculum.

**b.** Déclinez-les au singulier et au pluriel dans des tableaux.

**6** Même consigne que l'exercice 5 : parvus ager – pulcher servus – novum verbum – miser agricola.

**7** Retrouvez le cas, le genre et le nombre de ces groupes nom + adjectif.

boni amici – multae filiae – longis annis – mala fama – magna pericula – novi verbi.

**8** **a.** Recopiez et complétez le tableau.

| Noms | Cas | Genre | Nombre | Adjectifs |
|---|---|---|---|---|
| 1. fortunae | | | | a. longam |
| 2. viam | | | | b. longo |
| 3. locos | | | | c. multa |
| 4. anno | | | | d. bonae |
| 5. verba | | | | e. novos |

**b.** Associez correctement chaque nom à un adjectif.

▶ **Associer les fonctions et les cas**

**9** Donnez les fonctions des mots en gras.

**1.** Romulus attire à Rome des **bandits** redoutables ; ils sont les premiers **habitants**. **2.** Les douze vautours sont un vrai **signe** divin ; Romulus y voit un **présage** favorable. **3.** **Que** veulent les dieux ? Ils favorisent **Romulus** qui est le futur **roi** de Rome. **4.** Le peuple joyeux acclame **Romulus** ; Rome sera son **royaume**.

**10** **a.** Pour chaque mot en gras dans l'exercice 9, indiquez le cas correspondant à sa fonction.

**b.** Pour chaque mot souligné, indiquez sa nature et sa fonction. Indiquez ensuite le cas correspondant.

▶ **S'initier à la traduction**

**11** Accordez l'adjectif en gras avec le nom qui le précède puis avec le nom qui le suit. Vous obtiendrez deux phrases de sens différent.

**1.** Amicos (**bonus**) pater habet [a]. **2.** Filio (**malus**) consilium pater dat [donne]. **3.** Animo (**magnus**) periculum dux [le chef militaire] vicit [a triomphé de]. **4.** Fortuna (**magnus**) imperium populus Romanus habuit [a obtenu].

▶ **Comprendre le sens des mots**

**12** Complétez les phrases avec ces mots en faisant attention aux accords : urbanisme – belligérant – urbanisation – belliqueux – urbain.

**1.** La population se concentre dans les zones ... et ce vaste phénomène d'... vide les campagnes. **2.** Il est agressif, il maîtrise mal son tempérament ... . **3.** Un accord n'a pu être trouvé entre ces deux états ... . **4.** Ce quartier respecte les règles de l'... .

**Devinette**

**13** • Mon premier est la « chute d'un mot » dans la déclinaison (p. 12).
• Mon deuxième est le génitif singulier du modèle neutre que vous venez d'apprendre.
• Mon tout est ce qui provoque une déclaration de guerre.

# Rome et ses voisins

## Les premières Romaines

Ce qui manque à Rome ? Des femmes, vous l'avez compris, car il faut faire des petits Romains pour assurer la postérité de la ville. Mais aucun peuple voisin ne veut donner ses filles à marier à des gens aussi grossiers. Romulus monte alors une ruse habile. Il annonce qu'il va donner une grande fête à laquelle il invite les Sabins avec leurs familles.

**Nicolas Poussin**, *L'Enlèvement des Sabines*, huile sur toile (159 x 206 cm), env. 1638, Paris, Musée du Louvre.

Les Sabins arrivèrent en foule. Romulus, vêtu de pourpre et entouré des principaux citoyens, était assis dans le lieu le plus élevé. Il avait donné pour signal le geste, qu'il ferait en se
5 levant, de prendre les pans de son manteau et de s'en envelopper. Ses soldats armés tenaient les yeux fixés sur lui. Le signal est à peine donné, que, tirant leurs épées, ils s'élancent au milieu de la foule en jetant de grands cris,
10 enlèvent les femmes, et laissent les Sabins s'enfuir sans les poursuivre.

**Plutarque**, *Vie de Romulus*, chapitre XIV, IIᵉ siècle après J.-C.

### → DU TEXTE À L'IMAGE

❶ De quel siècle date le tableau ? Décrivez le décor. Correspond-il à l'image de Rome que nous donne l'archéologie ? (p. 33)

❷ Quelles émotions veut faire ressentir le peintre dans cette scène ? Décrivez les attitudes des personnages.

❸ Où se trouve Romulus ? À quoi le reconnaissez-vous ?

❹ Quel est le signal donné pour l'enlèvement ? Quels détails précis du texte de Plutarque sont repris par le peintre ?

# Un site bien choisi

Rome est bâtie sur **une position stratégique** (voir p. 33) :
- ses **sept collines** la protègent des ennemis et la tiennent au-dessus des marécages qui provoquent de graves maladies (malaria). Elles lui fournissent du « bon air », des forêts et de l'eau grâce à de nombreuses sources.
- elle est **loin de la côte** (35 km), ce qui la protège des attaques à l'improviste (dans l'Antiquité, on craignait beaucoup les incursions de pirates).
- elle est reliée à la mer par **un fleuve navigable**, le Tibre, qui permet le transport des marchandises (entre autres, le sel).
- elle offre **un point clé de communication** entre les Étrusques (au Nord) et les colons grecs de Campanie, artisans et commerçants (au Sud).

> **R**ien de plus important pour une cité appelée à devenir une grande puissance que le choix de son emplacement : Romulus sut le choisir admirablement.
>
> **Cicéron**, *De la République*, II, 3, I<sup>er</sup> siècle avant J.-C.

**5** Quels peuples les Romains ont-ils pour voisins ? Situez-les sur la carte en page de garde.

Un chef-d'œuvre de l'art étrusque : *La Chimère d'Arezzo*, statue en bronze, V<sup>e</sup> siècle avant J.-C., Florence, Musée archéologique.

**6** Qu'est-ce qu'une chimère ?

# Les Étrusques

Appelés **Tusci** ou **Etrusci** en latin (leur pays gardera le nom de Toscane ou Étrurie), les Étrusques ont développé une civilisation riche et brillante, bien avant la fondation de Rome. Leur origine reste mystérieuse. Seraient-ils issus d'une tribu indo-européenne (p. 8) ou d'émigrants venus d'Asie, comme les légendaires Troyens ?

Leur aspect physique est de type oriental (peau cuivrée et grands yeux légèrement bridés), leur art est imprégné par la Grèce. Ils ont fondé des villes fortifiées (comme Véies et Tarquinia), gouvernées par un roi qui exerce aussi l'autorité d'un grand prêtre.

Avant de dominer définitivement les Étrusques, les Romains ont adopté beaucoup de leurs traditions, surtout dans les domaines religieux et artistique.

---

## Activités B2i — Se documenter sur Internet

### 1. L'enlèvement des Sabines
Faites une recherche d'images sur les Sabines pour voir un autre tableau représentant leur enlèvement. Faites une fiche de présentation (peintre, date, taille, lieu de conservation), puis comparez l'œuvre avec celle de Poussin (personnages, décor, attitudes).

### 2. Qui sont les rois de Rome ?
Vous étudierez la monarchie romaine l'année prochaine. Vous pouvez déjà faire la liste des rois de Rome.

### 3. Quel est l'héritage étrusque ?
Présentez en un court exposé illustré ce que les Étrusques ont apporté aux Romains. Vous pouvez voir des œuvres sur le site du Musée du Louvre.

@ Pour vous aider, retrouvez des liens utiles sur :
http://latin.magnard.fr/liens5e

## Pour aller plus loin À LIRE

***Contes et légendes de la naissance de Rome*** de François Sautereau, © Nathan Jeunesse, 1998.

***Contes et légendes de la naissance de Rome*** de Laura Orvieto, © Pocket Jeunesse, département Univers poche, 1998.

# De la légende à l'histoire

Pour raconter les origines de leur ville, les Romains ont développé une tradition très ancienne, en partie inspirée par la mythologie grecque. Les auteurs comme Virgile et Tite-Live font intervenir le merveilleux pour expliquer les événements.

Vous avez vu comment les dieux veillent sur le monde des hommes. Ainsi les « belles » histoires que vous avez lues dans cette première partie sont chargées d'embellir ce que nous nommons Histoire (avec une majuscule). Les petits Romains les apprenaient à l'école : elles forment un ensemble de **legenda** (« ce qu'on doit lire », du verbe **legere**, d'où le mot « légende ») qui est la base de leur culture. Ces **légendes** nourrissaient leur fierté de se sentir « le peuple de Mars ».

*L'empereur Hadrien représenté en dieu Mars, statue en marbre, env. 140 après J.-C., Paris, Musée du Louvre.*

---

*En principe, les historiens ne doivent pas chercher à embellir la réalité : ils étudient le passé avec le souci de la vérité. Cependant, Tite-Live se justifie ainsi :*

    **J**e n'ai l'intention ni de garantir ni de démentir les événements liés à la fondation de Rome, tels qu'ils sont rapportés. On sait qu'ils sont plus embellis par des récits fabuleux (**fabulae**)
5  que fondés sur des documents authentiques témoignant des faits accomplis. Mais on accorde aux Anciens le droit de mêler le divin à l'humain pour rendre les débuts des villes plus prestigieux. Un peuple peut ainsi rendre ses origines sacrées
10  en prenant les dieux comme garantie. C'est un droit qui revient au peuple romain plus qu'à aucun autre. Sa gloire militaire lui suffit. S'il veut faire du dieu Mars le père de son fondateur, les autres peuples l'acceptent avec autant de facilité
15  qu'ils acceptent sa domination (**imperium**).

            **Tite-Live**, *Histoire romaine*, Préface.

---

### → LIRE LE TEXTE

**1** Quels mots français pouvez-vous rattacher à **fabula** ? Précisez leur sens.

**2** L'épisode de la louve peut se lire comme une **fable**. Quelle illustration vous l'a montré ? (p. 31) Comment ?

**3** Quel dieu le peuple romain a-t-il choisi pour garantir sa fondation ? Pourquoi ? Qu'en pensez-vous ?

### 🔑 Fabula

Construit sur la racine **fa-** (parler, p. 24), le mot **fabula, ae, f.** désigne tout type de récit **fabuleux**, où les événements et les personnages font partie d'un monde surnaturel et merveilleux (avec des dieux, des héros, des monstres). Il est l'équivalent du grec ***mythos***, d'où vient le mot « mythe ».

On traduit donc **fabula** par légende, conte, **fable**, histoire (dans une pièce de théâtre).

Employé avec un certain mépris, le mot **fabula** s'applique aussi aux aventures imaginaires dont on se moque parce qu'elles ne sont pas crédibles (des fadaises, des blagues dans le vocabulaire familier).

## → Pour vous permettre de vérifier vos connaissances et vos compétences

### ▶ Associer les fonctions et les cas

**1** a. Pour chaque nom en couleur, précisez s'il s'agit : d'un sujet du verbe, d'un attribut du sujet, d'un COD du verbe ou d'un complément du nom.
1. Énée aime Anchise.
2. Anchise est son père.
3. Le père d'Énée est Anchise.
b. En latin : le mot serait-il au nominatif, à l'accusatif ou au génitif ?

**2** a. Quelle est la fonction des mots en gras ?
b. Quel est le cas correspondant en latin ?

*En route vers l'Italie, Énée navigue près de l'île où vit la magicienne Circé.*
On entend des **bruits** épouvantables : des sangliers et des **ours** grognent dans leurs cages, des loups hurlent, **énormes** et effrayants. Ce sont des **hommes** ! **Circé**, la déesse cruelle, **les** a métamorphosés en **leur** donnant la **tête** et le **corps** de **bêtes** sauvages. Mais comme **Neptune**, le dieu des **mers**, a peur que les **Troyens** soient poussés vers la côte et ne subissent le même **sort**, il fait souffler un **vent** favorable dans la voile des **navires** : il **les** emporte loin de ces rivages terrifiants.

**Virgile**, *Énéide*, livre II, vers 15-24.

### ▶ Décliner un nom

**3** a. À quelle déclinaison appartient chaque nom donné au génitif singulier ?
a. populi b. verbi c. vitae d. signi e. amici f. imperii g. causae h. loci i. viae j. anni k. filii l. famae.
b. Associez chaque nom à sa traduction.
1. pouvoir 2. vie 3. fils 4. route 5. signe 6. lieu 7. ami 8. année 9. mot 10. peuple 11. cause 12. renommée.

**4** Recopiez le tableau et complétez la déclinaison de ces noms.

| | Singulier | Singulier | Singulier |
|---|---|---|---|
| N. | patria | | |
| V. | | | |
| Acc. | | imperium | |
| G. | | | |
| D. | | | servo |
| A. | | | |

**5** Même consigne que l'exercice 4.

| | Pluriel | Pluriel | Pluriel |
|---|---|---|---|
| N. | | | |
| V. | | | |
| Acc. | | | |
| G. | locorum | | |
| D. | | viis | |
| A. | | | consiliis |

**6** Même consigne que l'exercice 4 avec ces groupes nom + adjectif. Attention aux accords !
1. magnum regnum 2. misero agricola 3. longo anno 4. novarum causarum 5. parvis imperiis 6. boni filii.

### ▶ S'initier à la traduction

**7** Choisissez la bonne traduction.
a. Agricola equum audit (= entend).
1. Le paysan entend le cheval.
2. Le cheval entend le paysan.
b. Lupam Romulus amat (= aime).
1. La louve aime Romulus.
2. Romulus aime la louve.
c. Populus Romanus magnum imperium habet (= a).
1. Le grand peuple romain a un empire.
2. Le peuple romain a un grand empire.

**8** a. Repérez le verbe de chaque phrase.
b. Identifiez le cas, le genre, le nombre de chaque groupe nom + adjectif et donnez leur fonction.
1. Romulus et Remus sumus, Martis (= de Mars) filii.
2. Parvi servi estis, sed boni agricolae.
3. In Graecia (= en Grèce), multa templa sunt.
4. Bona lupa es.
5. Servi Graeci boni medici saepe sunt.
6. In (+ abl. = dans) agris, multi agricolae miseri laborant (= travaillent).
7. Romani multa et longa bella gerunt (= font).
8. Imperium Romanum magnum est.
c. Traduisez.

**9** a. Formez quatre phrases en prenant un mot dans chaque colonne. Chaque mot ne peut être utilisé qu'une fois.

| docti | est | servi | Romulus |
|---|---|---|---|
| filius | miser | semper | bella |
| laborat (travaille) | Romana | Martis | agricola |
| sunt | Graeci | longa | estis |

b. Traduisez les phrases obtenues.

## ▶ Enrichir son vocabulaire

**❿ Voici dix expressions latines couramment utilisées en français. Chacune est composée de deux mots.**

**a.** Retrouvez-les en associant ces mots.

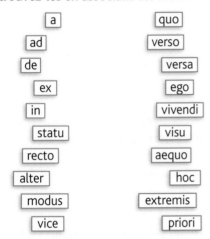

| a | quo |
|---|---|
| ad | verso |
| de | versa |
| ex | ego |
| in | vivendi |
| statu | visu |
| recto | aequo |
| alter | hoc |
| modus | extremis |
| vice | priori |

**b. Associez chaque expression à son sens.**

**1.** au tout dernier moment **2.** réciproquement, inversement **3.** sur le même rang, à égalité **4.** autre moi-même **5.** état actuel des choses **6.** parfaitement adapté à cet usage **7.** au premier abord **8.** de ses propres yeux **9.** sur l'endroit et sur l'envers **10.** manière de vivre, arrangement.

## ▶ Réviser le vocabulaire latin

**⓫ a. Quelles racines reconnaissez-vous dans chacun de ces mots ?**

**1.** patriarcat **2.** progéniture **3.** patriote **4.** généreux **5.** populaire **6.** belligérant.

**b. Associez chaque mot à sa définition.**

**a.** ensemble des êtres engendrés par un individu **b.** personne ou état qui prend part à une guerre **c.** personne qui aime sa patrie **d.** qui plaît au plus grand nombre **e.** qui a un grand cœur **f.** forme de famille fondée sur la puissance paternelle.

**⓬ a. À l'aide des indices suivants, retrouvez dix mots latins dans la grille. Ils sont inscrits horizontalement ou verticalement. Une même lettre peut servir deux fois.**

**1.** Romulus en a fondé une. **2.** Troie a été celle d'Énée. **3.** Elle embellit l'Histoire. **4.** Anchise les transporte. **5.** Mars est celui de Romulus. **6.** Elle transmet la légende de la louve. **7.** Adjectif qui désigne la première qualité d'Énée. **8.** Il vient d'une racine qui signifie naissance. **9.** Il est constitué de l'ensemble des habitants. **10.** Elles sont trois et elles déroulent le fil de la vie (2 mots).

| F | P | E | N | A | T | E | S |
|---|---|---|---|---|---|---|---|
| P | A | T | R | I | A | M | U |
| I | T | R | G | E | N | U | S |
| U | E | I | F | A | M | A | U |
| S | R | A | F | A | T | A | R |
| F | A | B | U | L | A | T | B |
| A | P | O | P | U | L | U | S |

**b. Avec les lettres restantes, composez le nom de celui qui décide tout avant les autres.**

## ▶ Connaître les récits fondateurs

**⓭ L'arbre généalogique a perdu tous ses noms propres. Recopiez-le et complétez-le.**

**⓮ Voici un héros biblique, un héros et un dieu de la mythologie grecque, deux héros modernes. Tous ont réussi à survivre dans des circonstances très difficiles après leur naissance, comme Romulus. Écoutez-les se présenter et inscrivez leur nom dans la grille.**

**1.** J'ai été abandonné dans la jungle. Mère Louve m'a nourri et j'ai vécu dans le clan des loups. **2.** Ma mère a dû m'abandonner dans un berceau sur le Nil. C'est la fille du pharaon qui m'a trouvé et élevé. **3.** Mon père voulait me dévorer. Ma mère m'a caché sur une montagne de Crète et c'est une chèvre qui m'a nourri. **4.** Mes parents m'ont fait quitter la planète Krypton, pour échapper à sa destruction. J'ai traversé l'espace dans un berceau de cristal. J'ai été recueilli par un couple d'Américains ordinaires. **5.** Fils du roi de Troie, j'ai été abandonné dans la montagne. Une ourse m'a nourri avant que des bergers me découvrent et m'élèvent.

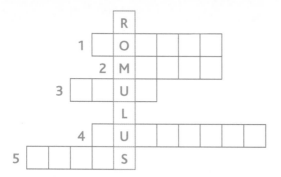

R
1 O
2 M
3 U
L
4 U
5 S

**15** Tite-Live a raconté l'histoire de Rome, depuis ses origines légendaires jusqu'en 9 avant J.-C., dans un ouvrage monumental dont il ne reste que 35 livres sur 142. Il portait le titre de *Ab Urbe condita libri*.

**a.** Que signifie le titre de Tite-Live ?
**1.** Les livres depuis la fondation de la Ville
**2.** Les livres de la Ville retrouvée
**3.** Les livres de Rome et des Romains.

**b.** Comment l'appelons-nous aujourd'hui ?
**1.** Les livres de la Ville
**2.** Rome depuis ses origines
**3.** Histoire romaine.

**c.** Quelle est la date de la fondation de Rome (jour, mois, année) ?

**d.** En quelle année AUC sommes-nous ? Quelle opération avez-vous faite ?

▶ **Déchiffrer une inscription**

**16** Voici deux fragments de l'éloge de Romulus gravé sur le piédestal d'une statue, aujourd'hui disparue, qui devait représenter le fondateur de Rome sur le forum de Pompéi.
**a.** Recopiez les mots manquants.
**b.** Complétez la traduction.

… …                                    …, … de …
… … …                                  fonda la … de …
CONDIDIT ET REGNAVIT …                 et il régna
DVODEQVADRAGINTA                       trente-huit … .

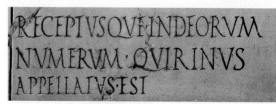

*Éloge de Romulus*, forum de Pompéi, Ier siècle après J.-C., Rome, Musée de la civilisation romaine.

RECEPTVSQVE IN …        Admis au nombre des …
NVMERVM …               il fut appelé … .
APPELLATVS EST

---

▶ *Dire bonjour et au revoir*

Latinis verbis

|  | Bonjour | Salut | Au revoir |
|---|---|---|---|
| à une seule personne | Ave | Salve | Vale |
|  | Formules de salutation quand on rencontre quelqu'un | Formule d'adieu, en particulier à la fin d'une lettre | |
|  | | **Salve** peut aussi s'utiliser pour dire *au revoir* comme notre *salut*. | |
|  | | **Salve, Vale** Les deux signifient « Porte-toi bien ! » | |
| à deux personnes ou plus | Avete | Salvete | Valete |
|  | | « Portez-vous bien ! » | |

Sum Marcus. Avete !

Sum Aurelia. Salvete !

↪ À votre tour, présentez-vous et entraînez-vous à dire *bonjour* ou *au revoir* à un ou plusieurs de vos amis.

## Découvrir le texte

### Pater familias

*Né dans une très ancienne famille de la noblesse romaine, Appius Claudius Caecus*
*(env. 340-273 avant J.-C.) fut un homme politique célèbre.*

**Q**uattuor robustos filios, quinque filias,
tantam domum, tantas clientelas Appius
regebat et caecus et senex. Intentum enim
animum tamquam arcum habebat nec lan-
5 guescens succumbebat senectuti.
Tenebat non modo auctoritatem, sed etiam
imperium in suos : metuebant servi, vere-
bantur liberi, carum omnes habebant.
Vigebat in illa domo mos patrius et
10 disciplina.

**Marcus Tullius Cicero,** *De senectute.*

**A**ppius, aveugle et âgé, gouvernait ses quatre fils en
pleine vigueur, ses cinq filles, toute une maison très importante et beaucoup d'individus qui dépendaient de lui. Il
gardait en effet l'esprit tendu comme la corde d'un arc et il
5 ne se laissait pas aller à la faiblesse de la vieillesse.
Non seulement il maintenait son autorité, mais aussi son
pouvoir absolu sur les siens : ses esclaves le craignaient, ses
enfants le respectaient, mais tous le chérissaient.
Dans sa maison, les traditions et la discipline héritées des
10 ancêtres étaient toujours en vigueur.

**Cicéron** (106-43 avant J.-C.), *Au sujet de la vieillesse*, XI, 37.

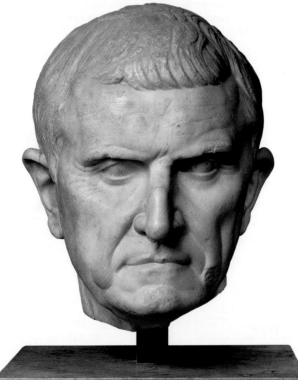

Tête en marbre d'un noble romain,
début du 1er siècle après J.-C., Paris, Musée du Louvre.

→ **LIRE LE TEXTE**

❶ Combien Appius a-t-il d'enfants ? Relevez les mots qui vous donnent la réponse en français puis en latin.

❷ Sur qui exerce-t-il son autorité ?

❸ Quel mot latin montre son pouvoir sur sa famille ? Un indice : c'est un mot-clé que vous avez appris (p. 7).

❹ Quels sentiments Appius inspire-t-il à ceux qui vivent auprès de lui ?

❺ Quelles valeurs maintient-il dans sa maison ?

▶ Pour les Romains, rien de plus sacré que la famille :
pas question de discuter l'autorité de son chef !

Découvrir l'image

# Le respect de la famille

Fiers de leurs origines, les Romains considèrent avec le plus grand respect ceux qui les ont précédés, leurs parents et ancêtres, qu'ils nomment **majores** (les *plus grands* par l'âge). Les plus riches forment de grandes et puissantes familles (**gentes**). De génération en génération, ils perpétuent les traditions et les valeurs fondamentales entretenues par une éducation rigoureuse (**disciplina**), comme le fait Appius.

mot-clé
Majores

→ **LIRE L'IMAGE**

❶ Que tient le personnage ?

❷ Décrivez son vêtement.

❸ Observez l'expression de son visage. Choisissez les adjectifs qui la caractérisent le mieux : gaie – sévère – triste – joyeuse – grave.

❹ Quelle impression cette statue produit-elle ?

Gros plan sur...

Les **imagines** (images, effigies) sont les portraits des ancêtres défunts. Le **pater familias** les porte pieusement lors de la procession qui accompagne les funérailles d'un membre de sa famille, car ils montrent l'ancienneté et l'importance de sa lignée. Pendant longtemps, le droit de se faire représenter (**jus imaginum**, le droit aux images) a été réservé aux nobles.

Statue en marbre (165 cm) représentant un noble romain portant les effigies de ses ancêtres (dans sa main droite, son grand-père ; dans sa gauche, son père), env. 15 après J.-C., Rome, Musées du Capitole.

# En famille

Chaque citoyen appartient à une **gens** et à une **familia**, deux bases fondamentales pour la société romaine. On les traduit généralement en français par le même mot : **famille**.

*Vénus*, fresque de la maison dite de « Vénus à la coquille » (détail, p. 120), Iᵉʳ siècle après J.-C., Pompéi.

##  Gens

Dès la fondation de Rome, ses habitants se sont groupés en familles autour d'un père (pater), exerçant un pouvoir absolu (imperium) dans sa maison. Selon la tradition, ces premières familles étaient au nombre de cent. Ces *nobles* de naissance sont nommés **patriciens** (patricii).

Tous les descendants qui revendiquent un même pater comme ancêtre commun composent une **gens** (gens, *gentis*, f.), qui fonctionne comme une vaste famille (un clan). Le nom de la gens, toujours donné au féminin, se termine en **-ia**. Tous les hommes de la gens portent le même **gentile nomen** (nom de famille), terminé en **-ius**.

### La gens Julia

*Les grandes familles patriciennes aiment faire remonter leur généalogie à un ancêtre très illustre. Ainsi, la **gens Iulia** (ou Julia) prétend tirer son origine et son nom du prince troyen **Iulus** (Iule, aussi appelé Ascagne), fils d'Énée et petit-fils de Vénus (p. 16).*

## Familia

La **familia** (familia, *ae*, f.) est une branche de la **gens**. Elle est constituée par les personnes qui vivent sous le même toit (dans la domus : maison, p. 84) : parents, enfants, petits-enfants, mais aussi serviteurs et esclaves.

Les membres d'une **familia** sont placés sous l'autorité du chef de famille (l'homme le plus âgé), le **pater familias** (p. 51). Celui-ci dispose aussi de nombreux *clients*, des protégés toujours prêts à lui rendre service. Ici, le génitif **familias** est une forme très ancienne en **-as** (au lieu de **-ae**).

## Jouez avec les mots

### ❶ Qui suis-je ?

J'ai conquis la Gaule et je suis très fier de proclamer :

> **A Venere Iulii, cujus gentis familia est nostra.**
> De Vénus [descendent] les Iules : à cette **gens** appartient notre **familia**.
>
> **Suétone**, *Vies des douze Césars*, I, 6.

Quel est mon nom de famille en latin ?
Comment m'appelle-t-on en français ?
Pour vous aider, voici une pièce de monnaie où figurent Vénus sur une face et mon surnom sur l'autre face.

### ❷ Une racine, des mots

Quelle racine reconnaissez-vous dans le mot **gens** ? Que signifie-t-elle ? Citez un autre mot latin de la même famille (construit sur la même racine). Si vous ne trouvez pas, retournez à la p. 16.

Pièce de monnaie, milieu du Iᵉʳ siècle avant J.-C.

## La famille Fuficius

1    Haec Titi Fuficii familia <u>est</u>.
     C'est la famille de Titus Fuficius.

2    Fuficius uxorem **liberos**que duos <u>habet</u>.
     Fuficius a une femme et deux **enfants**.

3    – Pater et mater <u>sumus</u>.
     – Nous sommes le père et la mère.

4    – **Filium unum filiam**que **unam** <u>habemus</u>.
     – Nous avons **un fils** et **une fille**.

5    – *Filius* <u>sum</u>, **catulum** <u>habeo</u>.
     – Je suis *le fils*, j'ai **un petit chien**.

6    – Et tu, soror mea, quid <u>habes</u> ?
     – Et toi, ma sœur, qu'as-tu ?

7    – *Filia* <u>sum</u>, **columbam** <u>habeo</u>.
     – Je suis *la fille*, j'ai **une colombe**.

8    – *Pueri* <u>sumus</u>.
     – Nous sommes *les enfants*.

9    – Patrem matremque <u>amamus</u>.
     – Nous aimons notre père et notre mère.

10    – **Catulum columbam**que <u>videtis</u> ?
     – Voyez-vous **le petit chien** et **la colombe** ?

Stèle funéraire de Titus Fuficius, officier de la légion XX, représenté avec sa famille, début du I<sup>er</sup> siècle après J.-C., Split (Croatie), Musée archéologique.

### 🔑 Les formes verbales au présent de l'indicatif actif

**En français et en latin**

❶ À l'oral, identifiez les verbes au présent de l'indicatif dans les phrases en français et lisez à voix haute les mots latins correspondants (soulignés). Quelles formes avez-vous déjà apprises ?

❷ Identifiez la personne de chaque verbe latin en vous aidant du français. Observez les terminaisons. Que remarquez-vous ?

### 🔑 Le complément d'objet direct (COD)

**En français et en latin**

❸ Donnez à l'oral la fonction des mots français en italique, puis relevez les mots latins correspondants (phrases 5, 7 et 8). Pour chacun d'eux, précisez la déclinaison, le cas, le nombre et le genre.

❹ Même consigne avec les mots et groupes de mots en gras (phrases 2, 4, 5, 7 et 10).

❺ Dans la phrase 9, identifiez la fonction des noms *père* et *mère*. Observez la dernière lettre des noms latins correspondants. Que remarquez-vous ?

### 🔑 La conjonction de coordination *et*

**En latin**

❻ En vous aidant des couleurs, repérez le mot latin correspondant à *et*.

❼ Quel élément est utilisé pour coordonner deux mots aux phrases 2, 4, 9 et 10 ? Où est-il placé ?

---

**VOCABULAIRE** à retenir

| | |
|---|---|
| filia, *ae*, f. | fille |
| liberi, *orum*, m. | enfants |
| mater, *tris*, f. | mère |
| unus, a, um | un |

## 1 La présentation des verbes : les temps primitifs

- Dans le dictionnaire, un verbe latin est présenté au moyen de **cinq formes de base**, appelées **temps primitifs** : **amo**, **as**, **are**, **avi**, **atum**.

| Dans le dictionnaire | **1 amo** | **2 as** | **3 are** | **4 avi** | **5 atum** |
|---|---|---|---|---|---|
| Formes complètes | **amo**, *j'aime* 1re pers. sg., indicatif **présent** actif | **amas**, *tu aimes* 2e pers. sg., indicatif **présent** actif | **amare**, *aimer* infinitif **présent** actif | **amavi**, *j'ai aimé, j'aimai* 1re pers. sg., indicatif **parfait** actif | **amatum**, *pour aimer* supin |
| Radical Base pour ▶ | ama- ▶ le présent, l'imparfait, le futur simple | | | amav- ▶ le parfait, le plus-que-parfait, le futur antérieur | amat- ▶ le participe parfait passif |

## 2 Le présent de l'indicatif actif de la 1re et de la 2e conjugaison

- 1re conjugaison : **amo**, **as**, **are**, **avi**, **atum** : aimer (radical en a-)
- 2e conjugaison : **video**, **es**, **ere**, **vidi**, **visum** : voir (radical en e-)

| | Terminaisons | 1re conjugaison | 2e conjugaison |
|---|---|---|---|
| Singulier | 1re pers. -o | am-o | vide-o |
| | 2e pers. -s | ama-s | vide-s |
| | 3e pers. -t | ama-t | vide-t |
| Pluriel | 1re pers. -mus | ama-mus | vide-mus |
| | 2e pers. -tis | ama-tis | vide-tis |
| | 3e pers. -nt | ama-nt | vide-nt |

- La **terminaison** indique la **personne** et la **voix** (active ou passive) du verbe.
- En général, le **pronom personnel** sujet n'est pas exprimé en latin.
  Exemple ▶ Appius bonus pater est. Pueros **amat.**
  Appius est un bon père. **Il aime** ses enfants.

## 3 L'accusatif

- L'**accusatif** est principalement le cas du **complément d'objet direct** (COD).
  Il désigne l'objet de l'action exprimée par le verbe.
  Exemple ▶ **Catulum columbamque** videtis ?
  Voyez-vous **le petit chien et la colombe** ?

Qui bene amat, bene castigat.
Qui aime bien, châtie bien.

*Ancien Testament*, Proverbes, 3, 1.

**VOCABULAIRE** à retenir

**Verbes**
deleo, es, ere, evi, etum — détruire
do, das, dare, dedi, datum — donner
doceo, es, ere, docui, doctum — enseigner
habeo, es, ere, ui, itum — avoir
jubeo, es, ere, jussi, jussum — ordonner
moneo, es, ere, ui, itum — avertir

puto, as, are, avi, atum — penser, juger
specto, as, are, avi, atum — regarder
terreo, es, ere, ui, itum — effrayer
timeo, es, ere, ui — craindre
valeo, es, ere, ui, itum — être en bonne santé
voco, as, are, avi, atum — appeler

**Mots invariables**
enim — car, en effet (toujours placé après le 1er mot)
et, -que — et
non — ne... pas

## ▶ S'entraîner à lire et à dire en latin

**① Histoire courte : Ironie mordante**

**Lisez ce dialogue : un noble romain né dans une gens qui a mauvaise réputation fait la leçon à un ami. Celui-ci réplique « du tac au tac ».**

– Majoribus tuis indignus es!

– Tu es indigne de tes ancêtres !

– At Hercule, tu tuis dignus!

– Mais par Hercule, toi, tu es bien digne des tiens !

**Cicéron**, *L'Orateur*, II, 71.

## ▶ Conjuguer les verbes

**② En suivant ce modèle, écrivez les formes complètes des verbes appris p. 48.**

| specto | as | are | avi | atum |
|--------|------|------|------|------|
| | spectas | spectare | spectavi | spectatum |

**③ À quelle conjugaison appartiennent ces verbes ?**

laboro, as, are, avi, atum : travailler

maneo, es, ere, mansi, mansum : rester

paro, as, are, avi, atum : préparer

pareo, es, ere, ui, itum : obéir

**④ À l'oral, puis à l'écrit, conjuguez ces verbes au présent de l'indicatif actif, en latin puis en français.**

**1.** sano, as, are, avi, atum : guérir

**2.** jubeo, es, ere, jussi, jussum : ordonner

**3.** pugno, as, are, avi, atum : combattre

**⑤ a. Associez chaque verbe à sa traduction.**

**1.** dant. **2.** docemus. **3.** estis. **4.** laboras. **5.** manes. **6.** parat. **7.** paret. **8.** habetis. **9.** castigat. **10.** sumus.

**a.** tu travailles. **b.** vous êtes. **c.** ils donnent. **d.** nous sommes. **e.** nous enseignons. **f.** il obéit. **g.** vous avez. **h.** il châtie. **i.** il prépare. **j.** tu restes.

**b. Quelles formes n'appartiennent ni à la 1ʳᵉ ni à la 2ᵉ conjugaison ?**

## ▶ Associer les fonctions et les cas

**⑥ a. Retrouvez la traduction de ces noms.**

verbum, *i*, n. – amicus, *i*, m. – servus, *i*, m. – causa, *ae*, f. – periculum, *i*, n. – templum, *i*, n. – fama, *ae*, f.

**b. Recopiez et complétez le tableau pour chacun d'entre eux.**

| Nominatif singulier | |
|---------------------|---|
| Génitif singulier | |
| Accusatif singulier | |
| Accusatif pluriel | |

**⑦ a. Retrouvez oralement la déclinaison et le genre des noms donnés au nominatif singulier.**

**1.** (bonus, a, um) nauta **2.** (magnus, a, um) causa **3.** (parvus, a, um) puer **4.** (novus, a, um) periculum.

**b. Mettez le groupe adjectif + nom au génitif singulier puis à l'accusatif pluriel.**

## ▶ S'initier à la traduction

**⑧ Pour ces phrases, choisissez la bonne traduction.**

**1.** Servos terres : dominus malus es.

**a.** Il effraie les esclaves : c'est un mauvais maître.

**b.** Tu effraies les esclaves : tu es un mauvais maître.

**2.** Bona matrona filias filiosque multos docet.

**a.** La mère de famille instruit ses bonnes filles et ses nombreux fils. **b.** La bonne mère de famille instruit ses nombreuses filles et ses nombreux fils.

**3.** Pueri pericula magna non vident.

**a.** Les grands enfants ne voient pas les dangers.

**b.** Les enfants ne voient pas les grands dangers.

**⑨ a. Repérez le verbe de chaque phrase.**

**1.** Populus Romanus Italiam occupat. **2.** Populum Troianum Graecae copiae obsident. **3.** Servi docti sumus : pueros educamus et litteras docemus.

**Vocabulaire :** occupo, as, are, avi, atum : occuper – Troianus, a, um : troyen – Graecus, a, um : grec – obsideo, es, ere, sedi, sessum : assiéger – doctus, a, um : savant – litterae, *arum*, f. : lettres.

**b. Identifiez le cas, le genre, le nombre de chaque nom et adjectif ainsi que leur fonction.**

**⑩ Traduisez les phrases de l'exercice 9.**

## ▶ Comprendre le sens des mots

**⑪ Le mot *gens* vient du latin gens. Pour chaque emploi, choisissez la ou les bonne(s) définition(s).**

**1.** Les petites gens sont : **a.** des gens de petite taille. **b.** des gens du peuple. **c.** des gens de condition modeste.

**2.** Les gens de lettres sont : **a.** des personnes aimant écrire des lettres. **b.** des écrivains. **c.** des libraires.

**3.** Les gens de maison sont : **a.** des parents. **b.** des voisins. **c.** des domestiques.

**4.** Les gens de robe sont : **a.** des couturiers. **b.** des commerçants vendant des habits. **c.** des hommes de loi.

**Chassez l'intrus !**

**⑫ Retrouvez dans cette liste le mot qui n'appartient pas à la famille de majores.**

majorité – majeur – magie – majuscule – majorette.

# Entre père et mère

## Matrona

Pour les Romains, le respect envers les parents est fondamental. D'un côté, l'image idéale d'un père sévère, mais veillant attentivement sur sa progéniture ; de l'autre, celle d'une mère aimante, entièrement dévouée à sa famille.

C'est Cornélie (env. 189-110 avant J.-C.), mère de deux célèbres hommes politiques, Tiberius et Caius Gracchus (les Gracques), qui représente le plus bel exemple de la **matrona** romaine.

mot-clé Matrona

> **L**es plus beaux ornements d'une mère de famille, ce sont ses enfants. [...]
> Cornélie recevait un jour une mère
> 5  de famille [matrona] de Campanie. Comme celle-ci lui faisait l'étalage de ses bijoux, les plus beaux qu'on pût voir à cette époque, la mère des Gracques s'arrangea pour faire
> 10  durer la conversation jusqu'au moment où ses enfants rentrèrent de l'école. Et elle dit :
> « Haec ornamenta sunt mea!»
> « Les voici mes bijoux à moi!»
>
> **Valère-Maxime** (Ier siècle),
> *Faits et paroles mémorables*, IV, 4.

Les familles romaines ont souvent beaucoup d'enfants, mais un grand nombre d'entre eux ne vivent pas longtemps. Cornélie eut douze enfants et en perdit neuf. Elle ne conserva qu'une fille et deux fils.

**Pierre-Jules Cavelier,**
*Cornélie mère des Gracques,*
statue en marbre, 1875, Paris,
Musée d'Orsay.

→ **DU TEXTE À L'IMAGE**

❶ Quand cette statue a-t-elle été réalisée ? Où peut-on la voir aujourd'hui ?

❷ Les enfants ont-ils le même âge ? Comparez la façon dont ils sont représentés.

❸ Quels sentiments expriment le visage et l'attitude de chacun des trois personnages ?

## L'autorité du père

Le pouvoir du **pater familias** sur sa famille est illimité.

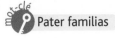 Pater familias

Il est maître absolu des biens et des personnes. Rien ne peut se faire sans son accord (mariages, ventes ou achats de propriétés). Plus encore, il a le droit de vie et de mort (**jus vitae et necis**) sur tous ceux qui vivent sous son toit. Il a ainsi le droit de refuser un nouveau-né dans sa maison. Les fils adultes, même âgés, restent sous l'autorité de leur père et ne peuvent accéder au rang de pater familias tant que ce dernier est encore vivant (voir Appius et ses cinq fils p. 44).

**4** Par quel geste symbolique le père reconnaît-il son enfant ?

*Un petit garçon vient de naître dans une riche famille romaine.*

**L**e médecin accoucheur prit le nouveau-né dans ses bras et le déposa aux pieds de son père. Si Aulus avait voulu le refuser, il lui aurait suffi de s'en détourner. Un esclave aurait alors pris
5 le nourrisson pour l'exposer au temple de la Piété. Là, il l'aurait abandonné au pied de la colonne du lait : on y déposait les enfants qui tétaient encore. L'enfant serait mort, aurait été recueilli par un couple sans descendants, ou
10 emporté par quelqu'un qui en aurait fait son esclave. Mais ce n'était pas le sort qui attendait le nouveau-né. […] Aulus se pencha et le prit dans ses bras en le montrant à ceux qui se tenaient dans la pièce. Par ce geste, il le recon-
15 naissait pour sien et s'engageait à l'élever.

**Norbert Rouland**, *Les Lauriers de cendre*, chapitre I, © Actes Sud, 1984.

## Le dévouement de la mère

Le mot matrona, *ae*, f. (de *mater*, mère) désigne à la fois l'épouse et la mère, que tous considèrent avec une affection respectueuse. C'est ce que doivent devenir les petites filles de noble famille, mariées très tôt (douze ou treize ans) par leur père.
Si les mères « modèles » tiennent à allaiter elles-mêmes leurs bébés, elles sont aussi souvent aidées par des nourrices, auxquels les enfants restent très attachés.
Mères et nourrices s'occupent des enfants (infantes, p. 81) jusqu'à sept ans, l'âge où ils peuvent commencer à *raisonner* avec leur père ou à l'école (chapitre 6).

**5** Quel sens a le mot *matrone* en français ? Quelle différence constatez-vous avec le latin ?

**6** Trouvez l'expression latine qui désigne la mère la plus âgée de la famille (elle est composée comme *père de famille*).

*Portrait de famille*, fresque, Ier siècle après J.-C., Naples, Musée archéologique.

**Activités B2i** ......... Se documenter sur Internet

**1. Cornélie et ses fils**
Préparez un court exposé illustré pour présenter Cornélie et ses fils.

**2. La « colonne du lait »**
En quoi consiste la coutume liée à la « colonne du lait » (Columna Lactaria, Colonne lactaire) à Rome ?

@ Pour vous aider, retrouvez des liens utiles sur :
http://latin.magnard.fr/liens5e

**Pour aller plus loin À LIRE**

Gérard Coulon, *La Vie des enfants au temps des Gallo-Romains*, © La Martinière, 2006.

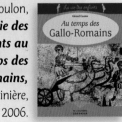

*Découvrir* le texte

## Carte d'identité

*Un grammairien de l'Antiquité énumère les éléments qui constituent l'identité d'un citoyen romain.*

**P**roprium nomen in quattuor dividitur partes : praenomen, nomen, cognomen, agnomen. Praenomen est quod in loquendo praeponimus, ut Publius ; nomen est commune familiae, ut
5 Cornelius ; cognomen est proprium vocabulum, ut Scipio ; agnomen est quod extrinsecus venit, et venit tribus modis, aut ex animo aut ex corpore aut ex fortuna : ex animo sicut Superbus et Pius, ex corpore sicut Crassus et Pulcher, ex
10 fortuna sicut Africanus et Creticus.

**Maurus Servius Honoratus,**
*De partibus orationis*, «De nomine», I.

**L**e nom qui appartient en propre est divisé en quatre parties : prénom, nom, surnom, surnom supplémentaire. Le prénom est ce que nous plaçons devant quand nous parlons, comme Publius ; le nom est commun à la famille,
5 comme Cornélius ; le surnom est un mot caractéristique, comme Scipion ; le surnom supplémentaire est ce qui vient par l'extérieur, et qui vient de trois manières, ou du caractère, ou du physique, ou du succès obtenu : du caractère comme Superbe ou Pieux, du physique comme Gras
10 ou Beau, du succès obtenu comme Africain ou Crétois.

**Servius** (fin du IVe siècle après J.-C.),
*Au sujet des parties du discours*, «Le nom», 1.

Buste en bronze de Scipion l'Africain,
Naples, Musée archéologique.

→ **LIRE LE TEXTE**

❶ Lisez le texte en français. Combien d'éléments composent «le nom qui appartient en propre» à chaque citoyen ? Retrouvez-les dans le texte latin.

❷ Quels exemples l'auteur donne-t-il pour chacun de ces éléments ? Citez-les en français, puis en latin.

❸ Quels sont les différents sens de l'adjectif *superbe* en français ?

❹ Vous avez déjà rencontré l'adjectif *pius*. À quel personnage était-il associé ?

❺ Quel est le surnom de l'auteur de ce texte ?

> Pour un Romain, donner son identité, c'est l'occasion de marquer sa place dans une lignée familiale dont il est fier.

## Découvrir l'image

# Fier d'être un « pois chiche »

Marcus Tullius Cicero, que nous appelons Cicéron (106-43 avant J.-C), est un célèbre avocat et homme politique qui a dirigé Rome en tant que consul. Voici comment l'un de ses biographes explique son surnom.

Le premier de sa famille qui reçut le surnom de Cicéron (Cicero) fut un homme très estimable; aussi ses descendants, loin de rejeter ce surnom souvent tourné en ridicule se firent un honneur de le porter. Il vient d'un mot latin qui signifie pois chiche (cicer, *ciceris*, n.); car le premier à qui on le donna avait à l'extrémité du nez une sorte de bourgeon qui ressemblait à un pois chiche.[...]
Quand Cicéron commença sa carrière politique, ses amis lui conseillèrent de changer de surnom; mais il leur répondit, avec tout l'orgueil de la jeunesse, qu'il ferait en sorte de rendre le nom de Cicero très célèbre.

**Plutarque** (IIe siècle après J.-C.), *Vie de Cicéron*, I.

Vincenzo Foppa de Brescia, *Le Petit Cicéron lisant*, fresque (101,6 x 143,7 cm), env. 1464, Londres, Wallace Collection.

## Gros plan sur...

M. = Marcus
*Dans les textes latins qui nous sont parvenus (inscriptions, graffitis, manuscrits), le prénom est toujours donné en abrégé. Sur la fresque, l'artiste a aussi abrégé le nom de famille (T.).*

### → LIRE L'IMAGE

❶ Quand cette fresque a-t-elle été peinte ? Le peintre a-t-il assisté à la scène ?

❷ Dans quel lieu se trouve le personnage ?

❸ Observez la manière dont il est représenté. Comment est-il habillé ? Que fait-il ? Quel âge lui donnez-vous ?

❹ Comment sait-on qu'il s'agit de Cicéron ?

❺ Quelle image le peintre a-t-il voulu donner de lui ?

# Tria nomina

Selon une coutume très ancienne, **chaque citoyen romain** porte trois (**tria**) noms (**nomina**) pour marquer son état civil : par exemple, **Publius Cornelius Scipio**.

## 🔑 Nomina

### Praenomen

Placé **devant** (**prae**) le nom de famille, le **prénom** n'est pas très original. Pour les garçons, on en compte seulement dix-huit différents. Il est terminé en **-us** ou en **-ius** (Marcus, Publius). Souvent, un fils porte le prénom de son père ou de son grand-père. Il n'est utilisé que par **les proches**.

### Nomen

Porté par tous les membres d'une même gens (p. 46), le **nomen**, *nominis*, **n.** est l'équivalent de notre **nom de famille**. Il est terminé en **-ius** (Cornelius).

Le nom est très souvent suivi de « fils de » (filius) précédé du prénom du père (au génitif), et parfois même de « petit-fils de » (nepos), donnés sous forme d'initiales.

→ P(ublii) F(ilius), L(ucii) N(epos).

### Cognomen

Le **surnom** est toujours donné **avec** le nom (**cum** + nomen = cognomen).

À l'origine, il a été attribué à l'ancêtre de la gens. Souvent, il attire l'attention sur des détails du corps ou du caractère. Comme le nom de famille, il est héréditaire et devient souvent plus important que lui pour désigner un citoyen.

« Les **Scipions** ont reçu leur surnom du fait que leur ancêtre Cornélius aidait son vieux père aveugle à marcher, comme le fait un bâton [scipio, *scipionis*, m.] ; il fut donc surnommé **Scipio**, surnom qu'il a transmis à ses descendants. » (**Macrobe**, *Saturnales*, I, 6.)

Un nouveau surnom peut s'ajouter au **cognomen**. C'est un **agnomen** décerné en propre à un citoyen, souvent parce qu'il s'est distingué par un exploit.

Publius Cornelius Scipio est surnommé Africanus (l'Africain) après sa victoire sur Hannibal en Afrique.

### Pour les femmes

*Comme les femmes ne sont jamais des « citoyennes » (elles sont exclues de la vie politique), on ne marque pas leur identité avec autant de précision. Les filles ne reçoivent qu'un seul nom : celui de la famille de leur père que l'on met **au féminin** avec la terminaison **-ia**. Elles le gardent définitivement, même lorsqu'elles se marient. La fille de Publius Cornelius Scipio, qui a épousé Tiberius Sempronius Gracchus, s'appelle **Cornelia** (Cornélie, p. 50).*

**Pierre-Jules Cavelier**, *Cornélie mère des Gracques* (détail), statue en marbre, 1875, Paris, Musée d'Orsay.

## Jouez avec les mots

**❶ Quel est son nom complet ?**
Recopiez et complétez l'inscription en latin.

# P·CORNELIVS·P·FL·N·SCIPIO·QVI·POSTEA·AFRICAN·APPELL·EST

P(...) CORNELIUS P(...) F(...) L(...) N(...) SCIPIO QUI POSTEA AFRICAN(...) APPELL(ATUS) EST
Publius Cornelius, fils de Publius, petit-fils de Lucius, Scipion, qui ensuite a été appelé Africain.

**❷ Comment s'appellent-elles ?**
**a.** Quel est le nom de la fille de Cicéron ? **b.** Quel est le nom de la fille de Cornélie ?

## Jeux de mots

1 Maurus Servius Honoratus **scribit** :
Servius **écrit** :

2 « Praenomen **est** quod in loquendo
**praeponimus**. Cognomen **est**
proprium vocabulum. Agnomen
**est** quod extrinsecus **venit**. »

3 Saepe Romani jocosa vocabula
**capiunt**.
Souvent les Romains **prennent**
des mots plaisants (= font des jeux
de mots).

4 In M. Fabii Quintiliani libro sexto,
**legimus** :
Dans le livre six de Marcus Fabius
Quintilien, **nous lisons** :

5 « Placidum nomine, quod is acerbus natura esset, Acidum dictum
**invenio**. »
« **Je découvre** qu'un dénommé
Placide, du fait qu'il était de nature
acerbe, a été appelé Acide. »

*Lecture de manuscrit* (d'après une peinture de Pompéi)
et *rouleaux de manuscrits*, Dictionnaire des antiquités
grecques et romaines, Daremberg et Saglio.

6 Proprium vocabulum **intellegitis** ? Aut ex animo aut
ex corpore aut ex fortuna Placidi agnomen **venit** ?
**Comprenez-vous** le mot caractéristique ? Le surnom
supplémentaire de Placidus **vient-il** de son caractère, de
son physique ou bien du hasard ?

### 🔍 Les formes verbales au présent de l'indicatif actif

Lisez les phrases en latin et leur traduction. Vous
retrouverez la traduction de la phrase 2 p. 52.

**En français et en latin**

❶ Repérez les verbes au présent de l'indicatif en
français, puis recopiez les verbes correspondants
en latin. Quel est celui que vous connaissez
déjà ?

❷ Quel indice vous permet d'identifier la personne en latin ?

❸ Comparez ces formes avec celles des verbes
des 1re et 2e conjugaisons. Quelles ressemblances, quelles différences remarquez-vous ?

### 🔍 Le complément du nom

**En français et en latin**

❹ Donnez à l'oral la fonction des noms français
en rose, puis relevez les formes latines correspondantes. Quel est le cas de ces groupes de
mots ? À quelle déclinaison appartiennent-ils ?

❺ Quels éléments composent le nom latin de
Quintilien (phrase 4) ? Écrivez-le au nominatif
singulier.

### 🔍 La conjonction de coordination *aut*

❻ En vous aidant des couleurs, repérez le mot
latin correspondant à *ou bien*. Que remarquez-
vous ?

# 1 Le présent de l'indicatif actif des 3ᵉ, 3ᵉ mixte et 4ᵉ conjugaisons

**3ᵉ conjugaison** : **lego, is, ere, legi, lectum** : lire (radical terminé par une consonne)
**3ᵉ conjugaison mixte** : **capio, is, ere, cepi, captum** : prendre (radical en i- bref)
**4ᵉ conjugaison** : **audio, is, ire, ivi, itum** : entendre (radical en i- long)

|  | Terminaisons | 3ᵉ conjugaison | 3ᵉ conjugaison mixte | 4ᵉ conjugaison |
|---|---|---|---|---|
| **Singulier** | 1ʳᵉ pers. **-o** | leg-**o** | capi-**o** | audi-**o** |
|  | 2ᵉ pers. **-s** | leg-**i**-s | capi-**s** | audi-**s** |
|  | 3ᵉ pers. **-t** | leg-**i**-t | capi-**t** | audi-**t** |
| **Pluriel** | 1ʳᵉ pers. **-mus** | leg-**i**-mus | capi-**mus** | audi-**mus** |
|  | 2ᵉ pers. **-tis** | leg-**i**-tis | capi-**tis** | audi-**tis** |
|  | 3ᵉ pers. **-nt** | leg-**u**-nt | capi-**u**-nt | audi-**u**-nt |

- À la 3ᵉ conjugaison, la voyelle **-i-** ou la voyelle **-u-** s'intercale entre le radical, toujours terminé par une consonne, et les terminaisons **-s**, **-t**, **-mus**, **-tis**, **-nt**.
  Exemple ▸ M. Tullius Cicero poetas **legit**. M. Tullius Cicero **lit** les poètes.

- À la 3ᵉ conjugaison mixte et à la 4ᵉ conjugaison, la voyelle **-u-** s'intercale entre le radical et la terminaison **-nt**.
  Exemple ▸ Libros pueri **capiunt** magistrique verba **audiunt**.
  Les enfants **prennent** les livres et **écoutent** les paroles du maître.

# 2 Le génitif

- Le **génitif** est principalement le cas du **complément du nom** (CDN). Il exprime l'appartenance.

- En français, le complément du nom est toujours placé **après le nom** qu'il complète. Il est précédé d'une **préposition** (*de*). En latin, le génitif est généralement placé **devant le nom** qu'il complète.
  Exemple ▸ M. Tullius **Marci** filius est.
  M. Tullius est le fils **de Marcus**.

> **Veritas semper vincit.**
> La vérité triomphe toujours.
> Proverbe.

## VOCABULAIRE *à retenir*

### Verbes

| | |
|---|---|
| accipio, is, ere, cepi, ceptum | recevoir |
| ago, is, ere, egi, actum | mener, faire |
| dico, is, ere, dixi, dictum | dire |
| facio, is, ere, feci, factum | faire |
| mitto, is, ere, misi, missum | envoyer |
| quaero, is, ere, quaesivi, quaesitum | demander |
| scio, is, ire, scivi, scitum | savoir |
| scribo, is, ere, scripsi, scriptum | écrire |
| venio, is, ire, veni, ventum | venir |
| vinco, is, ere, vici, victum | vaincre |
| vivo, is, ere, vixi, victum | vivre |

### Mots invariables

| | |
|---|---|
| aut... aut... | ou bien |
| diu | longtemps |
| saepe | souvent |

### Adjectifs possessifs
(toujours placés après le nom)

| | |
|---|---|
| meus, a, um | mon, ma, mes |
| tuus, a, um | ton, ta, tes |
| suus, a, um | son, sa, ses |
| noster, tra, trum | notre, nos |
| vester, tra, trum | votre, vos |

## ▶ S'entraîner à lire et à dire en latin

**①** Histoire courte : Un peu d'humour

**Lisez ce «bon mot» de Cicéron sur la taille de son frère, dont il contemple la statue (un grand buste).**

Frater meus dimidius major est quam totus !
La moitié de mon frère est plus grande que son tout !

**Macrobe,** *Saturnales,* II, 3.

## ▶ Conjuguer les verbes

**②** **En suivant ce modèle, écrivez les formes complètes des verbes appris p. 56.**

| mitto | is | ere | misi | missum |
|-------|-------|---------|------|--------|
|       | mittis | mittere | misi | missum |

**③** **Conjuguez ces verbes au présent de l'indicatif actif en latin puis en français.**
**1.** facio, is, ere, feci, factum.
**2.** scio, is, ire, scivi, scitum.
**3.** vinco, is, ere, vici, victum.
**4.** accipio, is, ere, cepi, ceptum.

**④** **a. Associez chaque verbe à sa traduction.**
**1.** scribunt. **2.** docetis. **3.** scit. **4.** vivimus. **5.** vales.
**6.** parent. **7.** agitis. **8.** timemus. **9.** spectatis. **10.** accipis.
**a.** tu vas bien. **b.** vous regardez. **c.** ils écrivent. **d.** nous craignons. **e.** vous enseignez. **f.** nous vivons. **g.** vous faites. **h.** ils obéissent. **i.** tu reçois. **j.** il sait.
**b.** **À quelle conjugaison appartient chaque verbe ?**

## ▶ Associer les fonctions et les cas

**⑤** **a.** **À l'oral, donnez le cas de ces groupes de mots. À quelles fonctions correspondent-ils ? Plusieurs réponses sont parfois possibles.**
puerorum meorum – pulchrae viae – parvum agrum – longo bello – magna pericula – miseram vitam – novis terris – consilio suo – terra nostra.
**b.** **Retrouvez le nominatif et le génitif singulier de chaque groupe.**
**c.** **À quelle déclinaison appartient chaque nom ? Quel est son genre ?**

**⑥** **Mêmes consignes que l'exercice 5 pour les mots en gras.**
**1.** Boni domini **bonos servos** habent.
**2.** Cornelia **bonorum filiorum** mater est.
**3.** Publius Cornelius Scipio **Publii** filius est.
**4.** **Sempronia** Tiberii Sempronii Gracchi **filia** est.

## ▶ S'initier à la traduction

**⑦** **Traduisez les phrases de l'exercice 6.**

**⑧** **a. Repérez le verbe de chaque phrase.**
**1.** Tullia Marci Tullii Ciceronis filia est.
**2.** Pater familias bonas filias servosque multos habet.
**3.** Belli causam populus Romanus scit.
**4.** Magnam domini iram servi timent.
**b.** **Identifiez le cas, le genre, le nombre de chaque nom et adjectif ainsi que leur fonction.**
**c.** **Traduisez les phrases.**

**⑨** **Mêmes consignes que l'exercice 8.**
**1.** Terentia matrona est : filium unum filiamque unam habet.
**2.** Pulchras poetarum fabulas saepe legimus.
**3.** Servi Graeci pueros Romanos docent.
**4.** Servi domini consilia semper audiunt.

## ▶ Comprendre le sens des mots

**⑩** **Lisez à voix haute ces phrases et complétez-les avec l'un des mots formés à partir de nomen,** *nominis,* **n. :** dénominateur – nominative – pronom – nommément – nominé – nominatif.
**1.** En grammaire, le … sert à nommer le sujet du verbe. **2.** Cet acteur s'attend à être … aux Césars. **3.** En grammaire, un … remplace un nom. **4.** Au cours du procès, cette personne a été accusée … par plusieurs témoins. **5.** En cours de mathématiques, on apprend à réduire plusieurs fractions au même …. . **6.** Cette invitation ne peut pas être échangée : elle est … .

**⑪** **Associez chaque nom de famille romain avec son origine étymologique (liste 1) et sa signification (liste 2) : Hortensius – Fabius – Vitellius – Fabricius – Porcius – Aurelius.**
**Liste 1 : a.** aurum, *i,* n. : or. **b.** hortus, *i,* m. : jardin. **c.** porcus, *i,* m. : cochon. **d.** faba, *ae,* f. : fève. **e.** fabrica, *ae,* f. : atelier, forge. **f.** vitellus, *i,* m. : veau.
**Liste 2 : 1.** « qui travaille le métal », ouvrier. **2.** « qui élève des cochons ». **3.** « qui fait briller l'or », orfèvre. **4.** « qui cultive le jardin », jardinier. **5.** « qui cultive les fèves ». **6.** « qui élève des veaux ».

**Chassez l'intrus !**

**⑫** **Retrouvez les trois mots qui ne sont pas formés à partir de nomen.**
dénomination – renommé – nombril – dénombrer – nominalement – nombreux – nomenclature.

# Les signes d'identité du Romain

## Les insignes de l'enfance

Les enfants romains portent deux signes distinctifs traditionnels. Le savant Macrobe donne une explication sur les origines de cette coutume.

**D**es personnes très savantes dans le domaine de l'Antiquité racontent que, lors de l'enlèvement des Sabines, une femme nommée Hersilia se trouvant auprès de sa fille, fut enlevée avec elle. Romulus la
5 donna pour épouse à un nommé Hostus, du Latium, un homme qui s'était fait remarquer par son courage et qui était venu se réfugier dans son asile. Cette femme mit au monde un fils avant qu'aucune autre Sabine [p. 38] fût devenue mère, et
10 elle lui donna le nom d'Hostus Hostilius, parce qu'il était le premier né sur le territoire ennemi. Romulus le décora alors d'un médaillon, la bulle d'or (**bulla aurea**), et de la toge prétexte (**toga praetexta**), des insignes honorifiques prestigieux.
15 On raconte en effet que Romulus avait convoqué les Sabines enlevées pour leur donner des consolations et qu'il s'était engagé à accorder un illustre privilège au fils de la première qui donnerait le jour à un citoyen romain.

**Macrobe** (env. 370-430), *Saturnales,* I, 6.

### → DU TEXTE À L'IMAGE

❶ Comment s'appelle le premier enfant né à Rome ?

❷ Quel surnom Hersilia donne-t-elle à son fils ? Dans quels mots le retrouvez-vous en français ?

❸ Nommez en latin le médaillon et le vêtement que porte le jeune garçon représenté par la statue en bronze. Retrouvez-les sur la statue p. 50.

Statue en bronze d'un jeune garçon, env. 80 avant J.-C., Paris, Musée du Louvre.

# Bulla

Quelques jours après la naissance (neuf jours pour les garçons, huit pour les filles), a lieu le dies lustricus (jour de purification), équivalent du baptême. L'enfant reçoit de son père une *bulle* (**bulla**, **ae**, **f.**), une sorte de gros médaillon rond contenant des amulettes (petits objets protecteurs).

Bulla en or trouvée à Pompéi, Naples, Musée archéologique.

**Le** père prit dans les mains d'une servante un médaillon en or. Sur sa face extérieure était gravé un œil, qui devait retourner le mauvais sort à celui qui l'avait jeté. Aulus
5 ouvrit le médaillon et y glissa un morceau de corail. Le corail avait la réputation d'écarter d'un enfant et de sa maison toute mauvaise influence. Ceux qui étaient moins riches qu'Aulus se contentaient d'une petite bourse
10 de cuir dans laquelle ils glissaient un morceau de fer, mais ces matières vulgaires n'étaient pas aussi efficaces. Aulus accrocha l'amulette autour du cou de son fils.

**Norbert Rouland,** *Les Lauriers de cendre,* chapitre I, © Actes Sud, 1984.

**4** Connaissez-vous d'autres objets ou signes qui sont supposés écarter *le mauvais œil* dans d'autres civilisations ?

# Toga

La toge (**toga**, **ae**, **f.**) est le **vêtement national** des Romains, hérité de la mode étrusque. C'est une grande pièce d'étoffe en laine écrue, taillée en demi-cercle, sans couture. Dans les moments importants, les Romains sont fiers de la porter, drapée par-dessus la tunique, comme le signe extérieur de leur statut de citoyen. Les jeunes garçons portent la toge prétexte. Elle est bordée d'une bande rouge pourpre (**toga praetexta**), comme celle des sénateurs, lors des cérémonies publiques. Pour ceux qui se présentent aux élections, elle est passée à la craie et paraît très blanche (**candida**). Les garçons abandonnent la bulle et la toge prétexte à dix-sept ans, au cours d'une cérémonie qui marque leur entrée dans ce que nous appelons la majorité. Ils revêtent alors la toge virile (**toga virilis**), en laine écrue.

Toga

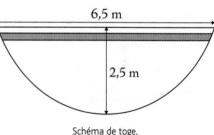
6,5 m
2,5 m
Schéma de toge.

**5** Quel mot latin désigne la couleur de la toge du citoyen qui se présente à une élection ? Quel mot français a-t-il donné ?

## Activités B2i ···· Se documenter sur Internet ··

**1. Les prénoms romains**
En tapant « prénoms romains » dans un moteur de recherche, cherchez les principaux prénoms romains et présentez-les avec leurs abréviations.

**2. Comment porte-t-on la toge ?**
En vous aidant d'images et de sites trouvés sur Internet, décrivez la manière dont les Romains drapaient la toge.

## Pour aller plus loin  À LIRE

***Titus Flaminius,*** série de Jean-François Nahmias, © Hachette - Le Livre de Poche Jeunesse, 2005.

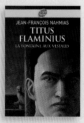

Le jeune avocat Titus Flaminius mène des enquêtes policières à Rome en 59 avant J.-C.
**Tome 1.** La fontaine aux vestales. **Tome 2.** La gladiatrice. **Tome 3.** Le mystère d'Éleusis.

Histoire des arts

# Scènes de la vie familiale

**De nombreux monuments funéraires (stèles, tombeaux) montrent les liens d'affection qui unissaient parents et enfants dans le cadre de la familia. En voici un exemple. Tel un apprenti archéologue, vous allez pouvoir « lire » ce document.**

Sarcophage en marbre, env. 150 après J.-C., Paris, Musée du Louvre.

## OBSERVER ET COMPRENDRE

1. Qu'est-ce qu'un sarcophage ?

2. Déchiffrez l'inscription pour savoir à qui ce sarcophage était destiné.
a. Lisez puis recopiez les mots numérotés 2 et 4. À quels éléments des **tria nomina** correspondent ces deux mots ? À quel cas sont-ils ? Pourquoi ?
b. Quel est l'élément 1 des **tria nomina** ? Donnez-le en entier. À quel cas l'avez-vous mis ? Pourquoi ?
c. Quelles indications donnent les deux initiales (3) ? Donnez les mots en entier. À quel cas avez-vous mis chacun d'eux ? Pourquoi ?

## SE DOCUMENTER

À Rome, la **tribu** était une division administrative qui permettait de classer les citoyens selon leur domicile (comme un arrondissement dans les grandes villes modernes). On comptait quatre tribus urbaines (**tribus urbanae**) nommées **Suburana** (SUB), **Esquilina** (ESQ), **Collina** (COL) et **Palatina** (PAL).

3. Trouvez à quelle colline de Rome est liée la tribu Palatine. Quelle importance a-t-elle dans l'histoire de Rome ?

= fecerunt
ont fait

## Parents modèles

Après la naissance de son fils, aucune tâche urgente, en dehors d'une affaire d'État, n'empêchait Caton d'être auprès de sa femme, quand elle lavait ou
5 emmaillotait le bébé. Elle le nourrissait elle-même de son lait. Dès que l'intelligence de l'enfant s'éveilla, Caton se chargea lui-même de lui apprendre à lire. Il avait écrit un livre d'histoire de
10 sa propre main, en gros caractères, pour que son fils trouve, à la maison même, le moyen de connaître les antiques traditions de son pays. Par divers jeux, il lui apprenait à être adroit et persévérant.

**Plutarque**, *Vie de Caton l'Ancien*, XIX-XX.

### ✂ CONFRONTER UNE IMAGE ET UN TEXTE

**4.** Quels moments de la vie familiale sont évoqués dans le texte ?

**5.** Comme le texte, le sarcophage décrit une série de scènes en famille. Elles se succèdent à la manière d'une bande dessinée. Combien de scènes différentes voyez-vous ? Décrivez-les.

**6.** Observez les personnages de chaque scène du sarcophage. Qui sont-ils ?

**7.** Le sarcophage est sculpté en haut-relief, une technique qui permet de voir une scène en relief. Quel est l'effet produit ?

**8.** Quelle image de la famille romaine donnent le texte et le sarcophage ?

## « Je vais à l'école... »

*Un maître d'école romain du IIIᵉ siècle a imaginé un guide de conversation bilingue (latin-grec) pour ses élèves.*
*Il fait parler un jeune garçon qui décrit son emploi du temps.*
*Cet ouvrage en forme de manuel scolaire a été utilisé jusqu'au Moyen Âge.*

Tablette, étui et stylets d'écolier (Iᵉʳ–IIᵉ siècle après J.-C.), Rabat (Maroc), Musée archéologique.

| | |
|---|---|
| **E**o in scholam. | **J**e vais à l'école. |
| Introivi, dixi : | Je suis entré, j'ai dit : |
| – Ave magister ! | – ... maître ! |
| Et ipse me osculatus est et resalutavit. | Et lui, il m'a embrassé et m'a rendu mon salut. |
| 5 Porrexit mihi puer meus scriniarius tabulas, thecam graphiariam, praeductorium. | 5 Mon petit esclave chargé de porter mes affaires m'a tendu mes tablettes, mon étui pour ranger mes stylets, ma règle pour guider les lignes. |
| Loco meo sedens tabulas deleo. Praeduco ad praescriptum. | M'asseyant à ma place, j'efface mes .... Je trace mes lettres en suivant mon modèle d'écriture. |
| Ut scripsi, ostendo magistro. | 10 Quand j'ai fini d'écrire, je montre au .... |
| 10 Emendavit, induxit. Jubet me legere. […] | Il a corrigé, il a étendu la cire [pour effacer mes erreurs]. Il m'ordonne de lire à haute voix. […] |
| Declinavi genera nominum, partivi versum. | J'ai décliné les déclinaisons des noms, j'ai fait mes lignes d'écriture. |
| Ut haec egimus, magister dimisit ad prandium. | 15 Quand nous avons terminé, ... nous a laissés partir pour le déjeuner. |

*Hermeneumata Pseudodositheana Monacensia*, III, I, 2.

*Recueils d'explications*, III, I, 2, env. 280 après J.-C.

### → LIRE LE TEXTE

**1** Complétez la traduction (lignes 3, 8, 10 et 15).

**2** Quel détail montre que cet élève appartient à une famille aisée ?

**3** Que trouve-t-on dans « le cartable » d'un élève romain ?

**4** Quelles sont les diverses activités de l'élève décrites dans ce texte ? Quel rôle joue le maître ?

**5** Aujourd'hui, pour corriger un mot, vous utilisez souvent un effaceur. Comment faisait-on dans l'Antiquité ?

► Les Romains accordent une grande importance à l'éducation.
La majorité des hommes libres et de nombreux esclaves savent au moins lire et écrire.

## *Découvrir* l'image

# Bons ou mauvais élèves ?

Tous les élèves romains ne sont pas sages comme des images comme en témoigne le poète Aulus Persius Flaccus.

**S**ouvent, quand j'étais petit, je m'en souviens, je me frottais exprès les yeux avec de l'huile pour ne pas aller à l'école : je ne voulais pas faire la composition de déclamation où il fallait imaginer les der-
5 nières paroles de Caton mourant. Je détestais ces exercices pompeux qui devaient attirer les compli-
ments d'un maître stupide et l'admiration d'un père tout ému, venu écouter son fils avec des amis. […] Mes seules préoccupations ?… ne pas man-
10 quer ma cible au jeu du tonneau et fouetter ma toupie mieux que les autres !

**Perse** (34-62 après J.-C.), *Satires*, III, vers 44-51.

Bas-relief en grès découvert à Neumagen, en Allemagne (H : 60 cm), fin du IIe siècle, Trèves, Rheinisches Landesmuseum.

## *Gros plan sur…*

Chaque livre est un *volumen* (de **volvere** : rouler) : un rouleau de feuillets de papyrus, collés les uns aux autres, sur lequel le texte est écrit à la main (manuscrit). Pour lire, il faut donc dérouler le volume (**volumen explicare**) en le prenant dans une main et en tirant avec l'autre l'extrémité de la bande de papyrus. Après la lecture, on enroule de nouveau le volume en commençant par la fin.

### → LIRE L'IMAGE

❶ Que font les personnages assis ? Décrivez-les.

❷ Où se trouve le maître d'école ?

❸ Quel geste fait le personnage qui arrive, à droite ? Pourquoi, d'après vous ? Que pourrait-il dire en latin ?

❹ Que tient-il dans sa main gauche ?

# À l'école

L'**école**, c'est le temps de l'apprentissage. Grâce aux leçons de son **maître** mais aussi grâce aux jeux avec ses **condisciples**, l'enfant s'entraîne avant d'entrer dans le monde des adultes.

Maître d'école tenant sa **ferula** (férule), la baguette avec laquelle il n'hésite pas à frapper les élèves indisciplinés, Ier siècle après J.-C., Belgique, Musée d'Arlon.

## L'enseignement à Rome

*L'enseignement est divisé en trois niveaux.*

*À sept ans, garçons et filles entrent à l'école élémentaire (litterarius ludus) où ils apprennent les notions de base (lire, écrire, compter) avec leur « premier maître » (primus magister).*

*Vers onze ans, ils suivent les leçons du « grammairien » ou « maître de langue » (grammaticus) pour apprendre les langues latine et grecque en étudiant les auteurs classiques.*

*Le dernier degré commence vers quinze ans. Avec le « rhéteur » (rhetor ou orator), les garçons des familles les plus aisées apprennent à bien parler en public (art oratoire ou rhétorique).*

*Peu de filles suivent un cursus (parcours) complet, car elles sont plutôt destinées à s'occuper de la maison, selon l'idéal de la matrona (p. 50).*

*Souvent, dans les familles riches, les enfants restent à la maison.*

*Leur père ou un précepteur particulier les instruisent avant qu'ils ne rejoignent la classe du grammaticus ou du rhetor.*

## Ludus

Alors que le mot **schola**, *ae*, **f.** (du grec *scholè*, repos, loisir) désigne le temps consacré à l'étude (leçon, cours) et l'endroit où l'on étudie (école), le mot **ludus**, *i*, **m.** désigne à la fois l'école et le jeu.

Pour les Romains, en effet, étudier (studere) et jouer (ludere) sont des activités liées au loisir, où l'on prend son temps pour réfléchir ou pour s'amuser, par opposition aux activités liées à un travail visant un but pratique et immédiat.

## Magister

Ave **magister !** → Bonjour **maître** ! (p. 62)

Le mot **magister**, *tri*, **m.** désigne celui qui dirige l'enseignement, le maître.

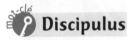
## Discipulus

Formés à partir du verbe **discere** (apprendre), le mot **discipulus**, *i*, **m.** désigne l'élève (celui qui apprend) et le mot **disciplina**, *ae*, **f.** à la fois le contenu de l'enseignement (ce qu'on apprend) et la formation à des règles de conduite.

## Jouez avec les mots

**❶ En classe**
**a.** À quel niveau du cursus scolaire romain êtes-vous ?
**b.** Quel serait le nom de votre professeur en latin ?

**❷ Des racines et des mots**
**a.** Cherchez plusieurs mots français issus du latin magister.
**b.** Quels mots latins retrouvez-vous dans **interlude**, **condisciple**, **rhétorique**, **ludothèque**, **scolarité**, **ludique** ?
**c.** Quel mot latin retrouvez-vous dans les mots de l'arbre ?

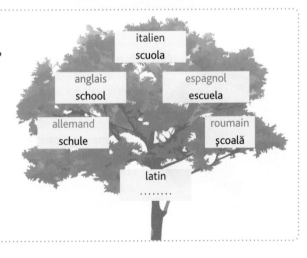

italien
scuola

anglais
school

espagnol
escuela

allemand
schule

roumain
şcoală

latin
.........

# In schola...

***Discipulus narrat.*** *Un élève raconte.*
*(**a.** au présent **b.** au passé).*

1 **a.** Primum magistrum, deinde amicos
amicamque saluto.
D'abord je salue mon maître, puis mes amis et
mon amie.
**b.** Primum magistrum, deinde amicos
amicamque salutavi.
D'abord j'ai salué mon maître, puis mes amis et
mon amie.
Ave magister! Salvete amici! Salve amica!

2 **a.** Magister amicique me resalutant.
Le maître et mes amis me saluent en retour.
**b.** Magister amicique me resalutaverunt.
Le maître et mes amis m'ont salué en retour.
Ave discipule! Salve amice!

3 **a.** Condiscipuli litteras discunt.
Mes camarades apprennent les lettres.
**b.** Condiscipuli litteras didicerunt.
Mes camarades ont appris les lettres.

*Puis le maître entraîne ses élèves à conjuguer.*

4 • Sedi, sedeo. Disco, discis, didicisti. Occupo,
occupas, occupamus, occupavimus.
Je me suis assis, je suis assis. J'apprends, tu
apprends, tu as appris. J'occupe, tu occupes,
nous occupons, nous avons occupé.

*L'enseignement en classe, maître et élèves,* relief du IVe siècle après J.-C.,
Rome, Museo Palazzo dei Conservatori.

• Vobis dico, vobis dixi.
Je vous dis, je vous ai dit.

• Reddere, reddo, redditis, reddidi, reddidistis.
Rendre, je rends, vous rendez, j'ai rendu, vous
avez rendu.

D'après les *Hermeneumata Pseudodositheana Leidensia,* I, III, 4.

## 🔑 Les formes verbales de l'indicatif au passé

Lisez les phrases en latin et leur traduction.

**En français et en latin**

❶ Relevez les verbes au présent de l'indicatif en français puis en latin. Quels indices vous permettent de reconnaître la personne et le type de conjugaison des verbes latins?

❷ Relevez les formes verbales au passé en français. De quel temps s'agit-il?

❸ Relevez les formes latines correspondantes. Quels indices permettent d'identifier la personne en latin?

## 🔑 Le nom mis en apostrophe

**En latin**

❹ Retrouvez les formules de salutation prononcées par les personnages (p. 43). Traduisez-les.

❺ Les noms désignant les personnes interpellées sont mis en apostrophe : recopiez-les. À quelle déclinaison appartient chaque nom?

❻ Comparez ces terminaisons avec celles du nominatif. Que remarquez-vous?

**VOCABULAIRE** à retenir

| deinde | puis, ensuite |
| primum | d'abord |

# 1 Le parfait de l'indicatif actif des quatre conjugaisons et de *sum*

- Au parfait de l'indicatif, tous les verbes latins se conjuguent de la même façon, à partir du **radical du parfait** de chaque verbe et des terminaisons du parfait.

| Terminaisons | | | |
|---|---|---|---|
| **Singulier** | 1re pers. **-i** | dedi<br>*je donnai, j'ai donné* | fui<br>*je fus, j'ai été* |
| | 2e pers. **-isti** | dedisti | fuisti |
| | 3e pers. **-it** | dedit | fuit |
| **Pluriel** | 1re pers. **-imus** | dedimus | fuimus |
| | 2e pers. **-istis** | dedistis | fuistis |
| | 3e pers. **-erunt** | dederunt | fuerunt |

- Pour obtenir le **radical du parfait**, on enlève la **terminaison -i** de la 1re personne du singulier du parfait, toujours **donnée par le dictionnaire** (p. 48).
  Exemples ▸ do, das, dare, <u>ded</u>i, datum : donner – sum, es, esse, <u>fu</u>i : être

- Au parfait de l'indicatif latin correspondent deux temps du passé en français : le **passé simple** et le **passé composé**.
  Exemple ▸ Magister librum discipulo **dedit**.
  Le maître **donna / a donné** un livre à l'élève.

# 2 Le vocatif

- Le **vocatif** est le cas de la **personne que l'on appelle**, à laquelle on s'adresse.
- Il est identique au **nominatif**, sauf au **singulier de la 2e déclinaison** pour les formes **en -us**, **-ius** et **-eus**.

| **-us → e** | **-ius, -eus → i** |
|---|---|

Exemples ▸ Salve amica ! Salve amice !
Bonjour mon amie ! Bonjour mon ami !
Tu quoque, **mi fili** ? Toi aussi, **mon fils** ?
(Jules César reconnaît son fils adoptif parmi ses assassins.)

> *César écrit à un ami après une victoire :*
> **Veni, vidi, vici.**
> Je suis venu, j'ai vu, j'ai vaincu.
>
> D'après **Plutarque**, *Vie de César*, L, 3.

## VOCABULAIRE à retenir

### Verbes

| | | | |
|---|---|---|---|
| condo, is, ere, didi, ditum | fonder | peto, is, ere, ivi, itum | chercher à atteindre, demander |
| credo, is, ere, didi, ditum | croire | | |
| disco, is, ere, didici, discitum | apprendre | rapio, is, ere, rapui, raptum | enlever |
| duco, is, ere, duxi, ductum | conduire | reddo, is, ere, didi, ditum | rendre |
| gero, is, ere, gessi, gestum | faire, mener | relinquo, is, ere, liqui, lictum | laisser, abandonner |
| laboro, as, are, avi, atum | travailler | | |
| ludo, is, ere, lusi, lusum | jouer | studeo, es, ere, dui, – | s'appliquer à (+ datif) |

## ▸ S'entraîner à lire et à dire en latin

**①** Histoire courte : Confidences d'une bibliophage
**Lisez les paroles de cette élève qui a dévoré les livres, mais qui n'a rien appris.**

Littera me pavit, nec quid sit littera novi.
In libri vixi, nec sum studiosor inde.
Exedi Musas, nec adhuc tamen ipsa profeci.
Les lettres m'ont nourrie, mais je ne sais pas ce que sont les lettres. J'ai vécu dans les livres, mais je n'en suis pas plus savante pour autant. J'ai dévoré les Muses et pourtant je n'ai fait moi-même aucun progrès.
**Est-elle une chèvre, une mite ou une araignée ?**

**Symphosius** (IVᵉ siècle après J.-C.), *Aenigmata*, XVI.

### ▸ Reconnaître les verbes au parfait

**②** **Isolez le radical du parfait de chaque verbe.**
jubeo, es, ere, jussi, jussum – terreo, es, ere, ui, itum – maneo, es, ere, mansi, mansum – paro, as, are, avi, atum – pareo, es, ere, ui, itum – doceo, es, ere, ui, itum.

**③** **a. Identifiez la personne de ces verbes au parfait et isolez leur radical :** accepit – fecimus – vidi – laboravistis – duxisti – reddidit – habuisti – fuimus.
**b. Traduisez-les (passé composé et passé simple).**

### ▸ Conjuguer les verbes au parfait

**④** **a. Donnez la personne de ces verbes, puis conjuguez-les oralement en entier.**
veni – vidi – vici – fecit – scivimus – habuerunt.
**b. Écrivez les formes obtenues en latin, puis en français (passé composé et passé simple).**

**⑤** **Identifiez ces formes puis mettez-les au parfait.**
dant – legimus – habeo – videtis – facit – jubes.

### ▸ Associer les fonctions et les cas

**⑥** **Retrouvez oralement la traduction de ces noms puis recopiez et complétez le tableau.**
periculum, *i*, m. – filius, *i*, m. – fortuna, *ae*, f. – servus, *i*, m. – discipulus, *i*, m.

| N. sg | G. sg. | V. sg. | V. pl. |
|-------|--------|--------|--------|
|       |        |        |        |

**⑦** **a. Retrouvez la déclinaison et le genre de ces noms donnés au nominatif singulier.**
1. (bonus, a, um) agricola 2. (magnus, a, um) ira
3. (parvus, a, um) servus 4. (novus, a, um) templum.
**b. Mettez chaque groupe nom + adjectif au génitif singulier puis au vocatif singulier.**

## ▸ S'initier à la traduction

**⑧** **Relisez le texte et sa traduction p. 62. Recopiez et complétez le tableau.**

| Parfait | Temps primitifs | Passé Composé |
|---------|-----------------|---------------|
|         |                 | j'ai dit |
| scripsi |                 |               |
| emendavit |               |               |
|         |                 | j'ai décliné |
| egimus  |                 |               |
| dimisit | dimitto, is, ere, misi, missum | |

**⑨** **a. Mettez ces phrases au parfait.**
1. Servos terres : Marce, dominus malus es.
2. Popule Romane, magnum imperium condis.
3. Magistri Graeci discipulos Romanos saepe discunt.
**b. Traduisez-les.**

**⑩** **a. Donnez le temps, la personne et le nombre du verbe de chaque phrase.**
1. Populus Romanus multa longaque bella gessit.
2. Discipuli varios magistros habuerunt.
[varius, a , um : différent]
3. In Graecia pulchra templa vidisti.
**b. Identifiez le cas, le genre, le nombre de chaque nom et adjectif puis donnez leur fonction.**
**c. Traduisez les phrases.**
**d. Mettez les verbes au présent et retraduisez.**

## ▸ Comprendre le sens des mots

**⑪** **Complétez avec *discipline* ou *magistral*.**
1. Il aime les sciences, le français, l'histoire : il réussit dans toutes les … .
2. Il n'a pas marqué le but, mais c'était un coup de pied … .
3. Il s'entraîne avec acharnement pour progresser : il s'astreint à une … sévère.

**Devinette**
**⑫** **Pour les Romains superstitieux, le nombre 17 attirait la malchance.**
**1. Écrivez 17 en chiffres romains : vous obtenez 4 lettres majuscules.**
**2. Traduisez ces verbes.**
j'ai donné – je suis venu – j'ai vu – j'ai vaincu – j'ai vécu.
**3. Dans lequel de ces verbes retrouvez-vous les 4 lettres majuscules ?**
**Pourquoi le 17 faisait-il peur aux Romains ?**

# Apprendre et jouer

## Tempus ludendi (le temps du jeu)

Le jeu favori des petits Romains est celui des noix (nuces). Il est si populaire que l'expression nuces relinquere (abandonner ses noix) veut dire *sortir de l'enfance* (pour entrer dans l'adolescence).
Le poète Ovide en donne les règles. Vous pourrez essayer de jouer à votre tour.

Panneau d'un sarcophage romain en marbre provenant de Vigna Emendola, sur la Via Appia, représentant des enfants jouant avec des noix, IIIe siècle après J.-C., Rome, Musée Chiaramonti.

    Quatre noix suffisent pour fabriquer une cible : trois dessous et la quatrième dessus. Les enfants jouent pour briser cette petite pyramide : ou bien, debout, ils lancent une noix pour l'atteindre d'un
5  coup ; ou bien, penchés en avant, ils y arrivent en un ou deux coups, en poussant la noix du doigt. D'autres fois on fait rouler la noix du haut d'un plan incliné pour qu'elle touche l'une de celles qu'on a posées par terre. Les noix servent aussi au
10  jeu de pair ou impair : le gagnant est celui qui a deviné juste. Ou bien on dessine à la craie une figure en forme de delta, la quatrième lettre des Grecs, puis on trace des traits pour délimiter des cases dans le delta et y placer des noix. Chaque
15  joueur jette alors une baguette et remporte les noix de la case qu'il a réussi à atteindre. Souvent enfin on place à une certaine distance un vase dans lequel doit tomber la noix lancée par le joueur.

**Ovide** (43 avant J.-C.-17 après J.-C.),
*Le Noyer,* vers 73-86.

### → DU TEXTE À L'IMAGE

❶ Observez les enfants qui figurent sur le panneau du sarcophage. Que constatez-vous ?

❷ Quelle partie du jeu décrit par Ovide est représentée ?

❸ Que fait précisément le petit garçon en gros plan ? Décrivez sa position. À quel jeu moderne fait-elle penser ?

❹ Quelle forme a la lettre grecque *delta* ?

# Litterae (les lettres)

Fondé sur des méthodes autoritaires souvent sévères, l'enseignement repose sur le *par cœur* et l'imitation. Le primus magister enseigne d'abord **les lettres** une par une (littera, *ae*, f.). Il guide la main de l'élève qui écrit sur une tablette de bois (tabula, *ae*, f.) enduite de cire (cera, *ae*, f.) avec un roseau taillé ou un poinçon (stilus, *i*, m.), dont le bout arrondi sert d'effaceur. Puis il passe aux syllabes, aux mots, aux phrases simples. La lecture se fait à voix haute, l'élève répétant après le maître. On s'initie au calcul en comptant sur ses doigts, avec un boulier ou des jetons.

Avec le grammaticus, les adolescents étudient **les (belles) lettres** (litterae), c'est-à-dire les *classiques* de la littérature grecque et latine. Ils apprennent par cœur des passages entiers des auteurs célèbres (Homère, Virgile, Tite-Live) et essaient de les imiter.

mot-clé Litterae

Lampe en terre cuite représentant la caricature d'une classe : le maître a une tête d'âne, les élèves sont des petits singes (12,5 x 10,5 cm), Égypte romaine, I<sup>er</sup> siècle avant J.-C., Paris, Musée du Louvre.

**5** Les enfants romains apprenaient souvent à compter avec des petits cailloux (calculus, *i*, m. : petit caillou). Quel mot français cela explique-t-il ?

Dés en os découverts à Pompéi,
I<sup>er</sup> siècle après J.-C., Chantilly, Musée Condé.

# Alea (le dé)

À côté des jeux d'adresse (noix, balle, toupie), les Romains jouent aussi beaucoup aux jeux de hasard (osselets, dés). Ils aiment parier sur le pair et l'impair, à pile ou face. Le mot **alea**, *ae*, **f.** signifie le dé, mais également le jeu de dés et même, par extension, le sort, le hasard. Les dés romains étaient semblables aux nôtres, le total de deux faces opposées faisant 7.

**6** Que signifie l'adjectif *aléatoire* ?

## Activités B2i ·· Faire une recherche sur Internet ·

### 1. Alea jacta est !
Que veut dire la célèbre phrase « Alea jacta est » ? Cherchez qui l'a prononcée et en quelles circonstances. Préparez un court exposé.

### 2. Jeux romains
Répartissez-vous par équipes et présentez un jeu pratiqué par les Romains en piochant dans la liste suivante : talus (osselet), buxum ou turbo (toupie), orca (jeu du tonneau), capita aut navia (pile ou face), micare digitis (jouer à la mourre), ludere latrunculis (jouer aux petits voleurs), ludus Duodecim Scriptorum (le jeu des douze lignes), loculus Archimedius (le casier d'Archimède). Tapez ces mots latins et français dans un moteur de recherche.

## Pour aller plus loin À LIRE

**Caius asinus est.** *L'Affaire Caius* de Henry Winterfeld, © Hachette - Le Livre de Poche Jeunesse, 2007.

C'est à partir d'un graffiti enfantin, qui aurait été découvert sur le mur d'un temple à Pompéi, qu'Henry Winterfeld a eu l'idée d'écrire une enquête policière menée par des écoliers romains. L'aventure continue avec **Caius et le gladiateur**.

# Question d'identité

Tout au long de sa vie, un Romain se sent romain par son appartenance à une famille (**gens**) qui perpétue des valeurs importantes (comme la pietas) de génération en génération. Mais cette identité est aussi le résultat d'un apprentissage. Le **pater familias** apprend à ses enfants à suivre la coutume des ancêtres (mos majorum), le maître d'école enseigne à ses élèves à imiter les grands auteurs, le tout avec le respect des **aînés** (**majores**) et de la **discipline** (**disciplina**).
Les Romains ne recherchent pas l'originalité dans leur façon de vivre. Toute activité s'inscrit dans une tradition héritée des générations précédentes et toute création se fonde sur l'imitation (imitatio) de modèles (exempla) qui constituent les bases de la culture commune.

Sarcophage en marbre (détail, pp. 60-61) env. 150 après J.-C., Paris, Musée du Louvre.

*Pline explique le rôle des ancêtres dans la formation du citoyen.*

    **L**es anciennes règles (antiquitus institutum) voulaient que ceux qui nous devançaient en âge (majores natu) nous apprennent non seulement par les oreilles, mais
5 aussi par les yeux ce que nous-mêmes nous avions à faire et à dire, et ce que nous devions, à notre tour, transmettre, comme de la main à la main, à ceux qui viendraient après nous. De là cette coutume d'engager
10 les jeunes gens à servir dans l'armée, dès leur plus tendre jeunesse, afin qu'en obéissant ils apprennent à commander, et qu'en suivant les autres ils se rendent capables plus tard de marcher à leur tête. [...] Chacun
15 avait son père pour maître (parens pro magistro) ; et celui qui n'avait plus de père en trouvait un parmi les hommes les plus illustres et les plus âgés. C'est ainsi qu'ils apprenaient par l'exemple (exemplum), qui
20 est bien la plus efficace manière d'enseigner.

    **Pline** (env. 61-114 après J.-C.), *Lettres*, VIII, 14.

→ **LIRE LE TEXTE**

❶ À partir du texte de Pline, expliquez ce qui constitue « les anciennes règles ».

❷ Quels mots français rapprochez-vous d'**institutum** ?

❸ Retrouvez le sens du mot **mémento** en français.

❹ Si vous pouviez rencontrer un jeune Romain de l'Antiquité, que lui diriez-vous pour expliquer les méthodes d'enseignement d'aujourd'hui ?

## 🔑 Memoria

Le nom **memoria**, *ae*, **f.** désigne la mémoire et le souvenir, mais aussi la période dont on se souvient. Il vient d'une racine indo-européenne (p. 8) qui exprime l'idée de penser et de se souvenir. On la trouve en latin sous les formes **men-** (**mens**, *tis*, **f.** : l'intelligence, l'esprit, la pensée), **mem-** (**memini** : je me souviens – **memor** : qui se souvient), **mon-** (**moneo** : je fais penser à, j'avertis). Pour les Romains, le *devoir de mémoire* est fondamental. Il assure la continuité d'une génération à l'autre. **Patrum nostrorum memoria** (du temps de nos pères) est une expression qu'ils utilisent souvent.

# ↪ Pour vous permettre de vérifier vos connaissances et vos compétences

## ▶ Associer fonctions et cas

**①** **a.** Voici douze prénoms masculins très fréquents dans le monde romain. Mettez-les au vocatif puis au génitif (singulier).

| Appius | Decimus | Publius | Sextus |
|--------|---------|---------|--------|
| Aulus | Lucius | Quintus | Tiberius |
| Caius (Gaius) | Marcus | Servius | Titus |

**b.** Que remarquez-vous ?

**②** Identifiez le cas et la fonction des noms dans les phrases suivantes et traduisez.
**1.** Tullia, Marci Tullii Ciceronis filia es.
**2.** Aulus Cornelius filium Quintum filiamque Corneliam habet.

**③** Dans ce petit texte, repérez les verbes puis identifiez le cas et la fonction de chaque nom.
Magister dicit : «Avete, discipuli ! Sexte, magistri verba studiose [attentivement] audis : bonus discipulus es... Tite, nec tabulas nec libros habes : bonus discipulus non es ! Et tu, Quinte ?

**④** Complétez ces phrases en utilisant les informations du texte précédent.
**a.** C'est l'élève Sextus qui parle.
Sext... dicit : « Magistri verba studiose ... : bonus discipulus ... .»
**b.** Ce sont Titus et Quintus qui parlent.
Tit... et Quint... dic... :
« Nec tabulas nec libros habe... : bon... discipul... non... .»

## ▶ Conjuguer les verbes

**⑤** **a.** Recopiez la grille et inscrivez verticalement ces verbes à la 1ʳᵉ personne du parfait de l'indicatif.
**1.** venir **2.** faire **3.** gouverner **4.** mener **5.** dire **6.** jouer **7.** donner **8.** avoir **9.** envoyer.

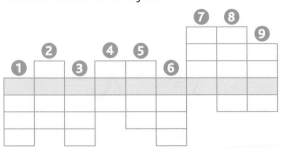

**b.** Quel est le nom latin de l'auteur de l'Énéide ? (ligne colorée)

**⑥** Recopiez le tableau et complétez-le en indiquant la conjugaison et le temps de chaque forme verbale.

|        | ...conj. | ...conj. | ...conj. | ...conj. | ...conj. |
|--------|----------|----------|----------|----------|----------|
| Sg. 1. | credo |  |  |  |  |
| 2. |  |  |  | jussisti |  |
| 3. |  |  |  |  |  |
| Pl. 1. |  | habemus |  |  |  |
| 2. |  |  |  |  | dedistis |
| 3. |  |  | veniunt |  |  |

## ▶ S'initier à la traduction

**⑦** **a.** Pour chaque nom, adjectif ou verbe entre parenthèses, choisissez la forme qui convient pour que la phrase ait un sens.
**1.** Romani (magnus, a, um) imperium tenent : Graeciam, Hispaniam, Africam et (multi, ae, a) terras (rego, is, ere, rexi, rectum : gouverner).
**2.** Gallia (provincia, *ae*, f : province) Romana (sum, es, esse, fui).
**3.** Galli (Romani, *orum*, m. pl.) timent ; linguam (Latinus, a, um) discunt.
**4.** Roma caput (mundus, *i*, m.) est.
**b.** Traduisez les phrases.
**c.** Mettez les verbes au parfait et retraduisez.

**⑧** **a.** Traduisez ces phrases.
**1.** Sed Graeci dolum paraverunt : equum ligneum aedificaverunt.
**2.** Paris, Priami Troiani filius, Helenam reginam Graecam rapuit.
**3.** Diu navigaverunt et in Italiam pervenerunt.
**4.** Graeci Troiam obsederunt.
**5.** Equus ligneus armatorum Graecorum copiam dissimulavit.
**6.** Aeneas et Iulius filius fugerunt.
**7.** Troiae muros diu defenderunt Troiani.
**8.** Armati Graeci Troiam incenderunt.
**b.** En mettant ces phrases dans le bon ordre, reconstituez un bref résumé de la guerre de Troie (vous avez découvert ses grandes étapes p. 21).
**c.** Recopiez le texte obtenu en mettant les verbes au présent.

**Vocabulaire :** aedifico, as, are, avi, atum : construire – obsideo, es, ere, sedi, sessum : assiéger – armatus, a, um : armé – defendo, is, ere, defensi, fensum : défendre – dolus, *i*, m. : ruse – fugio, is, ere, fugi : fuir – incendo, is, ere, cendi, censum : incendier – ligneus, a, um : en bois – murus, *i*, m. : mur – paro, as, are, avi, atum : préparer – pervenio, is, ire, veni, ventum : parvenir (in + acc. : dans, en) – regina, *ae*, f. : reine.

**9** Vous connaissez déjà le goût de Cicéron pour les bons mots. À vous de compléter la traduction.

**Matrona** quaedam, juniorem se quam **est** simulans, **amicis dictitat** :

« – **Pulchra sum**, ut **videtis**, **amici mei**. Triginta enim tantum annos habeo.

**Matronae superbae Marcus Tullius Cicero respondet** :

– **Verum est**, hoc enim per viginti annos **audivi et semper audio** ! »

D'après **Lhomond**, *Les Grands Hommes de Rome*.

Une certaine ..., faisant semblant d'être plus jeune qu'elle n'..., ......... :

« – ......... comme, ......... ............. .

....................................... :

– ............... : c'est cela en effet que pendant vingt ans .................. ! »

**Vocabulaire** (par ordre du texte) : dictito, as, are, avi, atum : dire, répéter sans cesse – triginta : trente – tantum : seulement – superbus, a, um : orgueilleux – respondeo, es, ere, sponsi, sponsum : répondre – verus, a, um : vrai.

▶ **Réviser le vocabulaire latin**

**10** Voici une liste de verbes à l'infinitif. Donnez leurs temps primitifs et leur sens.

audire – dicere – capere – agere – vocare – videre – credere – spectare.

**11** En puisant dans la liste des verbes de l'exercice 10, retrouvez l'ancêtre latin de chaque mot français et expliquez votre choix.

crédulité – spectacle – diction – vidéo – vocation – agir – captif – auditif.

**12** Les mots des deux listes suivantes se rapportent à la vie d'un écolier romain. Un intrus s'est glissé dans chacune d'elles : relevez-le.
**a.** cera – bella – litterae – stilus – ludus – nuces.
**b.** tabulae – templa – magister – ferula – alea.

▶ **Connaître les tria nomina**

**13** Voici des auteurs cités dans les chapitres précédents. Rendez-leur leur prénom et leur nom de famille, ainsi que le titre de l'ouvrage qu'ils ont écrit.
**1.** P. A. Florus **2.** M. F. Quintilianus **3.** T. L. **4.** P. V. Maro **5.** M. S. Honoratus **6.** M. T. Cicero.
**a.** *De partibus orationis* **b.** *De senectute* **c.** *Epitome* **d.** *Aeneis* **e.** *Ab Urbe condita Libri* **f.** *De institutione oratoria*.

**14 a.** Lisez les dix surnoms romains ci-dessous.
**b.** Reliez chacun d'eux à un mot français issu de la même famille étymologique.

| | |
|---|---|
| TRANQUILLUS | cécité |
| CALVUS | tranquillité |
| TACITUS | calvitie |
| RUFUS | strabisme |
| BALBUS | rustique |
| STATIUS | roux |
| NASO | stable |
| RUSTICUS | taciturne |
| CAECUS | naseau |
| STRABO | balbutier |

**c.** Redonnez à chaque surnom le sens qui lui correspond en choisissant dans la liste suivante.
**a.** qui louche **b.** qui a un gros nez **c.** qui ne parle pas **d.** qui vit à la campagne (paysan, balourd) **e.** aveugle **f.** calme **g.** bègue **h.** qui reste debout (qui résiste) **i.** rouquin **j.** chauve.

**15** Voici la caricature qu'un plaisantin a dessinée sur un mur de Pompéi, sans oublier de nommer sa *victime* !
**a.** Observez le dessin. Quels surnoms cités dans la liste de l'exercice 14 pourraient désigner le personnage ?
**b.** Déchiffrez les deux mots. Le premier est un surnom de la liste (pensez à compter les lettres). Le second est un verbe que vous connaissez. Est-ce un des surnoms que vous avez choisi ?
**c.** Que pensez-vous du dessinateur ?

C.I.L. IV 9226

**16** Une plaque gravée dans le marbre rend hommage à un célèbre Romain que vous avez rencontré au chapitre 4. Lisez à haute voix et répondez.

APPIVS • CLAVDIVS
C • F • CAECVS
[…]
VIAM • APPIAM • STRAVIT •
ET • AQUAM • IN • URBEM • ADDUXIT •

1. Le personnage appartient à la gens :
   **a.** Caecilia    **b.** Claudia    **c.** Appia

2. Son cognomen signifie :
   **a.** aveugle    **b.** chauve    **c.** gras

3. Son père s'appelle :
   **a.** Claudius    **b.** Cnaeus    **c.** Caius

4. Ce personnage est né vers le milieu du :
   **a.** VIII$^e$ siècle avant J.-C.
   **b.** IV$^e$ siècle avant J.-C.
   **c.** I$^{er}$ siècle après J.-C.

5. Dans sa maison il veillait soigneusement sur :
   **a.** le respect des traditions
   **b.** la préparation des repas    **c.** l'accueil des invités

6. Il a fait construire la première route pavée qui va de Rome vers le Sud :
   **a.** la via Appia    **b.** la via Salaria    **c.** la via Latina

7. Pour approvisionner Rome en :
   **a.** sel    **b.** blé    **c.** eau...

8. ... il a aussi fait construire le premier :
   **a.** port    **b.** aqueduc    **c.** canal

---

▶ **S'adresser à une personne et la saluer**

*Latinis verbis*

| Poser la question | | |
|---|---|---|
| **Le mot interrogatif** | **Le verbe** | **La phrase** |
| **Quomodo ou Ut** | **vales** | Quomodo vales ? |
| **De quelle manière, Comment** | **valetis** | Ut valetis ? |
| **Quid** | **agis** | Quid agis ? |
| **Quoi (Qu'est-ce que)** | **agitis** | Quid agitis ? |
| On peut aussi poser la question en rajoutant -ne (= est-ce que ?) au verbe. | **Valesne ?** | |
| Dans la conversation familière, on abrège la formule (comme en anglais « is not it ? » devient « isn't it ? »). | **Valen' ? = valesne ?** | |

Marce, salve! Ut vales ?

Aurelia, salve! Optime valeo!

**Répondre**

On répond avec un adverbe :
**Bene** : bien – **Optime** : très bien
**Melius, rectius** : mieux
**Male** : mal – **Pessime** : très mal

**Dialoguer en latin**

À votre tour, entraînez-vous oralement à la conversation en vous inspirant de cet extrait d'une comédie où deux vieillards, amis *du même âge* (aequalis) se retrouvent.
Apprenez par cœur les répliques et mettez-les vous-même en scène avec vos camarades.

---

CALLICLES. O amice, salve, atque aequalis. Ut vales, Megaronides ?
MEGARONIDES. Et tu, edepol, salve, Callicles. Valen' ? valuistin' ?
5 CAL. Valeo, et valui rectius.
MEG. Quid tua agit uxor ? ut valet ?
CAL. Plus quam ego volo.
MEG. Bene, hercle, est illam tibi valere et vivere.

**Titus Maccius Plautus**, *Trinummus*.

CALLICLÈS. Ô mon ami, salut, mon vieux copain. Comment te portes-tu, Mégaronidès ?
MÉGARONIDÈS. Et toi, Calliclès, salut, par Pollux. Tu vas bien ? Tu t'es bien porté ?
5 CAL. Je vais bien, mais je me suis déjà mieux porté.
MÉG. Et ta femme, qu'est-ce qu'elle fait? comment va-t-elle ?
CAL. Mieux que ce que moi je veux.
MÉG. Bien, par Hercule, je te souhaite qu'elle soit toujours en pleine forme.

**Plaute** (env. 254-184 avant J.-C.), *L'Homme aux trois écus*, Acte 1, scène 2, vers 48-52.

Découvrir le texte

## « *Je suis le Lare familial...* »

*Nous sommes au théâtre. Voici qu'un bien étrange personnage s'avance et prend la parole.*

| | |
|---|---|
| **PROLOGUS** | **PROLOGUE** |
| **Lar familiaris.** | **Le Lare familial.** |
| Ne quis miretur qui sim, paucis eloquar. | Pour qu'on ne se demande pas qui je suis, je vais dire deux mots. |
| Ego Lar sum familiaris ex hac familia | Moi, … le Lare … , celui de cette … , là, |
| unde exeuntem me aspexistis. Hanc domum | de ce foyer d'où vous m'avez vu sortir. Cette …, |
| jam multos annos est cum possideo et colo | il y a bien des années que j'en assure l'entretien |
| 5  patri avoque jam hujus qui nunc hic habet. | 5  et la protection déjà pour le père et pour le grand-père |
| […] | de celui qui la possède maintenant. […] |
| Huic filia una est. Ea mihi quotidie | Celui-ci a une … unique. Elle, c'est pour moi, |
| | chaque jour, qu'elle vient faire une prière |
| aut ture aut vino aut aliqui semper supplicat; | soit avec de l'encens, soit avec du vin, soit avec |
| | quelque autre offrande ; |
| dat mihi coronas […]. | elle m'apporte des … . […] |
| **Titus Maccius Plautus,** *Aulularia.* | **Plaute** (env. 254-184 avant J.-C.), *La Marmite*, vers 1-5 et 23-25. |

**A**h ! protégez-moi, Lares de mes pères : c'est vous qui m'avez nourri, lorsque, petit enfant, je courais à vos pieds. Et ne rougissez pas d'être taillés dans un vieux tronc d'arbre : c'est ainsi que vous avez habité l'antique demeure de mon aïeul. […] ■

*Lare*, figurine en bronze (12,4 cm), IIe siècle après J.-C., Paris, Musée du Louvre.

→ **LIRE LE TEXTE**

❶ Proposez une traduction pour les mots qui n'ont pas été traduits.

❷ À quel moment de la pièce de théâtre sommes-nous ? Qu'est-ce qui le montre ?

❸ Comment s'appelle le personnage en français et en latin ? Quel nom latin retrouvez-vous dans l'adjectif *familiaris* ?

❹ Imaginez le geste que fait ce personnage au vers 2 et le décor de la scène.

❺ S'agit-il d'un personnage ordinaire ? Quelles sont ses fonctions ? Quelles récompenses reçoit-il ? Qui les lui apporte ?

► **Les Romains croient que des puissances invisibles protègent leur foyer.**
**Le premier devoir d'un pater familias est de les honorer.**

Découvrir l'image

# La religion familiale

Dans chaque maison romaine, la famille honore religieusement diverses divinités dans une sorte de petite chapelle, nommée **lararium** (laraire, p. 76).

5 ■ On apaisait [le Lare] en lui offrant une grappe de raisin, ou en couronnant d'une guirlande d'épis sa chevelure 10 sacrée. Celui qui avait vu son vœu exaucé lui apportait lui-même des gâteaux et, derrière lui, marchait sa fille, toute 15 petite, tenant un pur rayon de miel.

**Tibulle** (env. 54-19 avant J.-C.), *Élégies*, I, 10, vers 15-26.

Fresque du lararium de la maison des Vettii, Pompéi, Ier siècle après J.-C.

**Gros plan sur...** *Un gros **serpent**, doté d'une crête et d'une barbe, est peint sur le lararium. Il est en train de ramper sur le sol vers un petit autel chargé de nourriture. C'est une sorte de génie bienfaisant, nommé Agathodémoné (« gentil démon » en grec), qui représente symboliquement les forces de la terre nourricière.*

**→ LIRE L'IMAGE**

❶ Comment sont habillés les personnages à droite et à gauche de la fresque ? Que tiennent-ils ?

❷ Comparez avec le personnage de la p. 74. Quels sont les points communs ?

❸ Observez le personnage au centre. Que fait-il, à votre avis ?

# Les divinités du foyer

Dans toutes les civilisations antiques, le **foyer** est le cœur matériel et religieux de la maison. C'est l'endroit où la famille entretient le **feu** pour manger et se chauffer, mais aussi pour honorer ses dieux. Pour les Romains, le foyer est protégé par des puissances divines organisées comme une véritable entreprise, avec un **chef** (Vesta), des **fournisseurs** (les Pénates) et des **gardiens** (les Lares).

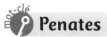

## Penates

Vous avez déjà vu les **Pénates** (p. 15). Chargés de l'armoire à provisions (**penus**, *i*, m.), les **dii** (ou **divi**) **Penates** (*tium*, m.) sont deux **dieux fournisseurs**. Ils s'occupent d'approvisionner le foyer, de veiller symboliquement à la nourriture, au confort et à la prospérité de la maison. Ils sont associés à **Vesta** (*ae*, f.), sœur de Jupiter et **déesse du foyer**. Vesta protège le feu sacré, dont la flamme symbolise à la fois le pouvoir des dieux et l'unité de la famille.

## Lar, Lares

Chez les Étrusques, le **Lare** (**Lar**, *Laris*, m., du mot étrusque *lars* : le chef) était un dieu protecteur des récoltes. À Rome, il est le **gardien** de la maison : il lui reste attaché, même si la famille la quitte. Représenté comme un jeune homme dansant, il tient une coupe d'offrande et une corne d'abondance. Le jour de leur majorité (p. 59), les jeunes Romains accrochent leur **bulla** au cou du Lare familial. Au temps de l'empereur Auguste, on représente le maître de maison entouré de **Lares** « jumeaux » sur le **lararium** (p. 75).

Reconstitution d'un lararium (H. : 45 cm) avec autel et statuettes, Augst (Suisse), Musée romain d'Augusta Raurica.

### Le lararium

*Chaque demeure comporte un **lararium** (i, n.), plus ou moins luxueux : une sorte de chapelle privée, avec un autel (ara, ae, f.) et un foyer (focus, i, m.) où brûle en permanence le feu sacré. Le pater familias y abrite les statuettes des **divinités tutélaires** (de tutela, ae, f. : protection). Il doit les honorer (colo, is, ere, colui, cultum) selon des rites sacrés. Chaque jour, il répand un peu de vin sur leur autel (il fait une **libation**), il leur offre de l'encens, des couronnes de fleurs ou de laine, ainsi qu'une partie de la nourriture servie à table.*

## Jouez avec les mots

**❶ Qui sont-ils ?**
**a.** Inscrivez dans la grille les noms correspondant aux définitions suivantes.
**1.** Déesse du foyer **2.** Mère d'Énée **3.** Énée les a ramenés de Troie **4.** Dieux gardiens de la maison.
**b.** Retrouvez le nom (deux mots) de la mère de Romulus et Rémus, qui fut prêtresse de la déesse du foyer (p. 22), et inscrivez-le dans les cases colorées.

**❷ Des racines et des mots**
**a.** Que signifie l'expression « regagner ses pénates » ?
**b.** De quels mots latins viennent les mots français **tutelle**, **focaliser**, **culte** ?

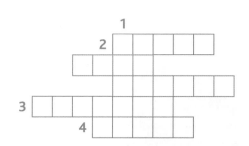

## Paroles de Lare

**1** Salvete, amici! Jam bene me novistis :
ego Lar sum familiaris.
.......... ! Vous me connaissez bien déjà :
moi, je ............ .

**2** Mihi sunt tunica succincta calceique magni.
Sont à moi [= j'ai] une tunique retroussée
et de grandes chaussures [= bottines].

**3 a.** Domum domino colo.
**b.** Domino filia una est.
**a.** J'entretiens la maison pour le maître.
**b.** Une fille est au maître [= le maître a une fille].

**4 a.** Domino puella paret.
**b.** Quotidie ea mihi tus et mel et vinum adfert.
**a.** La jeune fille obéit au maître.
**b.** Chaque jour, c'est elle qui m'apporte de
l'encens, du miel et du vin.

**5** Pulchram coronam mihi dedit domini filia.
............................... .

*Lare*, statuette en bronze
(16 cm), Iᵉʳ siècle après J.-C.,
Lyon, Musée de la civilisation
gallo-romaine.

---

### 🔑 Les pronoms personnels

**En français et en latin**

**❶** Dans les phrases 1 et 3 a, repérez les pronoms personnels en français puis en latin. Que remarquez-vous ?

**❷** Relevez le sujet de la phrase 4 b en français. Qui représente-t-il ? Quel mot de la phrase latine traduit-il ?

**❸** Relisez la phrase 4 b en latin. Comment est traduit mihi ?

### 🔑 COS et COI du verbe

**En latin et en français**

**❹** Dans les phrases 3 a et 4 a, quel est le cas de domino ? Dans chaque phrase en français, quelle est la fonction de *maître* ?

**❺** À présent, traduisez seuls la phrase 5. Quel est le cas et la fonction de mihi ?

**❻** Dans les phrases 2 et 3 b en latin, repérez le verbe et le sujet. Comment sont traduits mihi et domino ? Deux traductions sont proposées pour chaque phrase : comparez-les.

---

**VOCABULAIRE** à retenir

| Noms | | | | Mots invariables | |
|------|---|---|---|---|---|
| ara, *ae*, m. | autel | tunica, *ae*, f. | tunique | bene | bien |
| corona, *ae*, f. | couronne | vinum, *i*, m. | vin | jam | déjà |
| focus, *i*, m. | feu, foyer | | | quotidie | chaque jour |

# 1 Les pronoms personnels

Le pronom est ce qui est mis *à la place* (pro) du nom. Il a le genre et le nombre du nom qu'il remplace, il est décliné selon la fonction qu'il occupe dans la phrase.

## Les pronoms ego, tu, nos, vos

| | | Nominatif | Vocatif | Accusatif | Génitif | Datif | Ablatif |
|---|---|---|---|---|---|---|---|
| **Singulier** | **1re pers.** | ego | - | me | mei | mihi | me |
| | **2e pers.** | tu | tu | te | tui | tibi | te |
| **Pluriel** | **1re pers.** | nos | - | nos | nostri | nobis | nobis |
| | **2e pers.** | vos | vos | vos | vestri | vobis | vobis |

- En latin, le vouvoiement de politesse n'existe pas. La forme *vous* désigne deux ou plusieurs personnes.

## Le pronom is, ea, id

- Le pronom is, ea, id rappelle la personne ou la chose dont on a parlé (3e personne).

| | | Nominatif | Accusatif | Génitif | Datif | Ablatif |
|---|---|---|---|---|---|---|
| **Singulier** | **Masculin** | is | eum | ejus | ei | eo |
| | **Féminin** | ea | eam | ejus | ei | ea |
| | **Neutre** | id | id | ejus | ei | eo |
| **Pluriel** | **Masculin** | ei (ou ii) | eos | eorum | eis (ou iis) | eis (ou iis) |
| | **Féminin** | eae | eas | earum | eis (ou iis) | eis (ou iis) |
| | **Neutre** | ea | ea | eorum | eis (ou iis) | eis (ou iis) |

- Il est traduit par un **pronom démonstratif** ou par un **pronom personnel**.
  Ex. ▶ Domum habitat : **eam** videmus.
  Il habite une maison : nous voyons **celle-ci** / nous **la** voyons.

- Employé au génitif, il est traduit par un **adjectif possessif** (son, sa, ses, leur, leurs).
  Exemple ▶ Marcus domum habitat. Domum **ejus** videmus.
  Marcus habite une maison. Nous voyons la maison **de celui-ci** (= **sa** maison).

# 2 Le datif

- Le **datif** est le cas du **complément d'objet second** du verbe **(COS)**. Il désigne la personne ou la chose **à qui** on donne (on prête, on dit, on permet) ou **à qui** on retire quelque chose.
  Exemple ▶ Dat **mihi** coronas. Elle **me [= à moi]** donne des couronnes.

- Le **datif** est le cas du **complément d'objet indirect** de certains verbes **(COI)**. Il indique **pour qui** ou **pour quoi** l'action est faite.
  Exemple ▶ Servus **domino** paret ; **ei** laborat. L'esclave obéit **au maître** ; il travaille **pour lui**.

- Employé avec le **verbe être**, le **datif** exprime **la possession**. C'est une **construction très fréquente**, utilisée plus souvent que le verbe **habere** (avoir).
  Exemple ▶ **Mihi** filia una <u>est</u>. Une fille est **à moi** = j'<u>ai</u> une fille (filiam unam habeo).

## VOCABULAIRE à retenir

### Verbes

| | |
|---|---|
| colo, is, ere, colui, cultum | cultiver, honorer, entretenir |
| debeo, es, ere, bui, bitum | devoir |
| pareo, es, ere, ui, itum | obéir |
| possideo, es, ere, sedi, sessum | posséder |
| rogo, as, are, avi, atum | demander |
| supplico, as, are, avi, atum | prier, supplier (+D.) |

– Quod tibi libet idem mihi libet.
– Tu me amas, ego te amo.
– Ce qui te plaît me fait plaisir aussi.
– Toi, tu m'aimes, moi je t'aime.

**Plaute**, *Le Revenant*, I, 3, vers 296 et 305.

## ▶ S'entraîner à lire et à dire en latin

**①** Histoire courte : Honneur au Lare !

**Lisez les ordres du vieux Calliclès qui aimerait bien se débarrasser de son épouse (p. 73).**

Larem corona nostrum decorari volo.
Uxor, venerare ut nobis haec habitatio
bona, fausta, felix, fortunataque evenat…
teque ut quam primum possim, videam emortuam !
Je veux que notre Lare soit décoré d'une couronne.
Femme, prie-le avec respect : qu'il rende cette maison agréable, prospère, heureuse et fortunée…
[*à voix basse*] et que je te voie morte le plus tôt possible !

**Plaute**, *L'Homme aux trois écus*, Acte 1, sc. 2, vers 39-42.

## ▶ Reconnaître les pronoms

**②** **a. Associez à chaque forme verbale le pronom sujet qui convient (plusieurs solutions sont parfois possibles) :** tu – vos – eae – nos – ego – ei.
jubes – vici – venimus – salutavi – habuerunt – dicitis – dedistis – egisti – scripsimus – capiunt.
**b. Traduisez.**

**③** **a. Complétez ces phrases par la forme du pronom personnel qui convient (ejus, eorum, earum).**
**1.** Aurelia multas amicas habet. Amicas … videmus.
**2.** Romani fabulas narrant. Fabulas … legitis.
**3.** Romulus Romam condidit. Populus consiliis … paruit. **4.** Puellae tunicas succinctas habent. Tunicae … pulchrae sunt.
**b. Traduisez ces phrases.**

**④** **Dans ces phrases, chaque mot en gras doit être repris par un pronom personnel. Remplacez les points par la forme de is, ea, id qui convient.**
**1.** Marci Tullii Ciceronis **libros** habemus, … que legimus. **2.** Domino multae **statuae** sunt : … pulchrae sunt. **3.** **Domini** verba servus audivit sed … non paruit. **4.** **Magister** me salutavit : ego … resalutavi. **5.** Plinio multi **amici** fuerunt : **epistulas** … scripsit … que nunc legimus.

**⑤** Traduisez les phrases de l'exercice 4.

## ▶ S'initier à la traduction

**⑥** **Formez quatre phrases correctes en puisant un mot dans chaque colonne. Traduisez.**

| mihi | divitiae | servi | miserunt |
|------|----------|-------|----------|
| deae | domino | amici | magnae |
| epistulas | vobis | coronas | dedit |
| dant | puella | sunt | vinum |

[divitiae, *arum*, f. : richesses – epistula, *ae*, f. : lettre]

**⑦** **a. Repérez les verbes des phrases suivantes.**
**b. Identifiez le cas, le genre, le nombre de chaque nom et adjectif ainsi que leur fonction.**
**c. Complétez chaque phrase en choisissant parmi ces formes :** ego – mihi – ei – ejus – eos – eis.
**1.** Magister discipulos docet : verba … scribit et numeros demonstrat, deinde … interrogat.
**2.** Pueri magistri verbis respondent : … parent et ferulam … timent.
**3.** … pulchram domum possideo : … amici invident.
**4.** Deo domini filia quotidie supplicat … que aut coronas aut vinum dat.
**Vocabulaire :** numerus, *i*, m. : nombre – demonstro, as, are, avi, atum : montrer – respondeo, es, ere, spondi, sponsum : répondre – invideo, es, ere, invidi, visum (+ datif) : envier.

**⑧** Traduisez les phrases de l'exercice 7.

## ▶ Comprendre le sens des mots

**⑨** **Choisissez la bonne définition (pp. 76 et 80).**
**1. emporter ses pénates : a.** calculer les points de pénalité dans un match. **b.** voyager avec ses pantoufles **c.** s'installer dans un nouveau foyer.
**2. invoquer les mânes des ancêtres : a.** téléphoner à ses grands-parents. **b.** adresser une prière aux esprits des morts. **c.** raconter les manies de sa famille.
**3. passer pour une vestale : a.** passer pour un modèle de fidélité. **b.** porter une belle veste. **c.** passer par le vestibule.

**⑩** **Le nom latin focus, *i*, m. a donné *feu* et *foyer* en français. À partir de cette double étymologie, retrouvez le sens précis des expressions suivantes :**
un village de dix feux – un jeune foyer – des lunettes à double foyer – fonder un foyer – avoir le feu sacré – n'avoir ni feu ni lieu – femme au foyer.

**⑪** **Le nom génie vient du latin genius (p. 80). Que signifie l'expression *un trait de génie* ?**
**a.** une excellente idée.
**b.** une flèche lancée par un génie.
**c.** un trait tracé par un grand dessinateur.

**Devinette** **⑫** Un adjectif latin s'applique à un vêtement que l'on a raccourci en le retroussant avec une ceinture (comme la tunique du Lare p. 77). Au sens figuré, il signifie *ramassé en peu de mots, court* (pour un récit). Retrouvez l'adjectif qu'il a donné en français :
bref – court – concis – laconique – succinct.

# Au fil de la vie

## À chacun son Génie

Vous est-il arrivé d'imaginer qu'un ami invisible veille sur votre bonne étoile ? C'est ce que croient beaucoup de Romains. En plus des divinités du foyer (p. 76), ils honorent leur dieu personnel, compagnon intime de leur vie : le **Genius** (*ii*, m. : Génie), qui naît avec chaque homme et disparaît avec lui. Le Genius voit tout, sait tout...

mot-clé
Genius

Fresque du lararium d'une maison pompéienne, Naples, Musée archéologique.

**S**cit Genius, natale comes qui temperat astrum,
**Il** sait tout, le Génie, le compagnon
qui gouverne notre étoile depuis notre naissance,
naturae deus humanae, mortalis in unum
dieu de la nature humaine, mortel en chaque homme,
quodque caput, vultu mutabilis, albus et ater.
changeant de tête et de visage, blanc et noir.

**Horace** (65-8 avant J.-C.), *Épîtres*, II, vers 187-189.

*Génie faisant une libation, statue en bronze, début du IIIe siècle après J.-C., trésor de Weissenburg, Munich (Allemagne).*

Le jour de son anniversaire (natalis dies), chaque Romain célèbre son Genius.
Sur de nombreux laraires, celui-ci est figuré à l'image du pater familias, en train de faire une libation, en toge de cérémonie, la tête voilée (p. 75). Il tient parfois la précieuse corne d'abondance.
À la place du Genius, les femmes ont une Juno (*onis*, f.), une « Junon » à l'image de l'épouse de Jupiter (p. 119), protectrice des matrones.

### → DU TEXTE AUX IMAGES

❶ Le Genius est intimement lié au caractère de l'être humain (in**genium**, *ii*, n.) qu'il accompagne. Quelle racine retrouvez-vous dans ces noms ?

❷ Horace dit que le Genius est à la fois dieu (deus) et mortel (mortalis) : pourquoi ? Il le dit aussi blanc (albus) et noir (ater) : pourquoi selon vous ?

❸ Décrivez le Genius en bronze. Comment est-il vêtu ? Quel rite accomplit-il (p. 76) ?

❹ Identifiez le Genius sur le laraire. Quels autres personnages reconnaissez-vous ?

# Les Mânes

À une période très ancienne de leur histoire, les Romains enterraient les défunts de la famille dans le sol de leur maison. Ils croyaient que leurs âmes habitaient ainsi avec eux sous la forme d'esprits familiers, nommés **Dii parentes** (Dieux parents) et **Manes** (Mânes, toujours au masculin pluriel), qui vient de l'adjectif **manus, a, um** (bon, gentil).

Considérés comme de « bons » esprits protecteurs, les Mânes sont honorés régulièrement par des offrandes sur le lararium, comme les divinités traditionnelles du foyer (p. 76).

Sur les stèles funéraires, la coutume est d'inscrire les initiales D. M. : **deis** (ou **diis**) **Manibus** (= pour les dieux Mânes).

**5** Le nom du défunt est inscrit en haut de la stèle. Quelles grandes lettres sont gravées de part et d'autre ?

*Stèle funéraire d'Apinosus Iclius,* IIe siècle après J.-C., Saint-Germain-en-Laye, Musée d'archéologie nationale.

# Les âges de la vie

De la naissance à la mort, les Romains distinguent cinq grandes périodes dans la vie humaine. Pour l'**homme** (**vir**, *viri*, m.), ce découpage est lié au **rôle dans la cité** (participer à la vie politique en tant que citoyen, défendre sa patrie) ; pour la **femme** (**femina**, *ae*, f. ou **mulier**, *eris*, f.), il est lié au **rôle dans la famille** (se marier, avoir des enfants).

**6** À quels noms latins rattachez-vous ces mots français : *sénile, puéril, viril, adolescent, jouvence, virginité, enfance ?*

| infantia, *ae*, f. petite enfance 0-7 ans | pueritia, *ae*, f. enfance 7-17 ans | adulescentia, *ae*, f. jeunesse 17-30 ans | juventa, *ae*, f. force de l'âge 30-45 ans | senecta, *ae*, f. vieillesse 45-60 ans |
|---|---|---|---|---|
| infans, *tis*, m. ou f. : petit enfant, bébé | puer, *eri*, m. : enfant / jeune garçon | adulescens, *tis*, m. ou f. : jeune homme ou jeune femme | juvenis, *is*, m. ou f. : homme ou femme dans la pleine force de l'âge | senior, *oris*, m. : homme mûr<br><br>senex, *senis*, m. : vieillard |
| | puella, *ae*, f. : enfant / jeune fille | junior, *oris*, m. (17 à 45 ans) : devenu citoyen (abandon de la bulla), il peut servir dans l'armée active | | |
| | virgo, *inis*, f. : jeune fille vierge (elle peut être mariée dès 12 ans)<br>uxor, *oris*, f. : épouse (abandon de la bulla le jour du mariage)<br>matrona, *ae*, f. : épouse et mère | | | anus, *us*, f. : vieille femme (qui ne peut plus avoir d'enfants) |

**Pour aller plus loin** À LIRE

*Les douze travaux de Flavia* de Caroline Lawrence, tome 6 des *Mystères romains,* © Milan Jeunesse, 2005. La petite Flavia vit à Ostie au Ier siècle après J.-C.

**Activités B2i** ········ Se documenter sur Internet ·

**1. Le culte de la famille et des ancêtres**
Quelles sont les civilisations où le culte des ancêtres occupe une place importante dans le foyer familial ? Tapez « autel familial », «Tibet » et «Vietnam » dans un moteur de recherche.

**2. Génies et personnifications**
La victoire, la guerre, la paix sont souvent personnifiées par des « génies ». Cherchez des documents les représentant.

## Découvrir le texte

### Cave canem

*Deux jeunes Romains sont invités avec leur maître de rhétorique, Agamemnon, chez le riche Trimalcion, un ancien esclave qui a bien réussi dans les affaires.*

**C**um Agamemnone ad januam pervenimus [...]. In aditu autem ipso stabat ostiarius prasinatus, cerasino succinctus cingulo, atque in lance argentea pisum purgabat. Super limen autem cavea
5 pendebat aurea in qua pica varia intrantes salutabat.
Ceterum ego dum omnia stupeo, paene resupinatus crura mea fregi. Ad sinistram enim intrantibus non longe ab ostiarii cella canis ingens, catena
10 vinctus, in pariete erat pictus superque quadrata littera scriptum : CAVE CANEM. Et collegae quidem mei riserunt. Ego autem collecto spiritu non destiti totum parietem persequi.

**Caius Petronius Arbiter,** *Satyricon.*

**A**vec Agamemnon nous arrivons à la porte [...]. À l'entrée même se tenait le portier, habillé de vert, la taille entourée d'une ceinture cerise, et il épluchait des pois dans un plat en argent. Au-dessus du seuil pendait une cage en
5 or où une pie au plumage multicolore saluait les arrivants. Mais moi, tandis que j'admire tout bouche bée, faisant un bond en arrière, je me suis presque cassé la jambe. En effet, à gauche de l'entrée, non loin de la loge du portier, un chien énorme, attaché par une chaîne, était peint sur le
10 mur et au-dessus était écrit en lettres capitales : GARE AU CHIEN. Et qui plus est, mes collègues se sont bien moqués de moi. Mais moi, une fois revenu de ma frayeur, je n'ai pas quitté des yeux le mur [orné de fresques].

**Pétrone** (env. 15-66 après J.-C.), *Le Satyricon*, XXVIII-XXIX.

*Cave canem*, mosaïque, Ier siècle après J.-C., Pompéi, maison du Poète tragique.

### → LIRE LE TEXTE

**1** Qui raconte ? Le narrateur est-il seul ? Qui sont les personnages de ce texte ?

**2** La première phrase est au présent de l'indicatif. Quels autres temps sont employés dans la suite du récit ?

**3** Le propriétaire de cette maison dissimule-t-il sa richesse ou en fait-il étalage ? Justifiez votre réponse.

**4** Quel groupe nom + adjectif en latin est traduit par « lettres capitales » ? Par quel autre mot désigne-t-on ce type de lettres en français ?

**5** Pourquoi les « collègues » du narrateur se sont-ils mis à rire ? Quel est le ton du récit ?

▶ Pour les Romains, la maison est un espace sacré, mais aussi un signe extérieur de richesse. Elle montre qu'on est de « bonne famille » ou qu'on a fait fortune.

*Découvrir* l'image

# Bienvenue chez un riche habitant de Pompéi

Voici la reconstitution d'une maison, découverte à Pompéi en 1824.

> *Un romancier anglais a imaginé que son héros, Glaucus, habitait dans cette* domus *baptisée «maison du Poète tragique» par les archéologues.*

Sa demeure à Pompéi… Hélas! les couleurs en sont fanées maintenant, les murailles ont perdu leurs peintures; sa beauté, la grâce et le fini de ses orne-
5 ments, tout cela n'est plus. Cependant, lorsqu'elle reparut au jour, quels éloges et quelle admiration excitèrent ses décorations délicates et brillantes, ses tableaux, ses mosaïques!…
10 On y entrait par un long vestibule dont le pavé en mosaïque porte encore empreinte l'image d'un chien avec cette inscription : «Cave canem» ou «Prends garde au chien»…

**Edward George Bulwer-Lytton,**
*Les Derniers Jours de Pompéi*, 1834,
traduction P. Lorain.

**Fausto et Felice Niccolini**, *Atrium de la maison du Poète tragique à Pompéi*, 1896, Paris, Bibliothèque du Musée des arts décoratifs.

*Gros plan sur...* Dans une maison romaine, toutes les pièces sont disposées autour d'une vaste salle à ciel ouvert, nommée **atrium**, *i, n.* Son toit de tuiles comporte une large ouverture (**compluvium**, *i, n.*) pour donner de la lumière, laisser sortir la fumée et entrer l'eau de pluie, recueillie dans un bassin (**impluvium**, *i, n.*). Près de celui-ci, un guéridon en pierre (**cartibulum**, *i, n.*) sert d'autel pour les cérémonies religieuses.

## → LIRE L'IMAGE

❶ Vous savez déjà ce qui est arrivé à Pompéi (p. 20). À quelle date la maison du Poète tragique a-t-elle disparu ? Comment ?

❷ Décrivez ce que vous voyez sur l'illustration.

❸ Comment le mur et le sol sont-ils décorés ?

❹ Quels meubles voyez-vous ?

# La maison

Les riches Romains vivent dans une maison,
la **domus**, *us*, f., occupée par un seul propriétaire,
le **dominus**, *i*, m. (maître de maison).
S'il est marié, sa femme est la **domina**, *ae*, f.

## Domus

La maison du Poète tragique est petite, mais elle
donne un bon exemple d'une riche **domus** au
Iᵉʳ siècle après J.-C. Retrouvez-la p. 83.

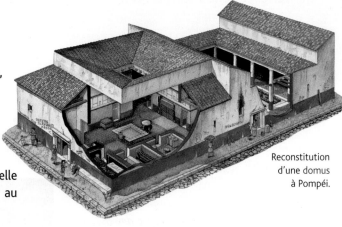

Reconstitution
d'une domus
à Pompéi.

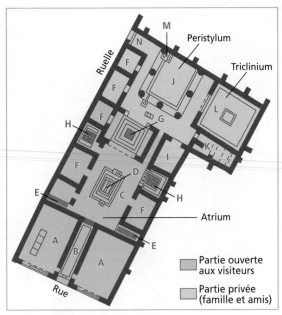

Plan de la maison du Poète tragique.

**A. Officina** (*ae*, f.) ou **taberna** (*ae*, f.) : boutique ou
taverne, gérée par le dominus.
**B. Vestibulum** (*i*, n.) : entrée.
**C. Atrium** (*i*, n.), avec l'impluvium (**D**, p. 83). À l'origine, cet espace central servait aussi bien de lieu de
travail et de réunion que de cuisine et de salle à
manger. C'était le foyer de la vie familiale.

**E.** Escaliers de service menant à l'étage supérieur, où
sont logés les domestiques.
**F. Cubicula** : chambres ou pièces de repos où l'on
peut s'allonger (cubare).
**G. Tablinum** (*i*, n.) : bureau. Ouvert des deux côtés,
il sert de salle de réception au dominus qui peut le
fermer par des paravents en bois. Il marque la sépara-
tion avec la partie privée de la maison. Au sol, une
mosaïque (p. 91).
**H. Ala** (*ae*, f.) : aile (petit salon).
**I. Oecus** (*i*, m.) : salon.
**J. Peristylum** (*i*, n.) : péristyle avec un petit jardin
(hortus, *i*, m.). Il est souvent agrémenté d'un bassin
(piscina, *ae*, f.) avec des poissons (piscis, *is*, m.). Dans
un angle, le lararium (**M**, p. 76).
**K. Culina** (*ae*, f.) : cuisine. Dans un coin (ici à droite de
l'entrée), la latrina (*ae*, f.), que nous appellerions
aujourd'hui les toilettes.
**L. Triclinium** (*i*, n.) : salle à manger. Des banquettes
permettent de s'allonger pour manger.
**N. Posticum** (*i*, n.) : entrée secondaire. Utilisée pour
le service, elle donne sur l'arrière de la maison.

La domus traditionnelle n'a pas de fenêtres sur
l'extérieur. Les seules pièces qui s'ouvrent sur la rue
sont les officinae ou tabernae.

## Jouez avec les mots

**❶ Le mot à découvrir**
On a rapproché le nom atrium de l'adjectif qui signifie
*noir* (dans cette pièce se trouvait le foyer dont la fumée
noircissait les murs). Retrouvez cet adjectif grâce à deux
indices : **1.** Il est contenu dans *père* et *mère* en latin.
**2.** Il définit le Genius (p. 80).

**❷ Du latin au français**
Quels mots français pouvez-vous rattacher à
domus, culina, hortus, latrina, officina, piscina,
taberna, vestibulum ?

# Une maison pleine de surprises...

**1. a. Cum collegis** nunc ad atrium pervenimus.
**Avec les collègues**, nous ... dans l'atrium.
**b.** Ego autem **oculis avidis** spectabam.
Moi, je regardais **avec des yeux avides**.

**2. a.** In pariete, tabulae pictae Troiae bellum narrabant.
**b. Tabulis pictis** stupidi eramus.
**a.** Sur le mur, des peintures racontaient la guerre de Troie.
**b.** Nous étions fascinés **par les peintures**.

**3.** Praeterea grande armarium **in angulo** vidi :
**in aedicula** erant Lares argentei Venerisque signum marmoreum.
En outre, je ... une grande armoire **dans l'angle** :
**dans une niche** se trouvaient des Lares en argent et une statue de Vénus en marbre.

**4.** Deinde capsulam auream vidimus ostiariumque interrogavimus.
Ensuite nous ... une petite boîte en or et nous ... le portier.

**5. In ea** dominus barbam primam condebat.
**Dans cette boîte**, le maître de maison conservait sa première barbe.

Phrases adaptées du texte de Pétrone (p. 82).

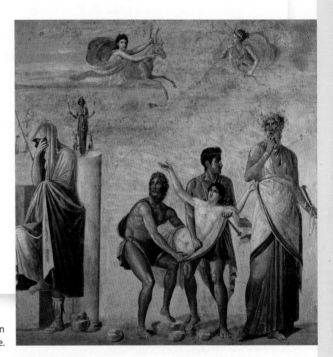

Fresque représentant le sacrifice d'Iphigénie dans la maison du poète tragique, Ier siècle après J.-C., Naples, Musée archéologique.

## Les formes verbales de l'indicatif au passé

**En latin et en français**

❶ Lisez les phrases en latin. Relevez chaque verbe au parfait en indiquant la personne. Complétez la traduction.

❷ En vous aidant de la traduction, relevez les autres verbes dans les phrases en latin. À quel temps sont-ils en français ?

❸ Quel élément commun présentent les verbes latins qui ne sont pas au parfait ?

❹ Quelle est la valeur de chacun des temps utilisés dans ces phrases ? Justifiez votre réponse.

## Les compléments circonstanciels

**En français**

❺ Identifiez la fonction de chaque groupe de mots en gras.

**En latin et en français**

❻ Quel est le cas correspondant en latin ? Que remarquez-vous aux phrases 3 et 5 ?

❼ Observez les phrases 1 a et 1 b. Quelle différence de sens relevez-vous entre les groupes de mots en gras en français ? Que remarquez-vous en latin ?

## VOCABULAIRE à retenir

| | | | |
|---|---|---|---|
| collega, ae, m. | collègue, ami | cum + abl. | avec |
| autem | d'autre part, or, quant à | in + abl. | dans, en, sur |

# 1 L'imparfait de l'indicatif

- L'imparfait du verbe **sum** se forme en ajoutant le suffixe -a et les terminaisons **-m**, **-s**, **-t**, **-mus**, **-tis**, **-nt** au radical **er-**.

- L'imparfait des quatre conjugaisons se forme en ajoutant le suffixe **-ba** et les terminaisons au radical du présent.

  Attention ! Aux 3$^e$, 3$^e$ mixte et 4$^e$ conjugaisons, le suffixe **-ba** est précédé de la voyelle **-e**.

| | Verbe *être* | 1$^{re}$ conjugaison | 2$^e$ conjugaison | 3$^e$ conjugaison | 3$^e$ conjugaison mixte | 4$^e$ conjugaison |
|---|---|---|---|---|---|---|
| **Singulier** | eram *j'étais* | amabam *j'aimais* | videbam *je voyais* | legebam *je lisais* | capiebam *je prenais* | audiebam *j'entendais* |
| | eras | amabas | videbas | legebas | capiebas | audiebas |
| | erat | amabat | videbat | legebat | capiebat | audiebat |
| **Pluriel** | eramus | amabamus | videbamus | legebamus | capiebamus | audiebamus |
| | eratis | amabatis | videbatis | legebatis | capiebatis | audiebatis |
| | erant | amabant | videbant | legebant | capiebant | audiebant |

Exemples ▸ In vestibulo, **stabat** ostiarius. Dans le vestibule, le portier **se tenait debout**.

In aedicula **erant** Lares. Dans une niche, **se trouvaient** (= **étaient**) des Lares.

# 2 L'ablatif

- **L'ablatif** est le cas de la plupart des **compléments circonstanciels**. On le trouve avec ou sans préposition.

| Avec préposition | Sans préposition |
|---|---|
| Grande armarium <u>in</u> **angulo** vidi. Je vis une grande armoire **dans l'angle**. > in + abl. : dans = **lieu** | **Oculis avidis** spectabam. Je regardais **avec des yeux avides.** > **manière** |
| <u>Cum</u> **collegis** ad atrium pervenimus. **<u>Avec</u> les collègues**, nous arrivons dans l'atrium. > cum + abl. : avec = **accompagnement** | Puer **litteris quadratis** scribebat. L'enfant écrivait **en lettres majuscules.** > **moyen** (en = au moyen de) |

> **Ibant obscuri sola sub nocte.**
> Ils allaient obscurs sous la nuit solitaire.
> (= Ils marchaient seuls dans la nuit obscure.)
>
> **Virgile**, *Énéide*, VI, vers 268.

## VOCABULAIRE à retenir

**Nom**

pecunia, *ae*, f.        argent

**Adjectifs**

albus, a, um        blanc
ater, atra, atrum        noir
commodus, a, um        confortable
latus, a, um        large
magnificus, a, um        somptueux
tranquillus, a, um        tranquille
vastus, a, um        vaste

**Mots invariables**

heri        hier
nunc        maintenant
quidem        à la vérité, qui plus est

**Verbes**

aedifico, as, are, avi, atum        construire
erigo, is, ere, rexi, rectum        élever, dresser, ériger
habito, as, are, avi, atum        habiter (avec acc. ou in + abl.)
sto, as, are, steti, statum        se tenir debout

## ▶ S'entraîner à lire et à dire en latin

**❶ Histoire courte : Devinette**

**Lisez cette mystérieuse formule de salutation que Cicéron a envoyée à un ami.**

Mitto tibi navem, prora puppique carentem.

Je t'envoie un navire qui n'a ni proue ni poupe.

**Rendez-vous à la fin de la page pour résoudre cette énigme.**

## ▶ Conjuguer les verbes

**❷ a. Rappelez comment on obtient le radical du présent. Isolez ensuite ce radical pour chaque verbe.**

paro, as, are, avi, atum : préparer – pareo, es ere, ui, itum : obéir – facio, is ere, feci, factum : faire – rapio, is, ere, rapui, raptum : enlever – scribo, is, ere, scripsi, scriptum : écrire – scio, is, ire, scivi, scitum : savoir.

**b. Donnez la 1ʳᵉ personne du singulier de l'imparfait de chaque verbe puis traduisez-la.**

**❸ Identifiez la personne de chaque forme verbale à l'imparfait et traduisez :**

accipiebamus – faciebatis – laborabas – ducebant – reddebat – habebant – videbam.

**❹ a. Identifiez chaque forme verbale puis, à l'oral, conjuguez le verbe à l'imparfait.**

venimus – videtis – vincit – facis – sciunt – habeo.

**b. En conservant la personne, écrivez chaque forme à l'imparfait, puis au parfait de l'indicatif actif.**

**c. Traduisez.**

**❺ Identifiez chaque forme verbale, transposez-la à l'imparfait et traduisez.**

dant – legimus – habuerunt – vidistis – fecit.

## ▶ Décliner

**❻ a. Retrouvez oralement la traduction de ces noms.**

signum, *i*, m. – amicus, *i*, m. – amica, *ae*, f. – via, *ae*, f. – imperium, *ii*, n.

**b. Écrivez-les à l'ablatif singulier et pluriel.**

**❼ a. Retrouvez la déclinaison et le genre des quatre noms donnés au nominatif singulier.**

**1.** (avidus, a, um) dominus **2.** (parvus, a, um) nauta **3.** (longus, a, um) verbum **4.** (novus, a, um) vita.

**b. Mettez les groupes nom + adjectif au génitif et à l'ablatif singulier et pluriel.**

## ▶ S'initier à la traduction

**❽ a. Repérez le verbe de chaque phrase et mettez-le à l'imparfait.**

**1.** In agris multi servi cum cura laboraverunt. **2.** Cum amico ad atrium pervenimus. **3.** Commodam domum, magnificam villam multasque insulas dominus erexit. **4.** Cum domino, multi amici fuerunt.

**Vocabulaire :** aula, *ae*, f. : cour – villa, *ae*, f. : domaine – insula, *ae*, f. : immeuble.

**b. Identifiez le cas, le genre, le nombre de chaque nom et adjectif ainsi que leur fonction.**

**❾ Traduisez les phrases de l'exercice 8.**

**❿ a. Mettez les formes verbales entre parenthèses à l'imparfait ou au parfait selon le sens.**

**1.** Cum **collega**, magnificam domum heri (video, es, ere, vidi, visum). **2.** Dominus **magnam pecuniam** (facio, is, ere, feci, factum) in Libya tranquillamque domum in **Palatino** (aedifico, as, are, avi atum). **3.** Longum vestibulum, vastum tablinum cum **libris**, latumque **triclinium** domus (habeo, es, ere, habui, habitum). **4.** Quotidie **domino** servi aquam vinumque (do, das, are, dedi, datum).

**b. Donnez le cas et la fonction de chaque mot et groupe de mots en gras.**

**c. Traduisez les phrases à l'aide de la p. 84.**

## ▶ Comprendre le sens des mots

**⓫ Complétez les phrases avec le mot qui convient : domestique – domicilier – officine.**

**1.** Le ménage et les courses font partie des travaux … . **2.** Ces enfants sont mineurs ; ils sont … chez leurs parents. **3.** Ce pharmacien possède un laboratoire ; il prépare des remèdes dans cette … . **4.** Le chien est un animal familier ou … .

**Devinette**

**⓬ Pour comprendre la formule mystérieuse envoyée par Cicéron (ex. 1), suivez le mode d'emploi.**

**1.** Primum NAVEM capere debes, deinde litteras ejus scribere debes. **2.** Proram detrahere debes : unam litteram detraxisti ? **3.** Puppim detrahere debes : unam litteram detraxisti ? **4.** Nunc, quod verbum legis ?

**Vocabulaire :** navem (acc.) : navire – prora, *ae*, f. : proue – puppis, *is*, f. : poupe (acc. : puppim ; abl. : puppi) – detraho, is, ere, traxi, tractum : enlever (de + abl. : à quelqu'un ou à quelque chose) – quod verbum ? : quel mot ?

# Habiter à Rome

## Une capitale en pleine expansion

Rome a vite débordé de son antique enceinte (carte à la fin du manuel, en page de garde) et sa population n'a cessé de croître. On l'estime à plus d'un million d'habitants au II^e siècle après J.-C. Mais où trouver de la place pour loger toutes ces familles d'artisans, de commerçants, de paysans et d'ouvriers qui affluent dans la capitale ?

*L'architecte Vitruve explique la solution adoptée au 1^er siècle avant J.-C.*

**D**ans une ville aussi majestueuse et peuplée, il aurait fallu un nombre incalculable de maisons de
5 plain-pied (domus). Aussi, comme l'espace urbain n'est pas assez vaste pour loger une si grande multitude, force a été de bâtir en
10 hauteur.

**Vitruve** (I^er siècle avant J.-C.), *De l'architecture,* livre II, 8, 17.

Gilles Chaillet et Jacques Martin, *Les Voyages d'Alix : Rome (2)*, © Casterman S.A.

*Mais vivre à Rome n'est pas de tout repos.*

**N**otre ville à nous ? Pour l'essentiel, elle est posée sur de fragiles appuis. C'est la grande astuce des gérants : on bouche à la chaux et à la craie nos vieux murs lézardés. Et on vous ordonne de dormir tranquilles dans un immeuble
5 qui menace ruine ! Vive la ville sans incendie, aux nuits sans craintes. […] Mais déjà le pauvre Ucalégon réclame de l'eau, déjà il déménage son bric-à-brac : oui, c'est déjà le troisième étage qui brûle, et toi, tu n'en sais rien ! On a beau s'affoler aux
10 étages inférieurs, il sera le dernier à rôtir, le malheureux locataire qui pour se protéger de la pluie n'a que les tuiles où viennent pondre les tendres colombes ! […]

**Juvénal** (env. 65-130 après J.-C.), *Satires,* III, vers 193-198 et 198-202.

### → DU TEXTE À L'IMAGE

**1** Qu'est-ce qu'une maison de plain-pied ? Comment la nomme-t-on en latin ?

**2** Que pensez-vous de l'explication de Vitruve pour régler le problème de la surpopulation à Rome ?

**3** D'après Juvénal, quels sont les inconvénients et les dangers de la vie dans les quartiers populaires de Rome ?

**4** D'après l'image montrant des immeubles reconstitués, à quoi servent les pièces qui ouvrent sur la rue au rez-de-chaussée ? Nommez-les en latin (p. 84).

# Domus ou insula ?

Dans l'**Urbs**, les plus riches Romains habitent de somptueux hôtels particuliers conçus sur le plan de la **domus** classique (p. 84). Cependant, dès le IIIᵉ siècle avant J.-C., on construit des immeubles, divisés en plusieurs logements loués pour rapporter de l'argent. Ces immeubles, qui peuvent avoir jusqu'à sept étages, forment comme de petites îles dans l'espace urbain, d'où leur nom d'**insula**, *ae*, f. (île). Les plus pauvres s'y entassent, souvent sans aucun confort ni hygiène ; le risque d'incendie est permanent, comme en témoigne Juvénal. À la fin du IIIᵉ siècle après J.-C., Rome compte à peu près 46 600 **insulae** pour 1 800 **domus**.

**5** Citez un mot français où vous retrouvez le mot latin **insula**.

# Palais et villas

Le Palatin est resté le cœur historique de Rome, mais on est loin des cabanes de Romulus (p. 33) ! L'empereur Auguste s'y fait construire une somptueuse **domus**. Ses successeurs feront édifier à leur tour d'immenses palais dont les ruines occupent aujourd'hui une grande partie de la colline.
Les Romains les plus riches aiment disposer d'une maison de campagne (**villa**, *ae*, f.) Villa loin de l'agitation et des embouteillages de Rome. En plus d'être une agréable résidence secondaire, construite sur le modèle de la **domus**, la **villa** est aussi une source de revenus, grâce à l'exploitation de son domaine agricole.

Palais sur la colline du Palatin, Rome.

**6** Quel nom latin retrouvez-vous dans les mots français *villégiature* et *village* ? Expliquez cette origine.

**7** Le nom palais vient du latin *palatium*. À quel nom de colline se rattache ce mot ?

---

**Activités B2i** ········ Se documenter sur Internet ···

**1. Maisons, immeubles et palais**
Préparez un exposé sur l'un de ces bâtiments :
**a.** La **domus Augustana** (le palais d'Auguste) ou la **domus aurea** (le palais de Néron). **b.** L'**insula Felicles** (immeuble de Felicula), réputée pour un nombre d'étages record. **c.** La **villa Hadriana** : l'immense palais que l'empereur Hadrien se fit construire de 117 à 138 près de Rome.
**2. Rome comme si vous y étiez...**
Découvrez Rome à travers des reconstitutions et des maquettes : choisissez un bâtiment ou un quartier et présentez-le dans un court exposé illustré.
@ Pour vous aider, retrouvez des liens utiles sur :
http://latin.magnard.fr/liens5e

**Pour aller plus loin À LIRE**

*Les Derniers Jours de Pompéi* d'Edward George Bulwer-Lytton, © Hachette - Le Livre de Poche Jeunesse, 2002.
Découvrez Pompéi avant sa destruction en suivant les aventures de Glaucus.

# Dans la domus

Les pièces sont petites (p. 84), mais richement décorées de fresques et de mosaïques. Le mobilier se réduit à l'essentiel : lits pour le repos ou le repas, chaises pliantes, trépieds en bronze, tables de marbre, coffres où l'on entasse vêtements et objets précieux, armoires en bois pour les livres (bibliothèques). L'éclairage est fourni par des lampes à huile, des lanternes et des candélabres.

**1** ▼ Petit salon, maison des Vettii, Pompéi, Iᵉʳ siècle après J.-C.

**3** ▲ Candélabre porte-lampes en bronze (H : 101 cm), Herculanum, Iᵉʳ siècle après J.-C., Paris, Musée du Louvre.

Trépied pliant en bronze, jambages à décor de félins (H : 70 cm), Herculanum, Iᵉʳ siècle après J.-C., Paris, Musée du Louvre. **4** ▶

**2** ▲ Coffre fort en fer, bronze, argent et cuivre (H : 102 cm), Pompéi, Iᵉʳ siècle après J.-C., Naples, Musée archéologique

---

## ✶ OBSERVER : les murs et le mobilier

**1.** Comment sont décorés les murs de la pièce (document **1**) ?

**2.** Observez la scène représentée sur le mur à gauche et rendez-vous à la page 123. Qui est l'enfant au centre ? Que lui arrive-t-il ?

**3.** Dans quelle matière sont les objets des documents **2**, **3** et **4** ? À quoi servaient-ils ?

**4.** Que sont les quatre objets suspendus sur le document **3** ?

**5.** Que représentent les pieds des objets **3** et **4** ?

**5** Reproduction de la mosaïque décorant le sol du tablinum de la maison du Poète tragique à Pompéi, Iᵉʳ siècle après J.-C., F. et F. Niccolini, 1896, Paris, Bibliothèque du Musée des Arts décoratifs.

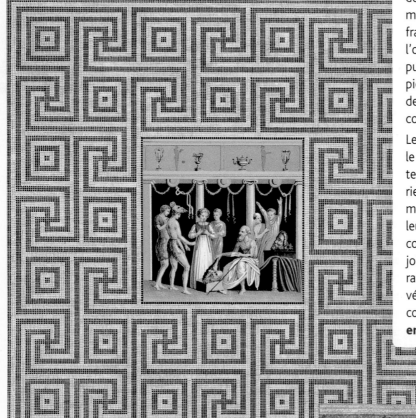

❋ COMPRENDRE :
la technique de la mosaïque

La **mosaïque** est une technique de décoration de sol venue de Grèce dont les Romains raffolent. Une mosaïque est composée de petits fragments nommés **tesselles** : à l'origine de simples galets de rivière, puis des petits cubes taillés dans la pierre, le marbre, la brique, la pâte de verre, maintenus par un enduit collant.

Le **mosaïste** trace son dessin dans le mortier frais, puis il dispose les tesselles, de l'extérieur vers l'intérieur, pour former des motifs géométriques ou des figures aux couleurs variées. Enfin, il passe une couche de ciment pour faire les joints. Dans les maisons les plus raffinées, les mosaïques sont de véritables œuvres d'art ; certaines comportent un panneau, nommé **emblema**, au centre du pavement.

*Emblema* de la mosaïque, représentant **6** ▶ les préparatifs d'un spectacle de tragédie, Naples, Musée archéologique.

❋ **OBSERVER : le sol**

**6.** Comment se nomme la partie de la mosaïque qui a été conservée (document **6**) ? Où peut-on la voir ?

**7.** Sur la reproduction (document **5**), quels motifs encadrent cette partie ? Quel est l'effet produit ?

**8.** Décrivez les costumes et les attitudes des personnages (document **6**).

**9.** Quels éléments évoquent le théâtre ?

**10.** C'est en découvrant cette mosaïque que les archéologues on baptisée la demeure « maison du Poète tragique ». Pourquoi, à votre avis ?

## Un invité bien mal élevé

*L'échange d'invitations fait partie des règles du savoir-vivre.*
*C'est l'occasion de découvrir comment se passait*
*un dîner à Rome à la fin du 1ᵉʳ siècle après J.-C.*

Fresque de la maison de Julia Felix,
Pompéi, Iᵉʳ siècle après J.-C.,
Naples, Musée archéologique.

### C. PLINIUS SEPTICIO CLARO SUO S[alutem dat].

**H**eus tu ! Promittis ad cenam, nec
venis ! Dicitur jus : ad assem impen-
dium reddes, nec id modicum. Paratae
erant lactucae singulae, cochleae ter-
5 nae, ova bina, halica cum mulso et nive
– nam hanc quoque computabis,
immo hanc in primis quae perit in fer-
culo –, olivae, betacei, cucurbitae,
bulbi, alia mille non minus lauta.
10 Audisses comoedos vel lectorem vel
lyristen vel – quae mea liberalitas –
omnes. At tu, apud nescio quem,
ostrea, vulvas, echinos, Gaditanas
maluisti. Dabis poenas, non dico quas.
15 Dure fecisti : invidisti, nescio an tibi,
certe mihi, sed tamen et tibi. Quantum
nos lusissemus, risissemus, studuisse-
mus ! Potes apparatius cenare apud
multos, nusquam hilarius, simplicius,
20 incautius. In summa experire, et nisi
postea te aliis potius excusaveris, mihi
semper excusa. Vale.

**Caius Plinius Caecilius Secundus,**
*Epistulae.*

### PLINE SALUE SON CHER SEPTICIUS CLARUS.

**E**h bien toi alors ! Tu promets que tu viens dîner et tu ne viens
pas ! La sentence est fixée : tu me paieras la dépense jusqu'au
dernier sou, et elle n'est pas mince. On avait préparé une laitue
par convive, trois escargots, deux œufs, un gâteau de semoule
5 avec du vin miellé et de la neige – car tu la compteras aussi, ou
mieux encore, tu la compteras en premier, vu qu'elle s'est perdue
sur le plateau –, des olives, des betteraves, des concombres, des
oignons, et mille autres mets non moins raffinés. Tu aurais pu
entendre des comédiens, ou bien un lecteur professionnel, ou
10 encore un joueur de lyre, ou même – quelle générosité dans la
dépense est la mienne ! –, tous ces artistes à la fois. Mais tu as
préféré, chez je ne sais qui, des huîtres, des vulves de truie, des
oursins, des danseuses de Gadès. Tu vas en subir la punition, je
ne dis pas laquelle. Tu as agi durement : tu as fait du mal, à toi je
15 ne sais pas, à moi sûrement, mais tout de même à toi aussi.
Comme nous aurions plaisanté, ri, discuté sur de beaux sujets !
Tu peux dîner de manière plus somptueuse chez beaucoup, mais
nulle part de manière plus joyeuse, plus simple, plus décontrac-
tée [que chez moi]. Bref, fais-en l'expérience, et si ensuite tu ne
20 préfères pas te faire excuser pour avoir manqué une invitation
chez les autres, j'accepte que tu te fasses toujours excuser auprès
de moi. Adieu.

**Pline le Jeune** (env. 61-114 après J.-C.),
*Lettres*, I, 15 (texte intégral).

### → LIRE LE TEXTE

❶ De quel type de texte s'agit-il ? Quels indices vous le montrent ?

❷ Comparez les deux menus évoqués par Pline. Nommez les plats en français, puis en latin.

❸ À quoi sert la neige, à votre avis ?

❹ Quels divertissements Pline propose-t-il pour accompagner le repas ? Qu'est-ce qui rend un dîner agréable selon lui ? Que préfère Septicius ?

❺ Les reproches de Pline sont-ils sérieux ? Relevez des expressions justifiant votre réponse.

▶ Pour les Romains, le dîner est le temps fort de la journée :
c'est un important moment de convivialité en famille ou entre amis.

*Découvrir l'image*

# À table !

Mosaïque romaine représentant une scène de banquet, env. 450 après J.-C., État de Neuchâtel (Suisse), Musée du château de Boudry.

*Retrouvez les personnages de Pétrone (p. 82) attablés chez Trimalcion :*

**V**oici que quatre danseurs s'avancent en sautillant au son de l'orchestre. Ils enlèvent la cloche qui couvre le plat. Nous voyons alors des poulardes bien grasses, des tétines de truie, et, au milieu,
5 un lièvre paré d'ailes pour ressembler au cheval Pégase. Aux angles du plat, quatre statuettes en forme de satyres, dotés de petites outres, déversent des flots de garum au poivre sur des poissons nageant comme dans un canal.

**Pétrone,** (env. 15-66 après J.-C.), *Satyricon,* XXXVI.

*Gros plan sur...* Le sol jonché de **restes de nourriture** est un thème à la mode sur les mosaïques. Il est lié à une croyance populaire : on imaginait que ce qui était tombé sur le sol était la part des morts (p. 81). C'est aussi un décor tout trouvé pour une salle-à-manger car on peut le voir comme un menu illustré.

→ **LIRE L'IMAGE**

❶ Décrivez la tenue et l'attitude des personnages.

❷ Combien de convives sont à table ? Comment mangent-ils ?

❸ Que mangent-ils ? Comparez avec la lettre de Pline (p. 92) et l'extrait de Pétrone (ci-dessus).

# Les repas

Tant qu'ils n'ont pas terminé leurs affaires de la journée, les Romains mangent très peu. C'est seulement vers 16 heures qu'ils se mettent à table dans le **triclinium** pour un repas copieux, nommé **cena**, ae, f. En général, les Romains se lèvent avec le soleil et avalent leur **petit déjeuner** (**jentaculum**, i, n.) souvent réduit à une simple coupe d'eau. Les enfants grignotent des biscuits sur le chemin de l'école.

Vers midi, ils expédient le **déjeuner** (**prandium**, i, n.). Ils se contentent de *manger un morceau* (**gustare**) debout dans une boutique (**taberna**, p. 84) où on fait de la *restauration rapide* (**popina** ou **caupona**).

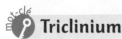

## Triclinium

Le nom **triclinium**, i, n. désigne à la fois un type de lit et la pièce que nous nommons salle à manger (p. 84). On dispose autour d'une table basse (**mensa**, ae, f.) trois divans inclinés (d'où le nom de **tri-clinium**). Sur chaque lit (**lectus**, i, m.), trois convives s'allongent en biais et mangent appuyés sur un coude. Sous l'Empire, un seul lit en demi-cercle remplace les **triclinia** (p. 93). Introduite au IIe siècle avant J.-C., la coutume de se coucher (**accumbere**) pour le repas est une marque de distinction sociale. Seuls les enfants ou les gens du peuple mangent assis sur des tabourets. Quant aux **matronae**, elles ont d'abord mangé sur des sièges au pied du lit de leur mari, avant de pouvoir s'allonger auprès de lui.

## Cena

Chez les riches Romains, la **cena** suit un protocole très codifié et dure plusieurs heures.

Un esclave (le **nomenclator**) conduit chaque convive (**conviva**, ae, m. ou f.) à sa place, puis annonce les plats et leur composition (p. 99). L'invité d'honneur (**1**) est sur le *lit du milieu* (**medius lectus**), le maître de maison à sa droite (**2**), sur un autre lit, avec sa famille.

MEDIUS LECTUS

MENSA

●- - - - - - - - - →
sens du service

## Jouez avec les mots

**❶ Question d'étiquette**

Les Romains voient souvent un sens caché dans les chiffres (p. 67). Toutes les places des triclinia devant être occupées, le nombre de convives idéal pour la **cena** est donc celui :

a. des travaux d'Hercule

b. des Muses

c. des merveilles du monde.

C'est-à-dire : ....

**❷ Mots et repas**

a. Que signifie le nom **cène** ?

1. un repas pris après la sortie du théâtre 2. un banquet servi par des acteurs 3. le dernier repas de Jésus-Christ.

b. Comment s'appelle l'esclave chargé de placer les invités ? Quel nom latin retrouvez-vous dans ce mot ? Pourquoi ?

c. Quels mots latins retrouvez-vous dans **convivialité, cénacle, commensal** ? Cherchez le sens de ces mots dans un dictionnaire.

# Une curieuse invitation

**1** Caius Valerius Catullus Fabullo multisque amicis cenam dare cupiebat sed non **poterat** : nam ei pecunia deerat.

Catulle désirait inviter à dîner Fabullus et de nombreux amis, mais **il** ne **pouvait** pas : en effet l'argent lui manquait.

**2** Tum id demum <u>dicere</u> **potuit** : «Multam pecuniam aliquando non habebam, sed lactucas, cochleas, ova, olivas, betaceos, cucurbitas bulbosque vobis <u>ponere</u> **potui**. »

Alors **il put** seulement dire ceci : «L'autre jour je n'avais pas beaucoup d'argent, mais **j'ai pu** vous servir des laitues, des escargots, des œufs, des olives, des betteraves, des concombres et des oignons. »

**3** «Magnam cenam <u>habere</u> tunc **potuistis**. »

«Vous **avez pu** alors avoir un copieux repas. »

**4** «Nunc sacculus meus aranearum plenus est : servus meus ad forum <u>ire</u> non **potest** neque <u>convivere</u> **possumus**. »

«Maintenant mon porte-monnaie est plein de toiles d'araignées : mon esclave ne **peut** pas aller au marché et **nous** ne **pouvons** pas manger ensemble. »

**5** «Apud me tamen, mi Fabulle, bene <u>cenare</u> **potes** : cibum adfer, ego amicitiam tibi <u>dare</u> **possum**. »

«Pourtant, mon cher Fabullus, **tu peux** faire un bon dîner chez moi : apporte la nourriture, moi **je peux** te donner mon amitié. »

D'après **Catulle** (87-54 avant J.-C.), *Poèmes*, XIII.

*Scène de banquet,* fresque de la maison des Chastes amants, Pompéi.

---

## 🔑 Le verbe *pouvoir* à l'indicatif

**En français**

❶ Repérez les formes du verbe *pouvoir* et, pour chacune, donnez la personne et le temps. Quelle forme verbale accompagne en général ce verbe ?

**En latin**

❷ En vous aidant de la traduction, relevez et classez toutes les formes de possum selon le temps et la personne. Quel est le radical du parfait ? Comment l'obtenez-vous ?

❸ Quel est le radical du présent ? Que remarquez-vous ?

## 🔑 L'infinitif présent et parfait actifs

**En latin et en français**

❹ Observez les groupes de mots soulignés et leur traduction. À quelle classe appartiennent les mots qui accompagnent le verbe possum ? Quelle est leur fonction en français comme en latin ?

## 🔑 La proposition infinitive

Lisez ces phrases.

> 1 Convivae magnam cenam **habent/habuerunt**.
> Les convives **ont/ont** eu un repas copieux.
>
> 2 Dicit convivas magnam cenam **habere/habuisse**.
> Il dit que les convives **ont/ont** eu un repas copieux.

**En français**

❺ Dans la phrase 2, relevez les formes verbales dans la proposition complétant le verbe *dire*. Quel est le mode utilisé ? Quelle différence voyez-vous avec la phrase 1 ?

**En latin**

❻ Dans la phrase 2, les formes verbales complétant dicit sont-elles à l'indicatif ? Quel est le cas de convivas ? Quelle est sa fonction dans la proposition complétant le verbe dicit ?

# 1 Le présent, l'imparfait et le parfait de l'indicatif de possum

- Le verbe **possum** signifie *je peux*. C'est un composé de sum.

| | | Présent | Imparfait | Parfait |
|---|---|---|---|---|
| **Singulier** | 1ʳᵉ pers. | pos**sum**<br>*je peux* | pot**eram**<br>*je pouvais* | pot**ui**<br>*j'ai pu / je pus* |
| | 2ᵉ pers. | pot**es** | pot**eras** | pot**uisti** |
| | 3ᵉ pers. | pot**est** | pot**erat** | pot**uit** |
| **Pluriel** | 1ʳᵉ pers. | pos**sumus** | pot**eramus** | pot**uimus** |
| | 2ᵉ pers. | pot**estis** | pot**eratis** | pot**uistis** |
| | 3ᵉ pers. | pos**sunt** | pot**erant** | pot**uerunt** |

- **Au présent et à l'imparfait** de l'indicatif, on retrouve les formes de **sum** au présent ou à l'imparfait, précédées de **pot-** devant une voyelle et de **pos-** devant une consonne.

- **Au parfait**, les terminaisons du parfait s'ajoutent au radical **potu-**.

- **Possum** est généralement suivi d'un verbe **à l'infinitif**.
  Exemple ▶ **Potes** apparatius <u>cenare</u>. **Tu peux** <u>dîner</u> de manière plus somptueuse.

# 2 L'infinitif présent et l'infinitif parfait actifs

- **L'infinitif** est un mode non personnel. Il ne varie pas suivant la personne du sujet, mais selon le temps (présent, parfait) et la voix (actif, passif).

- **L'infinitif présent actif** est formé avec le suffixe **-re** qui s'ajoute au radical du présent (pp. 48 et 56). Le suffixe est **-se** pour sum et possum : ama**re** (aimer), vide**re** (voir), leg**ere** (lire), cap**ere** (prendre), audi**re** (entendre), es**se** (être), pos**se** (pouvoir).

- **L'infinitif parfait actif** est formé avec le suffixe **-isse** qui s'ajoute au radical du parfait : ama**visse** (avoir aimé), vid**isse** (avoir vu), leg**isse** (avoir lu), cep**isse** (avoir pris), audi**visse** (avoir entendu), fu**isse** (avoir été), pot**uisse** (avoir pu).

- **L'infinitif** peut être **sujet** du verbe ou **complément d'objet direct (COD)**.

  Exemples ▶ **Errare** humanum est. **Se tromper** est humain.
  <u>Soleo</u> cum amicis **cenare**. J'ai l'habitude **de dîner** avec des amis.

> **Vento vivere.** Vivre de l'air du temps.
> **In aqua scribere.** Perdre son temps.
>
> Proverbes.

## VOCABULAIRE à retenir

### Verbes

| | |
|---|---|
| ceno, as, are, avi, atum | dîner |
| cupio, is, ere, ivi, itum | désirer |
| desum, dees, deesse, defui | manquer à + datif |
| eo, is, ire, ivi, itum | aller |
| incipio, is, ere, cepi, ceptum | entreprendre de |
| nescio, is, ire, ivi, itum | ne pas savoir, ignorer |
| pono, is, ere, posui, positum | placer, servir à table |
| soleo, es, ere | avoir l'habitude de |

### Noms

| | |
|---|---|
| cibus, *i*, m. | nourriture, aliment |
| conviva, *ae*, m. ou f. | invité(e), convive |
| mensa, *ae*, f. | table |
| poena, *ae*, f. | punition |

### Mots invariables

| | |
|---|---|
| aliquando | un jour, l'autre jour |
| demum | seulement |
| nam | car, en effet |
| tunc | alors |

## ▶ S'entraîner à lire et à dire en latin

**1** Histoires courtes : Le testament du porcelet

**Lisez ces paroles d'un auteur anonyme (env. 350 après J.-C.) que les écoliers romains s'amusaient à chanter.**

Incipit testamentum porcelli. M. Grunnius Corocotta porcellus testamentum fecit. « Quoniam manu mea scribere non potui, scribendum dictavi ».

Ici commence le testament du porcelet. Marcus Grognon Gros-Lardon le porcelet a fait son testament. « Puisque je ne pouvais l'écrire de ma propre main, je l'ai fait écrire sous la dictée. »

## ▶ Réviser les conjugaisons

**2** Recopiez ce tableau et inscrivez les formes verbales demandées à partir de ces verbes en suivant le modèle donné.

venit – vocat – scribit – capit – agit – cenat – debet – potest – ducit – putat.

| Présent de l'indicatif | | Imparfait de l'indicatif | |
|---|---|---|---|
| 3e pers. sg. | 3e pers. pl. | 3e pers. sg. | 3e pers. pl. |
| facit | faciunt | faciebat | faciebant |

**3** Même consigne que l'exercice 2 avec ce tableau.

| Infinitif présent | Parfait de l'indicatif | | Infinitif parfait |
|---|---|---|---|
| | 3e pers. sg. | 3e pers. pl. | |
| facere | fecit | fecerunt | fecisse |

## ▶ Conjuguer *sum* et *possum*

**4** Identifiez ces formes verbales (temps et personne) et traduisez-les : poteras – estis – potuisti – possumus – es – fuerunt – eramus – potui – poteratis – potuimus – erat – fuisti.

**5** Identifiez ces formes verbales (temps et personne), mettez-les au parfait et traduisez-les.

poterant – estis – potestis – poteram – sumus – potes – eratis – est – eras – possumus – potest – eram.

## ▶ S'initier à la traduction

**6** **a.** Conjuguez à l'imparfait le verbe entre parenthèses, en choisissant la personne qui convient.

**1.** Vos amicis cenam dare non (posse) : nam pecunia vobis non (esse). **2.** Domine, nonne cum puero ad macellum ire (solere) ? **3.** Servi periti (esse) : nos bonam magnamque cenam domino (parare).

**Vocabulaire :** nonne : est-ce que... ne... pas – macellum, *i*, n. : marché – peritus, a, um : expérimenté – paro, as, are : préparer.

**b.** Traduisez ces phrases.

**7** Mêmes consignes que l'exercice 6.

**1.** In agris multi servi dominis (laborare). **2.** Magna cura diligentiaque servi cenam (parare). **3.** Ego gratias eis (agere).

**Vocabulaire :** diligentia, ae, f. : empressement – paro, as, are, avi, atum : préparer – gratias ago : remercier + datif.

**8** **a.** **Mettez au présent puis au parfait de l'indicatif actif les verbes à l'infinitif.**

**1.** Post jentaculum, cum domino ad forum puer (venire). **2.** Multa poma, mora, persica, uvas, pruna, piraque ei (emere). **3.** Dominus ad prandium amicos (invitare). **4.** Alicam, olivas, ova, caseum cum aceto garoque boni servi (disponere).

**Vocabulaire :** emo, is, ere, emi, emptum : acheter – pomum, i, n. : fruit – morum, i, n. : mûre – persicum, i, n. : pêche – uva, ae, f. : raisin – prunum, i, n. : prune – pirum, i, n. : poire – prandium, i, n. : déjeuner – alica, ae, f. : semoule – ovum, i, n. : œuf – caseum, i, n. : fromage – acetum, i, n. : vinaigre – garum, i, n. : garum – dispono, is, ere, posui, positum : disposer.

**b.** **Traduisez ces phrases au présent puis au parfait.**

**9** Mêmes consignes que l'exercice 8.

**1.** In triclinio, tres lectos convivae (videre). **2.** Pueri vino mulsoque (abstinere). **3.** Aquam in poculis (bibere).

**Vocabulaire :** mulsum, i, n. : vin miellé – abstineo, es, ere, ui, tinui, tentum : s'abstenir de + abl. – poculum, i, n. : coupe – bibo, is, ere, bibi, bibitum : boire.

## ▶ Comprendre le sens des mots

**10** **Complétez avec le mot qui convient :** vivres – victuailles – convives – convivial – jeûne.

**1.** Elle revenait du marché avec un panier plein de .... **2.** Ils s'abstiennent de nourriture certains jours : ils pratiquent le .... **3.** Dans cette réunion régnait une ambiance désagréable, fort peu .... **4.** Son père refuse de lui donner de l'argent : il lui a coupé les .... **5.** Tous les ... sont arrivés et nous avons commencé à dîner.

**11** **Que signifient les expressions suivantes ? Dans quel contexte chacune est-elle employée ?**

**1.** les vivres et les munitions **2.** fournir des vivres.

**Chassez l'intrus !**

**12** **Parmi ces produits alimentaires, huit étaient ignorés des Romains : lesquels ? Pourquoi ?**

Poires, ananas, cerises, olives, tomates, concombres, pommes de terre, asperges, chocolat, miel, sucre, café, fèves, riz, noix, fraises, lentilles, pâtes, raisin, oignons, laitue, ail, figues, pois chiches, huîtres.

# De la sobriété au luxe

## L'art au quotidien

Au fil des conquêtes, Rome a découvert le goût du luxe. Il s'affiche dans la recherche de plats de plus en plus exotiques, mais aussi dans le soin mis à les présenter avec de la vaisselle travaillée comme une œuvre d'art, en or, en argent massif, en cristal, en verre soufflé.

*Écoutez comment Trimalcion (p. 93) vante sa vaisselle :*

J'adore le verre : s'il n'était pas si fragile, je le préférerais à l'or… Mais ma passion, c'est l'argenterie. J'ai des gobelets qui contiennent pratiquement une demi-amphore, des aiguières, des coupes ciselées avec des scènes de bataille, le tout d'un beau poids !

**Pétrone** (env. 15-66 après J.-C.),
Le *Satyricon*, L et LII.

Coupe en argent partiellement doré trouvée
à Boscoreale près de Pompéi (22,50 x 6 cm),
début du Iᵉʳ siècle après J.-C., Paris,
Musée du Louvre.

Bouteilles en verre
trouvées à Pompéi,
Iᵉʳ siècle après J.-C.,
Paris, Musée du Louvre.

Fresque de la tombe de Caius Vestorius Priscus
à Pompéi, Iᵉʳ siècle après J.-C.

*Juvénal n'aime pas le luxe de la Rome moderne (p. 89).*
*Il préfère le bon vieux temps d'autrefois.*

En ce temps-là, la maison et le mobilier avaient la même simplicité que la nourriture. […] On servait des gâteaux de farine sur des plats ordinaires, en terre cuite. Ce qu'on possédait d'argent, c'était pour briller sur les armes, pas sur la table : voilà tout ce qui pouvait te faire envie, si tu étais un peu jaloux.

**Juvénal** (env. 65-130 après J.-C.), *Satires*, XI, vers 99 et 108-110.

### → DU TEXTE AUX IMAGES

❶ Qu'aime Trimalcion ? Comparez avec ce que dit Juvénal. Qu'est-ce qui a changé dans le goût des Romains ?

❷ À quoi peuvent servir les objets sur la fresque ?

❸ Quelle est la particularité de la coupe ? Décrivez-la.

❹ En quelle matière sont les bouteilles ? Dans quel état sont-elles ?

❺ La corne d'abondance est un symbole de richesse (p. 80). Sur quel document la voyez-vous ?

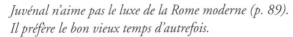

Pendant la **cena**, de nombreux esclaves font le service et découpent les parts. Les convives ont une coupe, diverses cuillères, des cure-dents, mais pas de couteau ni de fourchette : on mange avec les doigts.

# Cuisine et gastronomie

À l'origine, les Romains mangeaient une nourriture grossière, à base de bouillie de farine (**puls**, d'où vient *polenta*). Mais peu à peu, dans les familles aisées, on s'est mis à aimer la bonne chère et le travail du cuisinier (**coquus** ou **cocus**, *i*, m.) est devenu un art. On en a gardé la trace grâce à un recueil de recettes, *De re coquinaria* (*De l'art culinaire*), composé par Marcus Gavius Apicius (env. 25 avant J.-C.-37 après J.-C.), un fin gastronome qui a servi les empereurs Auguste et Tibère (recette p. 102). La cuisine se fait à l'huile, avec beaucoup d'épices et un goût très marqué pour le mélange sucré-poivré. Mais on raffole surtout du **garum**, véritable condiment national, un liquide obtenu en laissant macérer des viscères de poissons salés au soleil.

**6** Quel condiment de la cuisine vietnamienne ressemble au **garum** ?

Mosaïque de la maison d'Aulus Umbricius Scaurus, célèbre producteur-vendeur de garum, à Pompéi, Iᵉʳ siècle après J.-C.
On peut lire G(ARI) F(LOS) SCOM(BRI) SCAURI EX OFFI(CI)NA SCAURI
Fleur de garum de maquereau [le meilleur] de chez Scaurus, de la fabrique de Scaurus.

# Les plats de la cena

▶ **l'entrée (gustatio)** : des hors-d'œuvre (laitues, œufs durs, asperges, olives, figues, huîtres, crustacés, etc.) à *déguster* pour se mettre en appétit, accompagnés de vin miellé (mulsum).

▶ **la cena proprement dite**, qui compte jusqu'à cinq services (prima cena, secunda, etc.) : volailles, gibier et viandes (loirs saupoudrés de miel et de pavot, tétines de truie), poissons (murènes, turbots), beaucoup de ragoûts complexes, le tout accompagné de vins réputés, comme le Falerne, venu des pentes fertiles du Vésuve.

▶ **le dessert (secunda mensa)** : après une prière et une offrande aux divinités du foyer (p. 76), on mange diverses friandises (pâtisseries, confitures, miel, fruits).

Le repas peut se transformer **en fête très arrosée (comissatio)** : c'est à qui boira le plus de coupes de vin, tandis que chanteurs, danseuses et jongleuses exécutent leurs numéros.

**7** De quelle ville viennent les danseuses réputées au temps de Pline (p. 92) ? Cherchez sur Internet quel est son nom aujourd'hui.

Mosaïque, Pompéi.

---

**Activités B2i**

Chercher des documents pour préparer une exposition

**1. La cuisine de la Rome antique**
Entrez les mots *cuisine* et *Rome antique* dans un moteur de recherche et aidez-vous des sites proposés pour réunir des documents sur ce que mangeaient les Romains.

**2. Le garum produit en Gaule**
Préparez une exposition sur le garum : ses lieux de production (par exemple en Bretagne), sa préparation, son utilisation.

@ Pour vous aider, retrouvez des liens utiles sur :
http://latin.magnard.fr/liens5e

**Pour aller plus loin  À LIRE**

*L'Esclave de Pompéi* d'Annie Jay, © Le Livre de Poche Jeunesse, 2007. Lupus, esclave du vieux Caius Fabius Felix, recherche sa mère et sa sœur qui ont été vendues sur le marché de Pompéi.

*Le Journal d'un enfant : à Pompéi sous l'Empire romain* de Sandrine Mirza, © Gallimard Jeunesse, 2007.

# Au fil du temps

Le temps, c'est la vie même de l'homme : « une partie de l'éternité, désignée par les mots d'année, de mois, de jour et de nuit » (**Cicéron**, *De l'invention oratoire*, I, 26). À la maison, le culte des ancêtres est là pour rappeler que la mort fait aussi partie de la vie et que l'avenir se bâtit en respectant le passé (les Mânes, p. 81).

Comme les poètes et les philosophes ne cessent de le dire, chacun sait donc que « le temps fuit de manière irréparable » (**Fugit irreparabile tempus**, **Virgile**, *Géorgiques*, III, vers 284). C'est pourquoi il faut cueillir chaque journée comme on cueille une fleur (**Carpe diem**, « Cueille le jour », **Horace**, *Odes*, I, 11, vers 8). Ce sont là des maximes que les Romains aiment graver sur leurs cadrans solaires.

Divisée en douze heures, la journée commence au lever du soleil (**prima hora**) et s'achève à son coucher. La sixième heure prend fin lorsque le soleil est au zénith (midi).

Cadran solaire reprenant la citation « Carpe diem ».

Ainsi, suivant les saisons, les heures n'ont pas la même durée : elles sont plus longues l'été que l'hiver. À la fin de la neuvième heure, la **cena** (p. 94) est le moment important où famille et amis se réunissent pour manger, mais aussi pour se distraire.

---

**S**i tu fais attention, tu verras que la plus grande partie de la vie se passe à mal faire, une grande partie à ne rien faire, et le tout à faire autre chose que ce qu'on devrait faire. Montre-moi donc un homme capable de donner un prix au temps, qui sache ce que vaut un jour, qui comprenne qu'il meurt un peu chaque jour !… Sois complètement maître de toutes tes heures. Tu dépendras moins du temps de demain si tu sais prendre en main le temps d'aujourd'hui.

**Sénèque** (env. 4 avant J.-C.-65 après J.-C.),
*Lettres à Lucilius*, I, 1.

→ **LIRE LE TEXTE**

❶ Quelle règle de vie donne Sénèque ? Pensez-vous que ce soit un bon conseil ?

❷ Recherchez d'autres maximes latines et françaises inscrites sur les cadrans solaires.

❸ Que signifient les mots **intemporel**, **intempestif**, **temporiser**, **temporairement** ? De quel mot latin sont-ils issus ?

## 🔑 Tempus

Construit sur la racine indo-européenne **tem-** exprimant l'idée de *couper*, le nom **tempus**, *oris*, n. désigne la portion découpée dans la durée, le temps, le moment, l'époque. **Tempus est...** (« C'est le moment de... ») est une façon très courante de signaler le moment favorable pour agir. L'adjectif **tempestivus, a, um** s'applique à *ce qui vient en son temps, à propos* ; son contraire, **intempestivus** (ou **intempestus**) à *ce qui n'est pas adapté au moment*, d'où *inopportun, défavorable*.

▶ **Connaître les pronoms personnels**

**①** **a.** Lisez à voix haute cette lettre en latin.
**b.** Qui est l'expéditeur ? Le destinataire ? À quels cas les noms sont-ils donnés ?

C. PLINIUS FABIO JUSTO SUO S.
C. PLINE SALUE SON CHER FABIUS JUSTUS.
**1.** Olim mihi nullas epistulas mittis.
Cela fait longtemps que tu ne m'envoies plus aucune lettre.
**2.** Nihil est, inquis, quod scribam.
Il n'y a rien, dis-tu, que je puisse écrire [= je n'ai rien à écrire].
**3.** At hoc ipsum scribe, nihil esse quod scribas, vel solum illud unde incipere priores solebant :
Mais écris-moi cela même, à savoir que tu n'as rien à écrire, ou même cette seule formule par laquelle les gens d'autrefois avaient l'habitude de commencer :
**4.** Si vales, bene est ; ego valeo.
Si tu vas bien, c'est bien ; moi, je vais bien.
**5.** Hoc mihi sufficit ; est enim maximum.
Cela me suffit, car c'est le point le plus important.
**6.** Ludere me putas ? Serio peto.
Tu crois que je plaisante ? Je te le demande sérieusement.
**7.** Fac sciam quid agas, quod sine sollicitudine summa nescire non possum. Vale.
Fais-moi savoir ce que tu fais, parce que je ne peux l'ignorer sans la plus vive inquiétude. Adieu.

> **Pline le Jeune** (env. 61- 114 après J.-C.), *Lettres*, I, 11.

**②** En vous aidant du texte de Pline ci-dessus (phrases 1 et 4), traduisez ces phrases.
**1.** Moi, je ne t'envoie aucune lettre.
**2.** Si Marc va bien, c'est bien ; moi, je vais bien.
**3.** Tu lui as envoyé une lettre et il nous a répondu.
**4.** Nous, nous vous avons envoyé plusieurs lettres.
**5.** Les amis ont écrit, mais vous, vous ne leur avez envoyé aucune lettre.

**③** Sur le modèle de la phrase 5 de l'exercice 1, traduisez ces phrases.
**1.** Cela te suffit.
**2.** Cela nous suffit.
**3.** Cela vous suffit.
**4.** Cela lui suffit.
**5.** Cela leur suffit.

**④** **a.** Complétez les phrases par la forme du pronom is, ea, id qui convient.
Exemple ▶ Magister exempla dedit ... que scripsi.
→ Magister **exempla** dedit **ea**que scripsi.
**1.** Plinio pulchrae villae fuerunt ... que semper visitabat.
**2.** Dominus servum vocavit et tunicam ... dedit.
**3.** Dominus amicum salutavit ; amicus ... resalutavit.
**b.** Mettez les phrases 2 et 3 au pluriel.

▶ **Connaître les cas et les conjugaisons**

**⑤** **a.** Lisez ce texte à voix haute.
Marcus Quinto dixit : « Mihi opulenta villa in Campania erat. Pecuniae autem inopia Graeco eam vendere debui ». Quintus amico suo tum respondit : « Ego autem nunc maestus sum ; magnam domum habebam, sed eam flammae jam incenderunt. Ibi cum multis servis et ancillis vivebam. In atrii impluvio aqua semper erat multasque tabulas pictas in peristylio convivae videbant. »
**b.** Relevez les mots ou groupes de mots au datif et à l'ablatif (avec ou sans préposition). Recopiez et complétez ce tableau.

| Datif | Ablatif | |
|---|---|---|
| | Avec préposition | Sans préposition |
| | | |

**c.** Relevez les verbes à l'imparfait, au parfait de l'indicatif et à l'infinitif présent. Donnez leurs temps primitifs.

**⑥** **a.** Le livre du célèbre Apicius (p. 99) s'appelle *De re coquinaria* (*De l'art culinaire*). Sur ce modèle (de + abl. : au sujet de), traduisez ces titres de recettes.
**1.** Du porcelet à la jardinière.
[porcellus, *i* , m. : petit cochon, diminutif de porcus – hortolanus, a, um : qui vient du jardin]
**2.** Au sujet du vin miellé.
[mulsus, a, um : adouci avec du miel]
**3.** Au sujet des gâteaux faits maison. [dulcia, *orum*, n. pl. : gâteaux, friandises – domesticus, a, um : qui vient de la maison]
**b.** Maintenant traduisez cette phrase.
Le cuisinier a pu préparer pour le maître de maison et ses amis [= les amis de celui-ci] un succulent porcelet à la jardinière avec du vin miellé et des gâteaux faits maison.
[Coquus, *i*, m. : cuisinier – succulentus, a, um : délicieux]

**7 a.** Aujourd'hui, dans les livres de recettes, les instructions pour préparer un plat sont données à l'infinitif. Lisez la recette du porcelet d'Apicius en français.

**b.** Placez au bon endroit l'infinitif latin qui convient en choisissant le verbe dans cette liste.

asso, as, are, avi, atum : faire rôtir – consuo, is, ere, ui, utum : recoudre – exossare, as, are, avi, atum : désosser – misceo, es, ere, miscui, mixtum : mélanger avec – mitto, is, ere, misi, missum : garnir – praeduro, as, are, avi, atum : faire revenir – scindo, is, ere, scidi, scissum : découper – perfundo, is, ere, fudi, fusum : arroser – tero, is, ere, trivi, tritum : battre.

… le cochon de lait par le gosier, à la façon d'une outre. Le … de sa chair hachée, de poulet réduit en quenelles, de grives, de fauvettes, de saucisses, de dattes, d'oignons, d'escargots, de mauves, de poireaux, de céleri, de brocolis bouillis, de coriandre, de poivre en grains, d'amandes. … quinze œufs, … du garum poivré. … le cochon et le … . Puis le … au four. Quand il est bien rôti, le … par le dos et … de garum mélangé avec du vin, de la rue (plante aromatique), du miel et un peu d'huile.

**Apicius**, *De re coquinaria*, VIII, 7, 14.

**8** Réécrivez les verbes du texte de l'exercice 7, en imaginant que vous êtes le chef cuisinier et que vous donnez vos instructions à vos marmitons. Vous employez la 2ᵉ personne du pluriel de l'indicatif présent.

▶ **S'entraîner à traduire**

**9** Voici la suite du testament du porcelet (p. 97) : traduisez. Notre héros finira-t-il dans une marmite ?...

Magirus coquus dixit :
– Veni huc, eversor domi, solivertiator, fugitive porcelle, et hodie tibi dirimo vitam.
Corocotta porcellus dixit :
– Si qua male feci, si qua peccavi, si qua vascella pedibus meis confregi, rogo, domine coque, vitam peto, concede roganti.
Magirus coquus dixit :
– Transi, puer, affer mihi de cocina cultrum, ut hunc porcellum faciam cruentum.

**Vocabulaire** (dans l'ordre du texte) : Magirus, *i*, m. : nom calqué sur le grec *magiros* (cuisinier) pour faire rire ; traduire par

*Cuistot* – veni (impératif présent, 2ᵉ pers. sg.) huc : viens ici – eversor, *oris*, m. : celui qui met sens dessus dessous, qui bouleverse – solivertiator, *oris*, m. : celui qui retourne (vertit) le sol (solum) – fugitivus, a, um : fuyard – hodie : aujourd'hui – dirimo, is, ere, emi, emptum : enlever – Corocotta : ce nom faisait rire les enfants car c'était celui d'un célèbre bandit espagnol. Ses sonorités font aussi penser à *corium coctum*, cuir bouilli. Vous pouvez traduire par Gros-Lardon (p. 97) ou proposer une autre traduction amusante – si qua : si d'une manière ou d'une autre – pecco, as, are, avi, atum : commettre une faute – vascellum, *i*, n. : petit vase (vaisselle) – pes, *pedis*, m. : pied (pedibus : abl. pl.) – confringo, is, ere, fregi, fractum : briser – concede (impératif présent, 2ᵉ pers. sg.) : accorde (sous-entendu : vitam) – roganti : à celui (= à moi) qui te la demande – transi (impératif présent, 2ᵉ pers. sg.) : arrive (viens auprès de moi) – affer (impératif présent, 2ᵉ pers. sg.) : apporte – de : venant de (+ abl.) – cocina (culina), *ae*, f. : cuisine – culter, *tri*, n. : couteau de cuisine – hunc (adjectif démonstratif, acc. m. sg) : ce – ut faciam cruentum : pour que je saigne.

▶ **Réviser le vocabulaire latin**

**10** Remplissez la grille avec les mots latins qui correspondent aux définitions données (1 lettre par case). Attention : certaines lettres appartiennent à plusieurs mots !

|   | 1 | 2 | 3 | 4 | 5 | 6 | 7 |
|---|---|---|---|---|---|---|---|
| A |   |   |   |   |   |   |   |
| B |   |   |   |   |   |   |   |
| C |   |   |   |   |   |   |   |
| D |   |   |   |   |   |   |   |
| E |   |   |   |   |   |   |   |
| F |   |   |   |   |   |   |   |
| G |   |   |   |   |   |   |   |

**Verticalement :**
**1A** « il a pris ». **2B** Je suis l'ange gardien du dominus. **3A** Nous sommes partis dans un autre monde, mais notre souvenir reste présent dans la domus. **3D** Infinitif du verbe *être*. **4B** Nous sommes de joyeux danseurs et le dominus nous honore tous les jours. **4E** « il est ». **5A** « j'ai pu ». **5F** « dans ». **6A** « scène » au théâtre. **6B** Infinitif du verbe *dîner*. **7A** Déesse du foyer. **7E** « j'aime ».

**Horizontalement :**
**A2** « j'aime ». **A5** Initiales en fin de lettre : « après ce qui a été écrit ». **C1** Nous surveillons le garde-manger de la domus. **D1** « dans ». **F1** « j'ai donné l'ordre ». **G1** « tu es ». **G3** Conjonction de coordination.

**11** Vous êtes invité(e) à dîner par le père d'Aurélia et Marcus. Vous allez donc découvrir la maison de vos amis grâce au plan. Pour suivre votre parcours, présenté en latin en quatre étapes (de 1 à 4 sur le plan), vous devrez compléter les phrases avec les mots de la liste suivante. Pour vous aider, revenez aux pages 82 et 84.

N.B. Cités par ordre alphabétique, tous les mots sont déclinés ou conjugués à la forme qui convient pour le sens du texte.

accumbere – aqua – aedicula – atrio – canem – catena – cenam – conviva – cubicula – domus – familiae – Genius – januam – lectum – lararium – nomenclator – officinas – ostiarius – pater – piscinam – tablinum – triclinia – triclinium – vestibulo – videre – viam – tabulae.

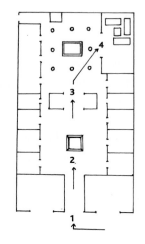

**1** Marci Aureliaeque ... domum et duas ... habet. Hodie ... amicis dat teque vocavit. Haec pulchra ... est. Nunc ad ... pervenis : ... succinctus tibi ... ostendit. In ... canem ingentem, ... vinctum, ... potes cum hac inscriptione : CAVE ... .

**2** Nunc in ... es. Impluvium videre potes : ... impletum est [impletus, a, um : rempli de + abl.]. ... aperta sunt [apertus, a, um : ouvert] : in pariete sunt multae splendidissimae ... pictae.

**3** Nunc ... transiisti et in peristylium pervenis. In medio, ... videre potes. In angulo, ... est : in hac ... sunt ... dei. In pariete domini ... Laresque picti sunt.

**4** Nunc in ... intrare potes. Tria ... parata sunt. ... ad medium ... te ducit : ... potes. Hodie ... gratissimus *ou* gratissima [gratissimus, a, um : le plus honoré] es.

▶

Pour commencer, relisez attentivement la lettre de Pline (p. 101). Et maintenant observez comment un Romain a l'habitude de rédiger son courrier.

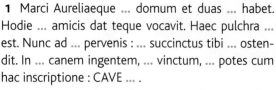

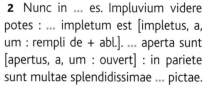

MARCUS AURELIAE SUAE S.

AURELIA MARCO SUO S.

### L'en-tête

| Le nom de l'expéditeur (celui qui écrit) au nominatif (sujet) |
| --- |
| Le nom du destinataire (celui qui reçoit la lettre) au datif (C.O.S.)<br>+ adjectif possessif (marquant l'affection)<br>suo (son cher)   suae (sa chère) |
| S.     ou     S. D.<br>= salutem     = salutem dat<br>(donne son salut) salve à l'oral, p. 43. |

### La formule traditionnelle
Si vales, bene est ; ego valeo.
Souvent abrégée en S. V. B. E. E. V.

### La formule finale
Vale (p. 43).

### Vocabulaire et phrases simples
● **Pour dire « la lettre » :**
– quand il s'agit de l'envoi (courrier, missive) :
**epistula** (ou epistola), **ae**, f. (souvent au pluriel)
– quand il s'agit du texte écrit : **litterae**, *arum*, f.

● **Les verbes : mitto** (mittere) : j'envoie – **accipio** (accipere) : je reçois.
● **Les adverbes : heri** : hier – **hodie** : aujourd'hui.
Exemple ▶ Hier, tu as reçu une lettre. **Heri, epistulas accepisti.** Aujourd'hui, je t'écris une lettre. **Hodie, litteras tibi scribo.**
● **Les phrases :**
– pour lancer une invitation :
**Cenam amicis do** (dare). J'organise un dîner pour mes amis.
**Ad cenam te invito** (invitare) ou **voco** (vocare). Je t'invite à dîner.
– pour remercier :
**Tibi gratias ago** (agere). Je te remercie.
– pour demander des nouvelles, inspirez-vous de Pline :
Exemple ▶ **Hoc mihi sufficit. Est enim maximum. Serio peto.**
Plus compliqué (mais distingué !) : **Sine sollicitudine summa nescire non possum.**

## Découvrir le texte

### « L'homme naquit... »

*Ovide a composé un long poème où il imagine
une histoire fabuleuse de l'univers, de sa création jusqu'au
règne d'Auguste (27 avant J.-C.). Voici comment il raconte
le début de la vie sur la terre, premier élément surgi du chaos.*

Prométhée crée l'homme,
bas-relief romain en marbre,
IIIᵉ siècle après J.-C., Paris,
Musée du Louvre.

Cesserunt nitidis habitandae piscibus undae,
terra feras cepit, volucres agitabilis aer.
Sanctius his animal mentisque capacius altae
deerat adhuc et quod dominari in cetera posset :
5   natus homo est ; sive hunc divino semine fecit
ille opifex rerum, mundi melioris origo,

sive recens tellus seductaque nuper ab alto
aethere cognati retinebat semina caeli.
Quam satus Japeto, mixtam pluvialibus undis,
10  finxit in effigiem moderantum cuncta deorum,
pronaque cum spectent animalia cetera terram,
os homini sublime dedit caelumque videre
jussit et erectos ad sidera tollere vultus.

Sic, modo quae fuerat rudis et sine imagine,
[tellus
15  induit ignotas hominum conversa figuras.

Aurea prima sata est aetas.

**Publius Ovidius Naso,**
*Metamorphoseon libri,* liber primus.

Les eaux se peuplèrent de poissons brillants, la terre reçut
les bêtes fauves, l'air les oiseaux qui agitent leurs ailes.
Mais il manquait encore un être vivant plus noble que
ceux-ci, doué d'une raison plus élevée, et fait pour com-
5   mander aux autres : l'homme naquit ; soit c'est l'artisan de
toutes choses, le créateur qui est à l'origine du monde
ordonné, qui le forma d'une semence divine ;
soit c'est la terre, à peine séparée de l'air le plus pur, qui
conservait en elle la semence du ciel auquel elle s'était unie.
Et c'est cette terre que le fils du Titan Japet [Prométhée]
10  mélangea à de l'eau de pluie pour la façonner à l'image
des dieux, maîtres de l'univers, et tandis que tous les
autres êtres vivants regardent la terre, la tête toujours
tournée vers le bas, le créateur a donné à l'homme un
visage tourné vers le haut, car il a voulu qu'il puisse
contempler le ciel et lever les yeux vers les étoiles.
Ainsi la terre, qui n'était auparavant qu'une masse informe
et grossière, sans images, fut complètement transformée,
15  elle se couvrit de figures d'hommes jusqu'alors inconnues.

Ce fut le début de l'âge d'or.

**Ovide** (43 avant J.-C.-18 après J.-C.),
*Métamorphoses,* livre I, vers 74-89.

### → LIRE LE TEXTE

❶ Quelles sont les premières formes de vie sur la
terre selon Ovide ? Dans quels éléments de la nature
apparaissent-elles ? Nommez ces éléments en latin.

❷ En biologie, on dit que l'homme appartient à
un règne : lequel ? Quel mot latin le définit (vers 3) ?
À quel autre vers le retrouvez-vous ?

❸ De quel nom latin est issu le mot français *homme*
(vers 5) ?

❹ Quelle est l'origine de l'homme selon Ovide ?
Combien d'explications donne-t-il ?

❺ Que signifie le mot *effigie* (effigiem, vers 10) ?
Sur quel modèle a été créé l'homme ?

❻ Qu'est-ce qui différencie l'homme des autres
êtres vivants selon Ovide ?

▶ Qui a créé l'homme ? Comment ?
Les récits de genèse nous donnent des réponses poétiques.

Découvrir l'image

# L'homme et son créateur

L'homme est un **animal** (animal, *alis*, n.), c'est-à-dire un être *animé* par le **souffle de la vie** (anima, *ae*, f., d'où vient le mot **âme**). Dans la tradition mythologique gréco-romaine comme dans la Bible, il a été façonné avec de la terre mêlée d'eau (**limus**, *i*, m. : boue, limon).

> Formavit igitur Dominus Deus hominem
> de limo terrae et inspiravit in faciem
> ejus spiraculum vitae et factus est homo
> in animam viventem.
>
> L'Éternel Dieu forma l'homme
> de la poussière de la terre, il souffla
> dans ses narines un souffle de vie
> et l'homme devint un être vivant.
>
> **Jérôme de Stridon**, Vulgate (IVe siècle après
> J.-C.), *Genèse*, II, 7, version de L. Segond.

1. *Prométhée crée l'homme, assisté par Minerve*, sarcophage en marbre, IIIe siècle après J.-C., Rome, Musées capitolins.

2. **Michel-Ange**, *Dieu crée Adam*, 1510, Rome, fresque du plafond de la chapelle Sixtine.

**Gros plan sur...** *Minerve tient un papillon. Elle le place au-dessus de la tête de l'homme que Prométhée vient de terminer.*
*Ce papillon est le symbole du* ***souffle de vie*** *qui anime le corps, mais aussi de l'âme, principe divin et immortel, séparé du corps.*

## → LIRE LES IMAGES

❶ Décrivez l'attitude, les gestes et l'outil de Prométhée (**doc. 1**). À quel métier cela vous fait-il penser ?

❷ Par quel geste Dieu donne-t-il le souffle de vie au premier homme (**doc. 2**) ?

❸ Comparez les deux documents. Quels points communs relevez-vous ?

# La création

Les Romains imaginent l'**origine du monde**, **des dieux et des hommes** à partir des **grands mythes grecs**.

Un homme découvre le point où le ciel et la terre se touchent.
**Camille Flammarion**, *L'Atmosphère : Météorologie Populaire,* Paris, 1888.

## Du chaos au cosmos

*Ovide utilise le nom grec chaos,*
*qui signifie gouffre, abîme, confusion,*
*pour exprimer l'idée que la matière est*
*un tas désordonné avant la création*
*du monde (Métamorphoses, I, vers 7).*
*Pour lui, une puissance supérieure a mis fin*
*au chaos. Elle a introduit de l'ordre dans*
*la matière pour former le cosmos,*
*nom grec qui désigne l'univers considéré*
*comme un tout bien rangé. Nous utilisons*
*toujours ces deux mots en français :*
*chaos pour désigner un très grand désordre*
*et cosmos pour la totalité de l'univers.*

## Terra

Le nom **terra**, *ae*, f. désigne à la fois le globe terrestre, le continent (par opposition à la mer) et la surface (le sol). Vers 750 avant J.-C., le poète grec Hésiode fait de « la **Terre** » (**Gaia**), l'élément le plus ancien de l'univers (on retrouve son nom dans la racine **géo-**). Elle est donc « la mère universelle » d'où sont sortis tous les éléments qui composent notre monde : « le Ciel étoilé » (**Ouranos**) et « la Mer aux flots furieux » (**Pontos**), avec qui elle s'unit pour donner naissance à de nombreux enfants.

Prométhée et les dieux sont les petits-enfants de la Terre et du Ciel. Quant à l'**homme**, il a été fabriqué avec de la terre (pp. 104-105). Dans son nom latin **homo**, *inis*, m., on retrouve la même racine que dans **humus**, *i*, f. qui désigne précisément le sol.

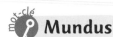

## Mundus

Le nom **mundus**, *i*, m. désigne le monde bien rangé, comme le mot grec **cosmos**.

Grecs et Romains distinguent **quatre éléments** (**elementa**) qui composent le monde : terre (**terra**), air (**aer**, *aeris*, m.), eau (**aqua**) et feu (**ignis**, *is*, m.).

Le nom **universum**, *i*, n. désigne l'ensemble des choses qui existent dans le monde. Il est constitué de **unus** (un seul) et **versus** (de **vertere** : tourner, faire tourner) pour désigner un système où tout *tourne* pour former *un tout* organisé. En effet, Grecs et Romains situent la terre au **centre du monde** et ils supposent que tout tourne autour d'elle.

**Jouez avec les mots**

**❶ Un peu de grec**
À quels mots grecs rattachez-vous ces mots : pont, cosmique, géographie, Uranus, microcosme, géologie, cosmétologie, cosmonaute, géographe, chaotique, cosmogonie ?

**❷ Le monde des explorateurs**
Qu'appelait-on **terra incognita** et **mundus novus** sur les cartes anciennes ?

**❸ Des racines et des mots**
**a.** De quels noms latins sont issus ces mots : aérien, aquatique, humble, ignifugé, mondial, terrestre, élémentaire, hominidé, université, humilité ?
**b.** Expliquez le sens de chacun en montrant le lien avec le nom latin dont il est issu.

# Observer

## Un mal pour un bien

1. Prometheus Japeti filius primus **homines** e luto finxit.
Prométhée, le fils de Japet, le premier, façonna les hommes dans de l'argile.

2. **a. Homines** ab **immortalibus ignem** petebant. **b.** Prometheus autem **hominum preces** audivit : flammam in ferula detulit in terram eamque **hominibus** praebuit.
a. Les hommes réclamaient le feu aux immortels. **b.** Prométhée entendit les prières des hommes : il apporta une flamme sur terre dans une férule (= une baguette creuse) et l'offrit aux hommes.

3. **a.** Jam ignis hominibus erat.
**b.** Id **Jovem** maxime irritavit.
a. Désormais les hommes possédaient le feu (= le feu désormais était aux hommes).
**b.** Cela irrita grandement Jupiter.

4. Mercurius autem **Jovis** jussu deligavit Prometheum in **monte** Caucaso.
Sur l'ordre de Jupiter, Mercure enchaîna Prométhée sur le mont Caucase.

La légende de Pandore, dessin d'après un vase grec, Dictionnaire des antiquités grecques et romaines, Daremberg et Saglio.

5. Postea Juppiter **mortalium** poenam repetivit : e luto **mulieris corpus**, dearum **effigiem**, facere Vulcanum jussit.
Ensuite Jupiter rechercha la punition des mortels (= se vengea des mortels) : il ordonna à Vulcain de fabriquer un corps de femme, une image des déesses, dans de l'argile.

6. **Mulieri** Minerva animam dedit.
Minerve donna à cette femme le souffle vital.

D'après **Hygin**, *Fables*, CXLII, CXLIV, CLIII, Ier siècle après J.-C.

## Les formes de la 3e déclinaison

**En latin**

❶ Vous savez comment identifier la déclinaison d'un nom (p. 18). Quel indice permet de reconnaître un nom de la 3e déclinaison ?

**En français et en latin**

❷ Donnez la fonction de chaque nom souligné en français. Rappelez le cas des noms latins correspondants.

❸ Dans la phrase 3 a, quel est le sujet du verbe erat ? Quel est le cas de hominibus ? Expliquez la traduction. Si vous ne trouvez pas, retournez p. 78.

❹ Quel est le nom latin de Jupiter ? Quel est son radical ? Comment l'obtenez-vous ?

## La proposition infinitive

Lisez cette phrase complexe et sa traduction.

Mulieris effigiem facere Vulcanum **jussit**.
**Il ordonna** que Vulcain fabrique une statue de femme.

**En français et en latin**

❺ Quelle est la nature de chaque proposition dans la phrase française ? Quel indice permet de répondre ?

❻ À quel mode est le verbe de la subordonnée en latin ? À quel cas est le sujet du verbe ?

# 1 La troisième déclinaison

- Tous les noms de la 3ᵉ déclinaison se terminent par **-is** au génitif singulier.
  La 3ᵉ déclinaison comprend des noms des **trois genres**.

## Noms masculins et féminins : ignis, *is*, m. : le feu – lux, *lucis*, f. : la lumière

| Cas | Singulier | Pluriel | Singulier | Pluriel |
|---|---|---|---|---|
| Nominatif | ignis | ignes | lux | luces |
| Vocatif | ignis | ignes | lux | luces |
| Accusatif | ignem | ignes | lucem | luces |
| Génitif | ignis | ignium | lucis | lucum |
| Datif | igni | ignibus | luci | lucibus |
| Ablatif | igne | ignibus | luce | lucibus |

- Le génitif pluriel se termine par **-ium** pour les noms :
  - dont le **nominatif** et le **génitif singuliers** sont **semblables** (ignis, *is*, m.),
  - dont le **radical se termine par deux consonnes** : urbs, u**rb**-is, f. : la ville (G. pl. urb**ium**) • mens, m**ent**-is, f. : la pensée (G. pl. ment**ium**).
- Le génitif pluriel se termine par **-um** pour les noms :
  - dont le **nominatif** et le **génitif singuliers** sont **différents** (lux, *lucis*, f.),
  - **pater**, *tris*, m. : père • **mater**, *tris*, f. : mère • **frater**, *tris*, m. : frère • **juvenis**, *is*, m. : jeune homme • **senex**, *senis*, m. : vieillard • **canis**, *is*, m. : chien.

## Noms neutres : corpus, *oris*, n. : le corps – mare, *is*, n. : la mer

| Cas | Singulier | Pluriel | Singulier | Pluriel |
|---|---|---|---|---|
| Nominatif | corpus | corpora | mare | maria |
| Vocatif | corpus | corpora | mare | maria |
| Accusatif | corpus | corpora | mare | maria |
| Génitif | corporis | corporum | maris | marium |
| Datif | corpori | corporibus | mari | maribus |
| Ablatif | corpore | corporibus | mari | maribus |

- Les noms neutres au nominatif en **-e** (mare, *is*) et en **-al** (animal, *alis* : animal) ont l'ablatif singulier en **-i**, le nominatif, vocatif, accusatif pluriel en **-ia** et le génitif pluriel en **-ium**.

**Mens sana in corpore sano.**
Un esprit sain dans un corps sain.

**Juvénal**, *Satires*, X, 356.

## VOCABULAIRE à retenir

| | | | | | |
|---|---|---|---|---|---|
| animal, *alis*, n. | être vivant, animal | miles, *itis*, m. | soldat | pax, *pacis*, f. | paix |
| caput, *itis*, n. | tête | lex, *legis*, f. | loi | rex, *regis*, m. | roi |
| civis, *is*, m. | citoyen | mens, *mentis*, f. | pensée, esprit | tempus, *oris*, n. | temps |
| dux, *ducis*, m. | guide, chef | mons, *montis*, m. | montagne | virtus, *utis*, f. | vertu, courage |
| homo, *inis*, m. | homme | mors, *mortis*, f. | mort | vox, *vocis*, f. | voix |
| majores, *um*, m. (toujours au pluriel) | ancêtres | mos, *moris*, m. | coutume | | |

## ▶ S'entraîner à lire et à dire

### ❶ Histoire courte : Gare !

**Lisez cette anecdote de Cicéron à propos de Caton (p. 61). On peut être sévère de caractère et avoir de l'humour.**

Cum Cato percussus esset ab eo, qui arcam ferebat, cum ille diceret «Cave», rogavit num quid aliud ferret praeter arcam.

Un homme transportant un coffre bouscula Caton et lui cria: «Gare!» Alors Caton lui demande: «En dehors de ton coffre, tu portes encore autre chose?»

**Cicéron**, *De l'Orateur*, II, 69.

## ▶ Décliner les noms de la 3e déclinaison

### ❷ Indiquez le genre de ces noms donnés au nominatif singulier puis mettez-les aux cas indiqués entre parenthèses.

genus (Acc. pl.) – tempus (G. pl.) – corpus (N. pl.) – pax (D. sg.) – mos (Abl. sg.) – mors (G. sg.).

### ❸ Déclinez entièrement ces noms.

libertas, *atis*, f. : liberté – oratio, *onis*, f. : discours – clamor, *oris*, m. : cri – nox, *noctis*, f. : nuit.

### ❹ a. Isolez la terminaison de chaque nom puis donnez son cas et son genre. Plusieurs réponses sont parfois possibles.

legibus – regem – pace – virtutum – voces – civium – militi – ducibus – mortis – mores.

**b.** Écrivez-les au nominatif et au génitif singuliers.

### ❺ Mêmes consignes que l'exercice 4 pour ces noms.

capite – temporis – regum – montium – corpora – nominum – genera.

### ❻ a. Retrouvez oralement le genre de ces noms donnés au nominatif singulier.

**1.** (bonus, a, um) <u>mens</u> **2.** (magnus, a, um) <u>dux</u>
**3.** (longus, a, um) <u>tempus</u> **4.** (novus, a, um) <u>mos</u>.
**b.** Mettez ces groupes nom + adjectif au génitif et au datif singuliers.

### ❼ Mettez ces groupes nom + adjectif à l'accusatif et au génitif pluriels.

**1.** (magnus, a, um) <u>nomen</u>
**2.** (longus, a, um) <u>caput</u>
**3.** (novus, a, um) <u>mare</u>

## ▶ S'initier à la traduction

### ❽ Complétez chaque phrase avec le mot ou le groupe de mots qui convient dans la liste :

aquilam – hominibus – ignem – id – immortalibus – eis – aquila – Prometheum – eum – monte.

**1.** ... ignis non erat eumque ab ... petebant.
**2.** Prometheus ... ... dare non dubitavit.
**3.** Tum Mercurius deligavit ... in ... Caucaso aquilamque ei apposuit.
**4.** ... jecur ejus exedebat sed ... rursus crescebat.
**5.** Hercules tandem interfecit et ... liberavit.

**Vocabulaire :** non dubito, as, are, avi, atum : ne pas hésiter à – deligo, as, are, avi, atum : attacher – aquila, *ae*, f. : aigle – appono, is, ere, posui, positum : placer auprès de + datif – exedo, is, ere, edi, esum : dévorer – jecur, *jecinoris*, n. : foie – rursus : de nouveau – cresco, is, ere, crevi, cretum : pousser – interficio, is, ere, feci, fectum : tuer.

### ❾ Écrivez la traduction des phrases de l'exercice 8.

## ▶ Comprendre le sens des mots

### ❿ Complétez les phrases avec ces mots, issus de anima, *ae*, f. : animés – animation – magnanimité – animalier – inanimés – animateur.

**1.** Il a bien conduit le débat, c'est un remarquable ... .
**2.** Des animaux rares vivent en liberté dans ce parc ... .
**3.** Walt Disney a créé de nombreux dessins ... .
**4.** Il a traité son adversaire avec beaucoup de ... .
**5.** Le choc a été si violent que tous sont tombés ... .
**6.** Un jeu vidéo est fabriqué dans un studio d'... .

### ⓫ Associez ces mots à leur définition.

**a.** hommage **b.** homicide **c.** homophone **d.** hominidés **e.** homologuer **f.** on **g.** humanoïde **h.** humanitaire **i.** humaniser.

**1.** famille de primates dont l'homme fait partie **2.** rendre plus humain **3.** enregistrer officiellement une performance **4.** acte par lequel le vassal se déclarait l'homme de son seigneur au Moyen Âge **5.** créature voisine de l'homme en science-fiction **6.** action de tuer un être humain **7.** qui a le même son **8.** pronom personnel indéfini issu du latin homo (un homme) **9.** qui vise le bien de tous les hommes.

**Chassez les intrus !** ⓬ **Tous les mots de l'exercice 11 sont issus du nom latin signifiant *homme*, sauf deux. Lesquels ?**

# Les premiers âges de l'humanité

## La boîte de Pandora

Hésiode (p. 106) raconte la création de la première femme. Héphaïstos, le dieu forgeron, a fabriqué « une vierge ravissante, semblable aux déesses immortelles, en mélangeant de la terre et de l'eau ». Chaque divinité de l'Olympe lui a fait un cadeau, d'où son nom de **Pandora** (*tous les dons* en grec). Puis Zeus (Jupiter) l'a mariée à Épiméthée, le frère jumeau de Prométhée, avec, comme cadeau de mariage, une jarre bien fermée (nommée simplement *boîte* par la suite).

*Voici comment Jean-Pierre Vernant, spécialiste du monde grec, explique le mythe.*

À un moment donné, Zeus donne l'ordre à Pandora de soulever le couvercle et de laisser sortir ce qu'il y a dedans. Il lui dit : « Dès que tu as ouvert et que c'est sorti, tu refermes. »
5 Elle fait, elle ouvre, un tas de choses jaillissent et elle referme. Qu'est-ce qui a jailli ? [...] Les maladies, les souffrances, les deuils, les accidents, tous les malheurs, la pauvreté, la famine, les douleurs… tout ça, ce sont, comment
10 dirais-je, des petits êtres avec des ailes, qui sont partout [...] de jour, de nuit, à la maison ou en dehors, sur la mer, dans la terre, dans les airs, le monde en est peuplé. [...]
Une entité, un être, une puissance qui était
15 plus lente, qui traînait la patte, n'est pas sortie. Elle reste au fond de la jarre. Et cette puissance s'appelle – je donne le mot grec – Elpis, qu'on traduit généralement par espérance, espoir.

**Jean-Pierre Vernant**, « Le Mythe de Pandore », extraits de la conférence donnée au lycée de Sèvres, 27 novembre 2003.

**Dante Gabriel Rossetti**, *Pandora*, 1878, dessin à la craie (100,8 × 66,7 cm), Liverpool, Musées nationaux.

### → DU TEXTE À L'IMAGE

❶ Comment le peintre imagine-t-il Pandora ? Qu'est-elle en train de faire ?

❷ Sur le coffret sont gravés les mots latins « Ultima manet spes » (« En dernier reste … »). Quel est le sens de spes ? Quels mots français en sont issus ?

❸ Qu'est-ce qui s'échappe du coffret ? Quelles formes distingue-t-on ? Qu'est-ce que le peintre a voulu symboliser ? Quelle image choisie par Jean-Pierre Vernant exprime la même idée ?

❹ Comment s'appelle la première femme dans la Bible ? Comment a-t-elle été créée ? Quels points communs voyez-vous entre elle et Pandora ?

# Aetas aurea : l'âge d'or

Dans toutes les civilisations, de nombreux récits gardent
le souvenir nostalgique d'un paradis perdu. À une époque mythique,
très lointaine, les humains vivaient en harmonie avec la nature,
sans souci ni besoin, sans même la notion du temps. Les Romains
appellent ce temps **aetas aurea**, *âge d'or* (Ovide, p. 104).
Le nom **aetas**, *atis,* f. signifie *époque, période*, souvent
avec le sens d'une durée continue, illimitée, d'où le sens
de l'adjectif **aeternus, a, um** : qui dure toujours, éternel.
On retrouve ce paradis (du grec *paradeisos* : jardin) aussi bien
dans la Bible (le jardin d'Éden) que chez Ovide.

mot-clé
🔑 Aetas

**L**e printemps était éternel
(aeternum), la terre se couvrait
de moissons sans avoir été
labourée ; des fleuves de lait
coulaient dans les campagnes.

**Ovide**, *Métamorphoses*,
I, vers 107-111.

**5** Quels éléments font de l'âge d'or une époque merveilleuse ?

**Oraza Fontana,**
*Deucalion et Pyrrha semant*
*les pierres,* assiette peinte, 1571,
Los Angeles, J. Paul Getty Museum.

## Une nouvelle humanité

Mais l'âge d'or prend fin lorsque Jupiter chasse son père
le Titan Saturne. Les hommes doivent désormais
travailler pour se nourrir. Viennent alors les âges
d'argent, de bronze et de fer, qui symbolisent
la dégradation de l'humanité. En effet, poussés
par la soif de richesses, les humains deviennent de
plus en plus violents. Lassé de leurs crimes, Jupiter
décide de les anéantir. Il déclenche un terrible
déluge (**diluvium**, *ii*, n.), dont les seuls survivants
sont Deucalion, fils de Prométhée, et son épouse
Pyrrha, fille d'Épiméthée. Le couple reçoit un ordre
divin : jeter derrière leur dos « les os de leur grande
Mère ». Deucalion et Pyrrha se dépêchent d'obéir :
les cailloux qu'ils sèment donnent naissance à
une nouvelle race d'hommes et de femmes.

**6** Qui est la grande Mère des hommes (p. 106) ? De quoi sont constitués ses os ?

**7** Que signifient les expressions *période antédiluvienne, pluie diluvienne* ?

---

**Activités B2i** ......... **Constituer un dossier littérature
et histoire des arts**

### 1. L'âge d'or et le paradis
Avec l'aide de votre professeur, constituez un dossier sur l'âge d'or
et le paradis avec de courts extraits de textes et des images. Pensez
à vous documenter sur la Bible et sur les différents récits mythologiques (gréco-romains, orientaux, nordiques, africains, etc.).

### 2. Le Déluge
Mêmes consignes pour réaliser un dossier sur le Déluge.
Vous pouvez aussi vous documenter sur le mythe de l'Atlantide.

@ Pour vous aider, retrouvez des liens utiles sur :
http://latin.magnard.fr/liens5e

**Pour aller plus loin** À LIRE

*25 Métamorphoses*
*d'Ovide* de Annie Collognat,
© Hachette - Le Livre de
Poche Jeunesse, 2007.

*La Bible,* d'après
la version de L. Segond,
© Pocket Jeunesse
Classiques, département
Univers poche, 2009.

*Jupiter*, statue romaine restaurée
au XIXe siècle, Saint-Pétersbourg,
Musée de l'Ermitage.

## Le maître du monde

*Voici encore un bien étrange personnage imaginé par Plaute (p. 74).*
*Il vient expliquer comment les hommes ont été placés sous haute surveillance.*

### PROLOGUS

**Arcturus.**

   Qui gentes omnes mariaque et terras movet,
  ejus sum civis civitate caelitum.
  Ita sum, ut videtis, splendens stella candida,
  signum quod semper tempore exoritur suo
5 hic atque in caelo : nomen Arcturo est mihi.
  Noctu sum in caelo clarus atque inter deos,
  inter mortalis ambulo interdius.
  At alia signa de caelo ad terram accidunt.
  Qui est imperator divo[ru]m atque hominum,
                                    [Juppiter,
10 is nos per gentes alios alia disparat,
  qui facta hominum, mores, pietatem et fidem

  noscamus, ut quemque adjuvet opulentia.

  Qui falsas litis falsis testimoniis
  petunt quique in jure abjurant pecuniam,
15 eorum referimus nomina exscripta ad Jovem ;
  quotidie ille scit quis hic quaerat malum.

**Titus Maccius Plautus,** *Rudens.*

### PROLOGUE

**Arcturus.**

   Celui qui meut tous les peuples et … et …,
  je suis son concitoyen dans la cité qu'est le ciel.
  Je suis, comme …, une brillante étoile blanche,
  signe qui au moment prévu toujours se lève
5 ici et dans … : ………………….
  La nuit, je brille dans le ciel parmi …,
  le jour, je me promène parmi les mortels.
  Mais d'autres … tombent du ciel sur la terre.
  Celui qui commande aux dieux et aux hommes,
  …,
10 celui-ci nous répartit entre différents peuples,
  pour que nous connaissions les faits des …,
  leur conduite, leur … et leur loyauté,
  et aussi pour que nous sachions à qui la richesse
  apporte ses ressources.
  Pour ceux qui avec de faux témoignages cherchent de
  faux procès et qui en justice nient leur dette par serment,
15 nous rapportons par écrit leurs … à Jupiter ;
  chaque jour il connaît celui qui cherche à mal agir.

**Plaute** (env. 254-184 avant J.-C.), *Le Câble,* vers 1-16.

→ **LIRE LE TEXTE**

❶ Complétez la traduction.

❷ Qui parle ? À quel vers le personnage donne-t-il son identité ?

❸ Quelles sont les occupations de ce personnage pendant la nuit et pendant le jour ? Quelle est sa mission ?

❹ Quel dieu apparaît au vers 9 ? Relevez l'expression qui le définit en français et en latin. Quelles sont ses fonctions ?

❺ Que surveillent précisément les dieux chez les hommes (vers 11) ? Énumérez les noms latins et retrouvez leur sens en français.

▶ C'est la fin de l'âge d'or : Jupiter gouverne désormais l'univers.

# Jupiter, roi de l'Olympe

Les Romains se représentent Jupiter sur le modèle de Zeus, maître de l'univers dans la mythologie grecque. Assis sur son trône d'or, au sommet du mont Olympe, il gouverne les dieux et les hommes, mais il aime aussi descendre sur terre pour séduire de belles mortelles.

**François-Joseph Heim,**
*Jupiter donnant à Vulcain le feu qui doit consumer Pompéi,* 1827, Paris, Musée du Louvre, peinture du plafond de la salle Charles X.

*Gros plan sur...* On reconnaît Jupiter à deux attributs, symboles de sa toute-puissance : le *foudre* (au masculin, de **fulgur**, uris, *n.* : éclair), sorte de bouquet d'éclairs, et l'**aigle** (**aquila**, ae, *f.*), le plus majestueux des oiseaux.

Zeus (interprété par Laurence Olivier) dans *Le Choc des Titans*, film de Desmond Davis, 1981.

## → LIRE LES IMAGES

❶ Décrivez les représentations du roi de l'Olympe (pp. 112-113). Quels sont leurs points communs ?

❷ Sur la peinture, que tient Jupiter dans chaque main ?

❸ Que tient la main gauche de la statue ? Quel oiseau est près d'elle ?

❹ Au cinéma, quels éléments symbolisent la puissance du roi de l'Olympe ?

# Sous le regard des dieux

Les Romains pensent que rien de ce que font les mortels n'échappe aux immortels.
Il faut donc **honorer les dieux** en respectant un **code de bonne conduite**.

## Jupiter, le Père universel

*Les Grecs nommaient père (pater) le maître des dieux de l'Olympe,* **Zeus**, *dont le nom vient de la racine indo-européenne* **dyeu**-.

| N. et V. | **Juppiter** |
|----------|----------|
| Acc. | **Jovem** |
| G. | **Jovis** |
| D. | **Jovi** |
| Abl. | **Jove** |

*En latin, son nom est devenu* **Juppiter** *(Ju- + pater). Les poètes le nomment également* **Diespiter** *(père de la lumière du jour). En sanskrit, la langue sacrée de l'Inde (p. 8), le Père divin se nomme* **Dyaus Pitar**.

Pièce de monnaie représentant Jupiter.

## Deus

Noctu sum in caelo clarus atque inter **deos** → La nuit, je brille dans le ciel parmi **les dieux**. (p. 112)

Le nom **deus**, *i*, m. (dieu), est formé sur la racine indo-européenne **dyeu**- qui exprime à la fois l'idée de **lumière venue du ciel** et celle de **créature vivant dans le ciel lumineux**. On retrouve le sens de cette racine dans plusieurs formes de radical, avec des variantes de prononciation : **de**- (**deus**), **di**- (**dies**, *ei*, m. ou f. : lumière du jour, jour), **div**- (**divus**, *i*, m. : divinité et **divinus**, **a**, **um** : divin), **jov**- et **ju**- (comme dans la déclinaison de **Juppiter**).

## Fides

Pietatem et **fidem** noscamus → Nous connaissons leur piété et **leur loyauté**. (p. 112)

Les dieux surveillent la bonne conduite des hommes, qui peut se résumer par les mots-clés **pietas** et **fides**. Vous savez déjà comment la **pietas** (*atis*, f.) est incarnée par Énée (p. 21).
Le nom **fides**, *ei*, f. signifie la foi, la fidélité, la loyauté, la confiance, qui s'expriment concrètement par le **respect de la parole donnée**. L'adjectif **fidus**, **a**, **um** s'applique à la personne à qui on peut se fier. Quand on a fait une promesse, que ce soit à un dieu, à un général, à un chef, à un patron, à un ami, à un conjoint, elle ne doit jamais être brisée, surtout si elle a été fixée par un **serment**. Même les dieux sont tenus par le respect des serments : celui qu'ils prêtent sur le Styx, le fleuve des Enfers, ne peut jamais être modifié.

## Jouez avec les mots

### À chacun son jour

Les jours de la semaine sont associés à des planètes qui portent des noms latins de dieux ou de déesses (p. 118). Par exemple : **2. mardi** est le jour de **Mars** (dieu de la guerre).

1. Lunae
2. Martis
3. Mercurii
4. Jovis
5. Veneris
6. Saturni
7. Solis

Dies

**a.** Complétez : **3.** _ _ _ _ _ _ **di** est le jour de ... (dieu messager). **4.** _ _ _ **di** est le jour de ... (roi de l'Olympe). **5.** _ _ _ _ _ _ **di** est le jour de ... (déesse de l'amour). **6.** _ _ _ _ **di** est le jour de ... (Titan, père de Jupiter), en anglais _ _ _ _ _ **day**.

**b.** Les jours 1 et 7 sont associés à des astres.
**1.** _ _ _ **di** est le jour de la ... (symbole de la déesse Diane). **7.** En latin c'est le jour du ... (symbole du dieu Apollon), en anglais _ _ _ **day**. Mais en français, c'est **di** _ _ _ _ _ _, car, en 321 après J.-C, l'empereur Constantin en a fait le « jour du Seigneur » pour les chrétiens : **dies Dominicus**.

# Quand Jupiter est amoureux... Junon est furieuse !

**1** **A poeta P. Ovidio Nasone** multae fabulae de Jovis amoribus narrantur.

De nombreux récits fabuleux concernant les amours de Jupiter <u>sont racontés</u> **par le poète Ovide.**

**2** **a.** Homines deique **a Jove** regebantur. **b.** Saepe deus de Olympo in terram descendebat : pulchras enim mortales amabat. **c.** Semele, Cadmi Thebarum regis filia, una earum erat.

**a.** Les hommes et les dieux <u>étaient gouvernés</u> **par Jupiter. b.** Souvent le dieu <u>descendait</u> de l'Olympe sur terre : en effet <u>il aimait</u> de belles mortelles. **c.** Sémélé, fille de Cadmus, roi de Thèbes, était l'une d'elles.

**3** **a.** **A Jove** Semele clam amabatur. **b.** Regis filia infantem exspectabat. **c.** Fama volat : Juppiter pater ejus dicebatur.

**a.** Sémélé <u>était aimée</u> **par Jupiter** en cachette. **b.** La fille du roi <u>attendait</u> un enfant. **c.** La rumeur <u>vole</u> : Jupiter <u>était dit</u> son père (= on disait que Jupiter était le père de l'enfant).

**4** Fama **a Junone**, Jovis sorore uxoreque, in malam partem accipitur.

La rumeur <u>est</u> mal <u>accueillie</u> **par Junon**, sœur et épouse de Jupiter.

**5** **a.** **Ira** dea excitatur. **b.** Statim clamat : « Si maxima Juno rite vocor, mihi poenas dare Semele debet ! »

**a.** La déesse <u>est excitée</u> **par la colère**. **b.** Aussitôt elle <u>proclame</u> : « Si <u>je suis appelée</u> la très grande Junon à juste titre, Sémélé doit subir un châtiment qui me venge ! »

**6** Dea in Cadmi palatium intrat : anus videbatur.

La déesse <u>entre</u> dans le palais de Cadmus : elle <u>était vue</u> comme une vieille femme (= elle avait l'air d'une vieille femme).

*La déesse Junon*, vase trouvé dans une tombe étrusque de Vulci, env. 470 avant J.-C., Munich, Staatliche Antikensammlungen.

→ *Vous saurez ce qui arrive à Sémélé en traduisant la suite p. 131 (ex. 3).*

## 🔑 La voix passive, indicatif présent et imparfait

**En français**

**❶** Indiquez la personne, le mode, le temps et la voix des formes verbales soulignées.

**En latin et en français**

**❷** Observez les formes verbales amabat et amabatur (phrases 2 a et 3 b). Quel élément ont-elles en commun ? Quel est leur temps ? Qu'est-ce qui les différencie ?

**❸** Recopiez la traduction de ces formes verbales. Que remarquez-vous ?

## 🔑 Le complément d'agent

**En français et en latin**

**❹** Observez les groupes de mots en gras. Quelle est leur fonction ?

**❺** Quel mot ces groupes ont-ils en commun en français ? Quel mot lui correspond en latin ?

**❻** Quel est le cas de ces groupes de mots ?

**❼** En vous aidant de la traduction, identifiez le sujet de excitatur (phrase 5 a). Quelle est la fonction du mot *colère* en français ? À quel cas est ira ?

# 1 Le présent et l'imparfait de l'indicatif passif

- À la voix passive, **le présent** de l'indicatif se conjugue comme à la voix active (pp. 48 et 56). Seules **les terminaisons changent**.

| | Terminaisons | 1re conjugaison | 2e conjugaison | 3e conjugaison | 3e conjugaison mixte | 4e conjugaison |
|---|---|---|---|---|---|---|
| **Singulier** | 1re pers. **-r** | amo**r** *je suis aimé(e)* | video**r** *je suis vu(e)* | lego**r** *je suis lu(e)* | capio**r** *je suis pris(e)* | audio**r** *je suis entendu(e)* |
| | 2e pers. **-ris** | ama**ris** | vide**ris** | lege**ris** | cape**ris** | audi**ris** |
| | 3e pers. **-tur** | ama**tur** | vide**tur** | legi**tur** | capi**tur** | audi**tur** |
| **Pluriel** | 1re pers. **-mur** | ama**mur** | vide**mur** | legi**mur** | capi**mur** | audi**mur** |
| | 2e pers. **-mini** | ama**mini** | vide**mini** | legi**mini** | capi**mini** | audi**mini** |
| | 3e pers. **-ntur** | ama**ntur** | vide**ntur** | legu**ntur** | capiu**ntur** | audiu**ntur** |

- À la voix passive, **l'imparfait** de l'indicatif se conjugue comme à la voix active (p. 86). Seules **les terminaisons changent** : **-r, -ris, -tur, -mur, -mini, -ntur**.
  amabar : *j'étais aimé(e)* – videbar : *j'étais vu(e)* – legebar : *j'étais lu(e)* –
  capiebar : *j'étais pris(e)* – audiebar : *j'étais entendu(e)*.

- Plusieurs verbes à la voix passive peuvent être construits avec un **attribut du sujet** :
  videor : je suis vu, je semble, j'ai l'air – habeor, teneor : je suis considéré comme.
  Exemple ▶ Juppiter **deorum rex** habebatur. Jupiter était considéré comme **le roi des dieux**.

# 2 Le complément d'agent

- En français, le **complément d'agent** est un groupe prépositionnel employé avec la **voix passive**. Il devient sujet de la phrase active correspondante.
  Exemple ▶ De nombreux récits fabuleux sont racontés **par le poète Ovide** (voix passive).
  <u>Le poète Ovide</u> raconte de nombreux récits fabuleux (voix active).

- En latin, le complément d'agent est à l'**ablatif** avec ou sans préposition.

| Nom de personne (animé) | Nom de chose (inanimé) |
|---|---|
| **A, ab + ablatif** | **Ablatif seul** (= complément de moyen) |
| Exemple ▶ Dei **a Jove** regebantur. Les dieux étaient gouvernés **par Jupiter**. | Exemple ▶ **Ira** dea excitatur. La déesse est excitée **par la colère**. |

Quia nominor leo.
Parce que je suis appelé lion.

**Phèdre**, *Fables*, I, 5.

## VOCABULAIRE à retenir

**Noms**

| | | |
|---|---|---|
| amor, *oris*, m. | amour |
| soror, *oris*, f. | sœur |
| uxor, *oris*, f. | épouse |

**Verbes**

| | |
|---|---|
| intro, as, are, avi, atum | entrer |
| narro, as, are, avi, atum | raconter |
| praebeo, es, ere, bui, bitum | offrir |
| regno, as, are, avi, atum | régner |
| teneo, es, ere, tenui, tentum | tenir |

**Mots invariables**

| | |
|---|---|
| clam | en cachette |
| de + abl. | à propos de ; du haut de, à partir de (marque la provenance) |

# S'exercer

## ▶ S'entraîner à lire et à dire

**①** Histoires courtes : I. O. M.

**Qui se cache derrière les initiales I. O. M.? Lisez la phrase de Cicéron, complétez la traduction... et n'oubliez pas que I = J!**

Juppiter a poetis «pater divomque hominumque» dicitur, a majoribus autem nostris Optimus Maximus.

... est dit «père des dieux et des ... » par ... ; par ... [il était dit] le Meilleur et le plus Grand.

*Cicéron*, De la nature des dieux, II, 25.

## ▶ Reconnaître les formes verbales

**②** **Identifiez ces formes verbales à l'indicatif (personne, temps et voix) et traduisez-les.**

**Ex.▶** poteras : 2ᵉ pers. de l'imparfait de l'indicatif actif.

amabatur – monemur – cepisti – fuerunt – rapiebat – petivimus – credebamus – misit – ducebantur.

**③** **Même consigne que l'exercice 2.**

rapiuntur – sciverunt – misit – vident – tenebamus – egerunt – duxistis – scripsit.

**④** **a. Identifiez la personne, le temps et la voix de ces verbes. Quels indices permettent de les reconnaître?**

agebantur – rapiuntur – caperis – dicebatur – videtur – dicimini – credebamur – tenebaris.

**b. Traduisez-les.**

## ▶ Conjuguer

**⑤** **a. Écrivez à la 1ʳᵉ personne du pluriel ces verbes conjugués à la 1ʳᵉ personne du singulier du présent de l'indicatif actif.**

accipio – condo – voco – mitto – rapio – teneo – duco – ago.

**b. Mettez les formes obtenues au présent puis à l'imparfait passifs.**

**⑥** **a. Écrivez chaque verbe donné au présent de l'infinitif actif à la forme verbale demandée à l'indicatif (entre parenthèses).**

facere (2ᵉ pers. pl. présent actif) – putare (3ᵉ pers. sg. imparfait actif) – cupere (2ᵉ pers. sg. imparfait passif) – agere (3ᵉ pers. pl. présent passif) – venire (2ᵉ pers. pl. imparfait actif) – credere (2ᵉ pers. sg. présent passif) – quaerere (3ᵉ pers. pl. imparfait passif) – petere (1ʳᵉ pers. pl. présent passif) – narrare (3ᵉ pers. sg. imparfait passif).

**b. Traduisez les formes obtenues.**

**⑦** **Écrivez chaque verbe entre parenthèses à l'indicatif imparfait actif ou passif. Justifiez votre choix.**

**1.** Nomen a patre filiis (dare). **2.** Multa dona [donum, i, n. : don] deis ab hominibus (praebere). **3.** Juppiter a Romanis Maximus Optimusque (dicere). **4.** Puella a deo (amare). **5.** A duce gloria (quaero). **6.** Hominum Mater terra (appellare). **7.** Alae [ala, ae, f.: aile] ad Mercurii pedes [pes, pedis, m.: pied] a Jove (ligo, as, are, avi, atum : attacher).

## ▶ S'initier à la traduction

**⑧** **Traduisez ces phrases.**

**1.** Pulchrae statuae templa ornabant [orno, as, are : orner].
**2.** Homines deorum verba saepe audiunt.
**3.** Terram hominum Matrem poetae appellant.
**4.** Gloria milites saepe ducit.
**5.** Tempus omnia [tout] delet.
**6.** Poetae multas fabulas narrant.

**⑨** **a. Complétez avec le bon complément d'agent les phrases de l'exercice 8, transposées au passif.**

**1.** Templa ... ornabantur. **2.** ... deorum verba saepe audiuntur. **3.** Terra hominum Mater ... appellabatur. **4.** Milites ... saepe ducuntur. **5.** Omnia ... delentur. **6.** Multae fabulae ... narrantur.

**b. Traduisez les phrases.**

## ▶ Comprendre le sens des mots

**⑩** *Jovial* ou *jupitérien*? **Complétez ces phrases en utilisant le mot qui convient.**

**1.** Son visage est plein de gaieté: il a un air ... .
**2.** Il prend une attitude autoritaire, dominatrice qui lui donne un air ... .
**3.** Il ne cesse de rire aujourd'hui : il est d'humeur ... .

**⑪** **a. De quel nom latin viennent les mots *fidèle*, *fidèlement*, *fidélité*, *infidèle*, *perfide* et *foi*?**
**b. Que signifient ces expressions?**

en toute bonne foi – servir fidèlement – jurer fidélité – parole perfide – chien fidèle – traduction infidèle – chaîne à haute fidélité (ou chaîne Hi-Fi).

**Chassez l'intrus!** **⑫** **Dans cette liste de mots latins, un seul ne se rattache pas à la racine indo-européenne *dyeu-* (p. 114). Lequel?**

deus – dies – divinus – dea – dicere – divus – Juppiter.

# Culture

# Les grands dieux des Romains

## Le conseil de Jupiter

Pour gouverner le monde, Jupiter préside un véritable
conseil des ministres (consilium Jovis).

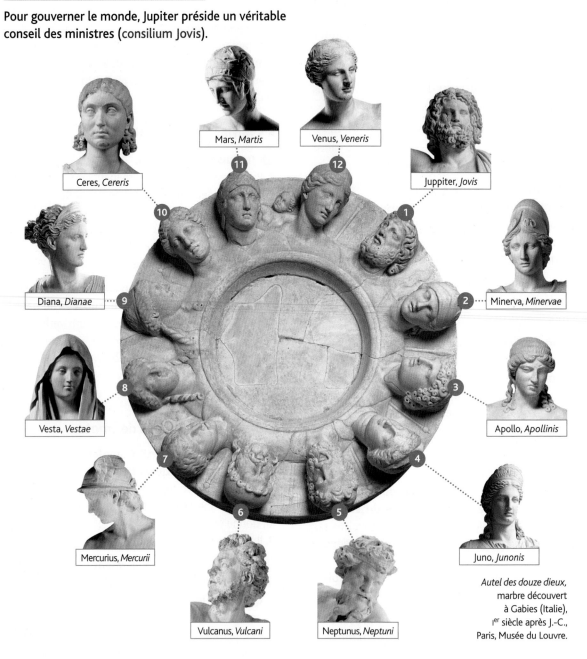

Ceres, *Cereris*

Mars, *Martis*

Venus, *Veneris*

Juppiter, *Jovis*

Diana, *Dianae*

Minerva, *Minervae*

Vesta, *Vestae*

Apollo, *Apollinis*

Mercurius, *Mercurii*

Juno, *Junonis*

Vulcanus, *Vulcani*

Neptunus, *Neptuni*

*Autel des douze dieux,
marbre découvert
à Gabies (Italie),
$I^{er}$ siècle après J.-C.,
Paris, Musée du Louvre.*

## → DU TEXTE AUX IMAGES

❶ Combien de dieux et combien de déesses comptez-vous ? À l'aide du tableau p.119,
retrouvez leur nom français puis leur nom grec équivalent.

❷ On peut reconnaître certaines divinités grâce à des objets : un diadème, un sceptre,
des casques, un trident... De quel dieu ou de quelle déesse sont-ils les attributs (p. 119) ?

❸ Sur l'autel, un dieu et une déesse sont associés par un petit dieu amour représenté
entre eux. Les Romains les considèrent comme leurs ancêtres : qui sont-ils ?

# Le panthéon gréco-romain

Sous l'influence des Étrusques (p. 39), les Romains ont intégré progressivement les caractéristiques des dieux grecs dans leur propre **panthéon** (mot grec qui signifie *tous les dieux*). Dès le IIIe siècle avant J.-C., ils honorent les douze Olympiens (les divinités siégeant sur le mont Olympe), nommés **dii Consentes** (dieux *conseillers*) parce qu'ils font partie du conseil de Jupiter. Chaque *ministre* a la charge d'un domaine et possède des attributs (objets, insignes, animaux) qui symbolisent son pouvoir.

| Dieux romains (grecs) | Domaines | Attributs |
|---|---|---|
| **Jupiter** (*Zeus*) | ciel, gestion et direction du monde | foudre, sceptre, aigle |
| **Junon** (*Héra*), sœur et épouse de Jupiter | ciel, mariage | diadème, grenade, paon |
| **Neptune** (*Poséidon*), frère de Jupiter | mer | trident, cheval |
| **Vesta** (*Hestia*), sœur de Jupiter | foyer | flamme |
| **Cérès** (*Déméter*), sœur de Jupiter | terre, moissons | gerbe de blé, faucille |
| **Mars** (*Arès*), fils de Jupiter et Junon | guerre | casque, armes |
| **Vulcain** (*Héphaïstos*), fils de Jupiter et Junon | feu, forge, techniques industrielles | enclume, marteau |
| **Minerve** (*Athéna*), fille de Jupiter | raison, activités intellectuelles | égide, casque, olivier, chouette |
| **Apollon** (*Apollon*), fils de Jupiter | soleil, arts | arc, lyre |
| **Diane** (*Artémis*), fille de Jupiter | lune, chasse | croissant de lune, arc, biche |
| **Mercure** (*Hermès*), fils de Jupiter | messagerie (transmet les ordres de Jupiter), commerce, éloquence | sandales et chapeau ailés, caducée |
| **Vénus** (*Aphrodite*), fille de Jupiter | amour, beauté | colombe |

**4** Diane, déesse de la lune, a un frère jumeau, dieu du soleil. Donnez son nom en grec et en latin. Que constatez-vous ?

*Flora*, fresque pompéienne, Ier siècle après J.-C., Naples, Musée archéologique.

# Les dieux nationaux

Les Romains honorent aussi des divinités proprement romaines, les **dii Indigetes** (dieux *indigènes*), occupés à des activités spécialisées, très souvent liées à la nature. Par exemple, **Flora** est la déesse des fleurs, **Pomona** celle des fruits, **Pales** celle des bergers et des pâturages ; le dieu **Faunus** veille sur la fécondité des troupeaux, **Liber** sur la vigne, **Vertumnus** sur le changement des saisons, **Janus** sur les portes des maisons et des villes.

**5** Dans quel mois, placé à « la porte de l'année », retrouvez-vous le nom de Janus ?

## Pour aller plus loin  À LIRE

***Petit dictionnaire de la mythologie*** de Martine Beck, © Pocket Jeunesse, 1999.

***Percy Jackson***, série de Rick Riordan, © Albin Michel, 2008.
**Tome 1**. Le Voleur de foudre.
**Tome 2**. La mer des monstres.
**Tome 3**. Le sort du Titan.
Les aventures d'un collégien au milieu des dieux et des monstres.

## Activités B2i
Se documenter sur Internet

### 1. Jupiter, fils de Titan
Recherchez dans quelles circonstances est né Jupiter et comment il a pris la place de son père, le Titan Saturne.

### 2. La triade capitoline
Préparez un exposé pour présenter les trois divinités groupées sous le nom de *triade capitoline*.

# Vénus, reine de beauté

Fille de Jupiter selon les uns, née de la mer selon d'autres,
Vénus a beaucoup inspiré les artistes : à vous de suivre
l'évolution d'un motif à travers les siècles.

◄ **1** *La naissance de Vénus*, anse en argent d'un plat du trésor de Boscoreale, IIe siècle après J.-C., Paris, Musée du Louvre.

▲ **2** *Vénus*, fresque de la maison dite de «Vénus à la coquille», Ier siècle après J.-C., Pompéi.

---

### ✂ COMPRENDRE : la technique de la fresque

Dans une riche maison romaine, tous les murs sont couverts de fresques.
La **fresque** (de l'italien *fresco*, frais) est une technique de peinture murale sur un enduit de mortier frais. Pour préparer le « tableau » (**tabula picta**), le peintre (**pictor**, *oris*, m.) trace un dessin au stylet, puis il peint avec des couleurs obtenues en délayant à l'eau des pigments minéraux: rouge vermillon avec de la poudre de cinabre (du mercure soufré), ocre avec de la terre jaune, bleu tiré du lapis-lazuli broyé (pierre bleue venue d'Égypte), vert du cuivre. Pour exécuter son travail, il doit être aussi rapide qu'habile, car tout sèche très vite.

**3** *Vénus*, statuette en marbre provenant d'une riche villa près de Bordeaux, IVᵉ siècle après J.-C., Paris, Musée du Louvre.

**4** *Vénus*, mosaïque, fin du IIᵉ siècle après J.-C., Musée de Lemta, Tunisie.

**Sandro Botticelli, 5 ▶**
*La Naissance de Vénus*, tempera sur toile (172,5 x 278,5 cm), env. 1485, Florence, Galerie des Offices.

## ✖ SITUER LES ŒUVRES

**1.** Classez les œuvres par ordre chronologique, de la plus ancienne à la plus récente.

**2.** Lesquelles datent de l'Antiquité ? Quels matériaux ont été utilisés pour les réaliser ?

## ✖ COMPARER LES ŒUVRES

**3.** Documents **1**, **2** et **5** : sur quoi est placée la déesse ?

**4.** Quelle partie de la légende de Vénus est ainsi évoquée ?

**5.** Comparez l'attitude de la déesse représentée en **3** et en **4**. Que constatez-vous ?

**6.** Qu'ont en commun les personnages représentés comme des petits garçons en **1**, **2**, **3** et **4** ? Savez-vous comment on les appelle ?

**7.** Document **2** : quel est l'animal chevauché par l'un des personnages ?

**8.** Sur quels autres documents retrouvez-vous cet animal ?

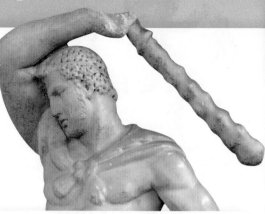

*Hercule*, sarcophage
en marbre (détail),
IIIᵉ siècle avant J.-C.,
Musée de Konya (Turquie).

## Prière à l'Invincible

*Hercule a beaucoup voyagé. De passage sur les bords du Tibre, il a tué un redoutable brigand nommé Cacus. Pour le remercier, les bergers et les paysans de la région célèbrent sa glorieuse histoire.*

Facta ferunt : ut prima novercae
monstra manu geminosque premens eliserit
              [angues,
[...] ut duros mille labores
rege sub Eurystheo fatis Junonis iniquae
5 pertulerit. «Tu nubigenas, Invicte, bimembris,

Hylaeumque Pholumque, manu, tu Cresia
              [mactas
prodigia et vastum Nemeae sub rupe leonem.
Te Stygii tremuere lacus, te janitor Orci

ossa super recubans antro semesa cruento ;

10 [...] non te rationis egentem
Lernaeus turba capitum circumstetit anguis.

Salve, vera Jovis proles, decus addite divis,

et nos et tua dexter adi pede sacra secundo.»

**Publius Vergilius Maro**, *Aeneis*.

Ils racontent ses exploits : comment il étouffa
ses premiers monstres, les deux serpents envoyés
par la femme de son père
[...] comment il endura mille travaux éprouvants,
sous le roi Eurysthée, par la volonté fatale de l'injuste
5 Junon. «Toi, l'Invincible, tu as abattu de ta main
les fils nés des nuages,
les hybrides [Centaures] Hyléus et Pholus, et les êtres
monstrueux de la Crète,
et le gigantesque lion de Némée, sous son rocher.
C'est devant toi que les marais du Styx ont tremblé,
oui, devant toi qu'il a tremblé celui qui garde
la porte d'Orcus [= des Enfers]
couché sur un tas d'ossements à demi rongés,
dans sa caverne pleine de sang ;
10 [...] tu n'as pas perdu le contrôle de ton esprit
quand le serpent de Lerne t'a attaqué avec
ses multiples têtes.
Salut, vrai fils de Jupiter, gloire nouvelle parmi
les dieux,
apporte-nous le succès, et d'un pas favorable
participe à ta fête sacrée.»

**Virgile**, *Énéide*, livre VIII, vers 288-289,
291-297 et 299-302.

### → LIRE LE TEXTE

**1** Qui est le père d'Hercule ? Qui est la femme de son père (p. 119) ?

**2** Que signifie le premier mot du vers 2 ? Quelles sont les premières créatures qu'Hercule a dû affronter ? Qui les lui a envoyées ?

**3** Quel est le mot latin traduit par *travaux* (vers 3) ? Dans quels mots français le retrouvez-vous ?

**4** Hercule est *invincible*. Quel adjectif latin le qualifie (vers 5) ?

**5** Connaissez-vous le nom de l'animal monstrueux qui garde la porte des Enfers ?

**6** Quels éléments, dans l'ensemble du texte, révèlent qu'il s'agit d'une prière ?

▶ Les héros se reconnaissent dès l'enfance à leurs dons exceptionnels.
Hercule est le plus célèbre d'entre eux.

*Découvrir l'image* ## Héros dès le berceau

Jupiter a réussi à séduire la belle Alcmène en prenant l'apparence de son mari, le général Amphitryon. De leur union est né Hercule. Mais Junon, furieuse de se voir trompée (p. 115), s'en prend au bébé.

L'implacable Junon le poursuit sans cesse. A-t-elle au moins épargné son enfance ? Non ! Il a vaincu
5 des monstres avant même de savoir ce que c'était. Deux serpents, la crête dressée, s'avancent vers son berceau.
10 L'enfant intrépide rampe à leur rencontre, il regarde tranquillement leurs yeux qui brillent comme des flammes, il se laisse enser-
15 rer dans leurs anneaux sans le moindre affolement. Et de ses petites mains potelées il tord leurs cous gonflés de venin, annon-
20 çant ainsi sa future victoire sur l'Hydre de Lerne.

**Sénèque** (env. 4 avant J.-C. - 65 après J.-C.), *Hercule furieux*, vers 213-222.

*Hercule étouffant les serpents,* fresque de la maison des Vettii à Pompéi (p. 90), env. 50 après J.-C.

*Gros plan sur...* Le serpent tient une place de choix dans les récits mythologiques, de l'énorme Python que terrasse le dieu Apollon au dragon (draco, du grec dracon : serpent monstrueux) crachant le feu qui garde la toison d'or convoitée par Jason, en passant par le fameux serpent aquatique nommé Hydre de Lerne (p. 125).

→ **LIRE L'IMAGE**

❶ Deux personnages sont représentés près d'Hercule : sa mère et le mari de celle-ci, qui élève Hercule comme son propre fils. Décrivez leur attitude.

❷ Où se passe la scène ?

❸ Quel oiseau assiste à la scène ? Pourquoi ?

# Monstres et prodiges

Dans la mythologie gréco-romaine, un **héros** a souvent pour mission d'éliminer les monstres, car ceux-ci viennent d'un temps où régnait encore le chaos des origines (p. 106). Les héros doivent donc faire régner l'ordre et faire triompher l'intelligence de l'homme face à la force brutale de la bête.

*Hercule luttant contre l'Hydre de Lerne*, vase, Vᵉ siècle avant J.-C., Paris, Musée du Louvre.

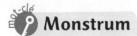

## Monstrum

Le nom **monstrum**, *i*, n. désigne tout phénomène, être ou chose, qui sort du cadre normal de la nature, provoquant la surprise et la peur. Il a donné le nom **monstre** en français. Les Romains considèrent qu'un **monstrum** est un événement extraordinaire, surnaturel et merveilleux, envoyé par les dieux comme un avertissement. Dans **mon**strum, on retrouve la racine des verbes **mon**ere (avertir, p. 70) et **mon**strare (indiquer, **montrer**).

Les **récits mythologiques** sont peuplés de **créatures imaginaires** : monstres hybrides (où se mélangent les espèces) comme les Centaures, mi-hommes mi-chevaux; monstres d'une taille démesurée, aux membres et aux têtes multiples, comme le géant Géryon ou le chien Cerbère.

Dans la vie quotidienne, les Romains voient aussi comme un **monstrum** tout **phénomène** en apparence inexplicable : par exemple, un animal né avec cinq pattes.

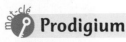

## Prodigium

Le nom **prodigium**, *ii*, n. (prodige), vient de pro (en avant) et agere (faire avancer). Il désigne tout événement apparemment surnaturel que les dieux auraient provoqué (mis en avant) pour attirer l'attention des hommes (une éclipse de soleil, une étoile filante, un coup de tonnerre dans un ciel clair, etc.). Les Romains emploient souvent monstrum et prodigium comme des synonymes. Très attachés au respect religieux de la volonté divine (numen, p. 130), ils pensent qu'il ne faut jamais prendre un prodige à la légère.

---

## Jouez avec les mots

### ❶ Les enfants d'Échidna

Plusieurs monstres vaincus par Hercule sont nés d'Échidna (la Vipère, en grec). Cette redoutable créature dotée d'un corps de femme et d'une queue de serpent est en effet la mère :
**1.** du lion de … , **2.** du chien … , **3.** de l' … de Lerne, **4.** de la … (p. 39), composée d'une tête de lion sur un corps de chèvre avec une queue de serpent, **5.** du … vaincu par Œdipe et **6.** du … qui garde la Toison d'or.

|   | | E | | | | |
|---|---|---|---|---|---|---|
| 1 | | | | | | |
| 2 | | C | | | | |
| 3 | | H | | | | |
| 4 | | I | | | | |
| | | D | | | | |
| 5 | | N | | | | |
| 6 | | A | | | | |

### ❷ Qui sommes-nous ?

Hercule est notre modèle, notre mission est de sauver le monde et d'y faire régner l'ordre. Nous sommes passés de la bande dessinée américaine au cinéma.

**a.** Mes forces sont largement au-dessus (super) de la normale.
Je m'appelle … .

**b.** En latin, on m'appellerait **Vespertilio** (chauve-souris) parce que je vole quand vient le soir (vesper).
Je suis … .

# Attention ! Travaux...

**1** <u>Deorum tempore</u> Hercules Thebis natus est. Dracones duos manibus necavit ac infans quidem erat. Deinde <u>multos annos</u> laborare debuit Eurystheo regi qui Mycenis vivebat.

Hercule naquit à Thèbes au temps des dieux. Il tua de ses mains deux énormes serpents et il n'était encore qu'un enfant. Ensuite pendant de nombreuses années il dut accomplir des travaux pour le roi Eurysthée qui vivait à Mycènes.

**2** Primum in Peloponnesum pervenit. Leonem Nemaeum, Echidnae filium, necavit ; pellem ejus pro tegumento habuit.

Il arriva d'abord dans le Péloponnèse. Il tua le lion de Némée, fils d'Échidna ; il se fit un manteau de sa peau.

**3** Deinde ad fontem Lernaeum venit Echidnaeque filiam, Hydram cum capitibus novem, interfecit.

Ensuite il vint à la source de Lerne et il tua l'Hydre à neuf têtes, fille d'Échidna.

**4** Aprum Erymanthium cervumque ferocem cum cornibus aureis cepit ; Mycenas iter fecit et eos Eurystheo regi vivos adduxit.

Il captura le sanglier d'Érymanthe et le cerf sauvage aux cornes d'or ; il fit route vers Mycènes et les ramena vivants au roi Eurysthée.

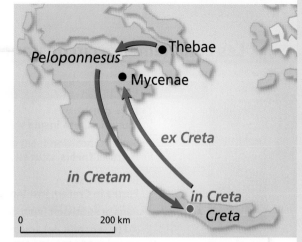

Le parcours d'Hercule.

**5** Aves Stymphalides sagittis interfecit. Deinde Augeae regis stabula a stercore purgavit.

Il tua les oiseaux du marais de Stymphale à coups de flèche. Puis il nettoya les écuries du roi Augias de leur fumier.

**6** Postea **in Cretam insulam** Hercules venit. **In Creta insula** vivebat taurus qui Minotauri monstri pater erat : eum **ex Creta insula** vivum Hercules Eurystheo regi adduxit.

Ensuite Hercule vint dans l'île de Crète. Dans l'île de Crète vivait le taureau qui était le père du monstre Minotaure : Hercule le ramena vivant de l'île de Crète au roi Eurysthée.

D'après **Hygin** (67 avant J.-C.-17 après J.-C.), *Fables*, XXX.

→ Retrouvez la suite des travaux d'Hercule en latin p. 127 (ex. 7).

## Les compléments circonstanciels de lieu

**En français et en latin**

**1** Observez le parcours d'Hercule sur la carte, puis relevez tous les compléments circonstanciels de lieu dans les phrases en français. Combien de cas différents repérez-vous en latin ?

**2** Comment sont traduits les groupes en gras dans la phrase 6 ? Sont-ils au même cas en latin ?

**En latin**

**3** Trois compléments circonstanciels de lieu ne sont pas introduits par une préposition : lesquels ?

## Les compléments circonstanciels de temps

**En latin et en français**

**4** À quel cas sont les groupes soulignés (phrase 1). Comment sont-ils traduits ?

**5** Comparez avec l'expression du lieu : que remarquez-vous ?

## La proposition subordonnée relative

**En français et en latin**

**6** Repérez les subordonnées relatives (phrases 1 et 6). Quels noms complètent-elles ? Quel mot les introduit ?

**7** Comparez-les avec les propositions correspondantes en latin (en bleu). Que remarquez-vous ?

# 1 Les compléments circonstanciels de lieu

| | Cas | Constructions | Questions |
|---|---|---|---|
| Lieu où l'on est | Ablatif | • **In** (= dans)<br>Taurus **in Creta insula** vivebat. Le taureau vivait **dans l'île de Crète**.<br>• **Sans préposition** (nom de ville)<br>Hercules **Thebis** natus est. Hercules est né **à Thèbes**. [Thebae, *arum*, f. pl.] | **Ubi** es ?<br>**Où** es-tu ? |
| Lieu où l'on va | Accusatif | • **In** (= dans, sur)<br>Postea **in Cretam insulam** venit. Ensuite il vint **dans l'île de Crète**.<br>• **Sans préposition** (nom de ville)<br>• **Ad** (= vers, près de) + accusatif<br>Hercules **ad fontem Lernaeum** venit. Hercule vint **à la source de Lerne**. | **Quo** iter facis ?<br>**Où** vas-tu ? |
| Lieu d'où l'on vient | Ablatif | • **E, ex** (= de, hors de)<br>Taurum **ex Creta insula** Hercules adduxit.<br>Hercule ramena le taureau **de l'île de Crète**. | **Unde** venis ?<br>**D'où** viens-tu ? |
| Lieu par où l'on passe | Accusatif | • **Per** (= à travers)<br>**Per Asiam** fugit. Il fuit **à travers l'Asie**. | **Qua** iter facis ?<br>**Par où** passes-tu ? |
| | Ablatif | • **Sans préposition** (= par)<br>**Via Appia** iter facit. Il passe **par la voie Appia**. | |

# 2 Les compléments circonstanciels de temps

| | Cas | Constructions | Questions |
|---|---|---|---|
| Date | Ablatif | • **Sans préposition**<br>**Monstrorum deorumque tempore**, Hercules leonem interfecit.<br>**Au temps des dieux et des monstres**, Hercule tua le lion. | **Quando ?**<br>Quand |
| Durée | Accusatif | • **Sans préposition**<br>**Multos annos** laborare debuit.<br>Il a dû travailler **pendant de nombreuses années**. | **Quamdiu ?**<br>Pendant combien de temps ? |

**Omnes viae Romam ducunt.**
Tous les chemins mènent à Rome.

**Proverbe.**

## VOCABULAIRE à retenir

### Noms

| | |
|---|---|
| antrum, *i*, n. | antre, caverne |
| bos, *bovis*, m. | bœuf |
| fons, *tis*, m. | source, fontaine |
| iter, *itineris*, n. | chemin, route |
| labor, *oris*, m. | travail |
| sagitta, *ae*, f. | flèche |

### Adjectifs

| | |
|---|---|
| altus, a, um | haut, élevé |
| certus, a, um | sûr, certain |
| durus, a, um | difficile |
| primus, a, um | premier |

### Verbes

| | |
|---|---|
| adduco, is, ere, duxi, ductum | ramener |
| interficio, is, ere, feci, fectum | tuer |
| servo, as, are, avi, atum | garder, protéger |

### Mots invariables

| | |
|---|---|
| ad + acc. | vers, près de |
| ante + acc. | avant |
| inter + acc. | au milieu de, entre |
| post + acc. | après |

## ▶ S'entraîner à lire et à dire

### ❶ Histoires courtes : Jeu d'enfant

**Lisez comment Hercule se moque du fleuve Achéloos qui s'est transformé en serpent.**

« Cunarum labor est angues superare mearum,
dixit, et ut vincas alios, Acheloe, dracones,
pars quota Lernaeae serpens eris unus Echidnae ? »

« Ce fut un de mes jeux de berceau d'étouffer des serpents, dit-il, et quand bien même tu surpasserais tous les autres dragons, Achéloos, tu crois valoir tout seul l'Hydre de Lerne née d'Échidna ? »

**Ovide**, *Métamorphoses*, III, vers 67-69.

## ▶ Décliner et conjuguer

### ❷ a. Identifiez la déclinaison, le cas, le genre et le nombre de ces groupes nom + adjectif. Plusieurs réponses sont parfois possibles.

novarum urbium – bonis civibus – durum laborem – multa castra – bone imperator – prima luce.

**b. Mettez les groupes au nominatif et traduisez.**

### ❸ Identifiez chaque forme verbale (personne, temps, mode, voix) et transposez-la au parfait de l'indicatif actif.

videtur – potes – accipitur – capiebatis – venis – quaerebam – facimus – ducunt – vincit – tenebatur.

## ▶ Reconnaître les CC de temps et de lieu

### ❹ a. Replacez ces CC de lieu ou de temps dans la phrase qui convient : ex inferis – in antrum – multos annos – ad palatium – certo tempore.

**1.** Hercules … Eurysthei jussis obtemperavit.
**2.** Hercules … Nemaeum venit et leonem interfecit.
**3.** Deinde … canem Cerberum eduxit.
**4.** … canem … adduxit.

**Vocabulaire :** palatium, *ii*, n. : palais – jussum, *i*, n. : ordre – obtempero, as, are, avi, atum : obéir à – leo, *onis*, m. : lion.

**b. Traduisez les phrases.**

## ▶ S'initier à la traduction

### ❺ a. Repérez les compléments d'agent.

**1.** A Romanis multi dei deaeque colebantur.
**2.** Juppiter deorum dearumque rex dicebatur sed ab eo homines quoque regebantur.
**3.** Apollo, poetarum deus, quoque medicinae deus erat : ab eo morbi depellebantur.

**Vocabulaire :** quoque : aussi – poeta, *ae*, f. : poète – medicina, *ae*, f. : médecine – morbus, *i*, m. : maladie – depello, is, ere, puli, pulsum : repousser.

**b. Traduisez les phrases.**

### ❻ Repérez les CC de lieu ou de temps.

**1.** Deorum tempore, magnum diluvium fuit genusque humanum periit. **2.** Deucalion cum Pyrrha in navicula e Thessalia evaserunt. **3.** In Sicilia insula, mons altus erat. **4.** Deucalion et Pyrrha in eum venerunt. **5.** Sed in insula soli erant vivereque non poterant. **6.** Itaque Jovis jussis obtemperaverunt : certo tempore lapides post se jactaverunt atque ex eis homines et feminae evenerunt.

**Vocabulaire :** diluvium, *ii*, n. : déluge – pereo, is, ire, perii, peritum : mourir – navicula, *ae*, f. : petit bateau – evado, is, ere, vasi, vasum : partir – insula, *ae*, f. : île – ita : ainsi – jussum, *i*, n. : ordre – obtempero, as, are, avi, atum : obéir à – lapis, *idis*, m. : pierre – jacio, is, ere, jeci, jactum : jeter – evenio, is, ire, veni, ventum : sortir de.

### ❼ Traduisez les phrases de l'exercice 6.

### ❽ Lisez la suite des travaux d'Hercule (p. 125) et complétez la traduction.

**1.** In **Thracia**, **Diomedem** regem et equos quattuor ejus, qui carnem humanam edebant, interfecit.
**2. Hippolytae Amazonarum** reginae balteum detraxit.
**3. Geryonem trimembrem** uno telo interfecit bovesque ejus cepit.
**4.** Draconem, **Echidnae** filium, **qui** mala aurea **Hesperidum** servabat, interfecit **Eurystheo**que regi mala attulit.
**5.** Canem **Cerberum**, Echidnae filium cum capitibus tribus, ab Inferis Eurystheo regi adduxit.

**1.** … Thrace, … Diomède … qui … . **2.** … Hippolyte, … Amazones. **3.** … Géryon aux trois corps … . **4.** … , … Échidna, qui … des Hespérides … Eurysthée. **5.** … Cerbère, … .

**Vocabulaire :** Thracia, *ae*, f. : Thrace (région) – quattuor : quatre – caro, *carnis*, f. : chair – edo, is, ere, edi, esum : dévorer – balteus, *i*, m. : ceinturon – detraho, is ere, traxi, tractum : arracher – telum, *i*, n. : javelot – malum, *i*, n. : pomme – aureus, a, um : en or – affero, fers, ferre, attuli, allatum : apporter – tres, tria : trois.

## ▶ Comprendre le sens des mots

### ❾ Que signifient ces expressions ?

tenir du prodige – un travail monstre – un monstre sacré – un monstre d'ingratitude.

**Devinette** ❿ Savez-vous que @ est une abréviation latine ? On l'appelle **arrobase** (de *a rond bas* : *a minuscule*) et il était utilisé dès le VIᵉ siècle après J.-C. Quelle préposition latine (traduite par l'anglais *at*) est ainsi représentée ? Que signifie-t-elle ?

# Hercule, héros grec et romain

## Un travail d'enfer

Après avoir parcouru les pays les plus lointains, Hercule doit encore accomplir un « travail » réputé impossible, car il le mène au royaume d'où nul ne revient : les Enfers. Cette fois, le roi Eurysthée lui a demandé de ramener Cerbère, le monstrueux chien à trois têtes.

1. *Hercule et Cerbère*, détail d'une amphore grecque (H. : 58, 20 cm), env. 530 avant J.-C., Paris, Musée du Louvre.

2. *Hercule et Cerbère*, détail d'un vase (H. : 43 cm), env. 525 avant J.-C., Paris, Musée du Louvre.

3. *Hercule et Cerbère*, détail d'un sarcophage romain en marbre, IIe siècle après J.-C., Rome, Musées du Capitole.

### → DU TEXTE AUX IMAGES

❶ Retrouvez les vers où Virgile évoque cet épisode (p. 122). Ces documents représentent le même « travail » : quel moment de l'épisode est illustré par chacune d'elles ?

❷ Décrivez Hercule sur chaque document. Quels éléments distinctifs (attributs) permettent de le reconnaître ?

❸ Décrivez Cerbère. Quelles ressemblances ou différences voyez-vous entre les trois représentations ?

❹ Un personnage s'est caché dans une jarre sur le document 2. Pourquoi ? Qui est-il ?

# Hercule et Cacus

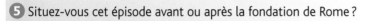

La légende d'Hercule vient de la mythologie grecque. Mais une tradition bien romaine lui attribue un exploit supplémentaire : sa victoire contre le berger Cacus, une grosse brute qui vivait dans une grotte de l'Aventin (p. 33). L'épisode se situe alors que notre héros ramène vers la Grèce les bœufs de Géryon. Après avoir traversé le Tibre à la nage, il s'endort sur la rive. Cacus en profite pour lui voler ses bêtes, mais Hercule, furieux, le tue d'un coup de sa légendaire massue. Cet exploit lui vaut d'être honoré par les habitants de l'endroit : « Fils de Jupiter ! Hercule ! Bienvenue parmi nous ! [...] Ici on te consacrera un autel et le peuple, qui sera un jour le plus puissant au monde, l'appellera Autel Maxime (Ara Maxima) et y célèbrera ton culte. » (**Tite-Live**, *Histoire romaine*, I, 7, 10)

Francesco Xanto Avelli, *Hercule et Cacus*, assiette en faïence (26 cm), 1533, provenant d'Urbino (Italie), Lyon, Musée des Beaux-Arts.

**5** Situez-vous cet épisode avant ou après la fondation de Rome ?

**6** Qu'est-ce qu'un autel ?

Le temple d'Hercule à Rome, construit à la fin du IIe siècle avant J.-C.

# Le culte d'Hercule à Rome

Comme Virgile (p. 122), Tite-Live reprend une tradition qui fait d'Hercule, le plus grand des héros grecs, une divinité protectrice de Rome. L'**Ara Maxima Herculis invicti**, le *Grand Autel d'Hercule l'invincible*, était un monument religieux important à Rome. Il se dressait au bord du Tibre, tout près du forum (place publique) qu'on appelait Boarium, le *Marché aux bœufs* (boves). L'autel a disparu, mais on peut voir encore aujourd'hui les vestiges d'un temple rond dédié à Hercule Victorieux (Victor).

**7** Les Romains voyaient dans le plus ancien forum de la ville la trace du passage d'Hercule menant son troupeau : quel indice le montre dans le nom de ce forum ?

---

## Activités B2i — Présenter un exposé, choisir des images

### 1. Le catalogue des travaux
Faites la liste des douze travaux d'Hercule sous forme d'un catalogue illustré. Accompagnez-le d'extraits d'auteurs antiques ou modernes et d'images (avec des références précises à des œuvres variées). N'oubliez pas la bande dessinée et le cinéma, où Hercule a été le héros de nombreux films (y compris un dessin animé de Walt Disney) !

### 2. Hercule aux limites du monde
Cherchez où se sont passés les travaux d'Hercule en dehors de la Grèce et présentez l'épisode des bœufs de Géryon.

## Pour aller plus loin À LIRE

*Les douze travaux d'Hercule* de Christian Grenier, © Pocket Jeunesse, 2001.

*Les douze travaux d'Hercule : récits des temps mythologiques*, de Gabriel Aymé, © Hachette - Le Livre de poche, 2008.

*Les douze travaux d'Hercule* d'Anne Jonas et Frédéric Pillot, © Milan Jeunesse, 2006.

# Le contrat avec les dieux

Les Romains se considèrent comme les plus *religieux* des humains : c'est pourquoi ils se sentent protégés par les dieux. Après une victoire, ils invitent même les dieux du camp adverse à venir à Rome pour y être honorés. Ainsi, privés de leurs divinités, les peuples vaincus sont encore plus faibles.

Statue de Jupiter en bronze, IIe siècle après J.-C., Paris, Musée du Louvre.

*Cicéron explique ce qui fait la supériorité des Romains.*

**Q**ui est assez fou, si on prend la peine de lever les yeux vers le ciel, pour ne pas sentir qu'il existe des dieux ? […] Et qui est assez fou, si on admet l'existence des dieux, pour ne pas admettre que c'est à leur volonté (eorum numine) que
5 notre empire immense a dû sa naissance, son expansion et sa sauvegarde ? […] C'est par la piété (pietas), c'est par la religion (**religio**) et c'est par cette sagesse (sapientia) qui nous a fait reconnaître clairement que tout est réglé et gouverné par la puissance des dieux immortels (deorum immortalium
10 **numine**), oui, c'est par ces qualités que nous l'avons emporté sur tous les peuples et toutes les nations de la terre.

**Cicéron** (106-43 avant J.-C.), *De la réponse des haruspices*, IX, 19.

##  Religio

Le nom **religio**, *onis*, f. désigne le sentiment religieux que les Romains éprouvent à l'égard des dieux. On le rapproche de **religare** (attacher, relier) ou de **relegere** (recueillir, reconnaître) pour exprimer l'idée d'un lien entre le monde divin et le monde humain. La relation entre les hommes et les dieux ressemble à un contrat où chaque partie s'engage à rendre service à l'autre : les hommes font des offrandes aux dieux, les dieux offrent leur protection aux hommes.

Pour la bonne marche du contrat, les hommes doivent comprendre ce que veulent les dieux : c'est le sens du mot **numen**.

##  Numen

Le nom **numen**, *inis*, n. désigne la **volonté** d'une divinité. Il est formé sur la même racine que **nu**ere (faire un signe de tête). Les Romains imaginent souvent que le numen se manifeste de manière concrète. Si la divinité est satisfaite, elle le montre par un signe (comme si elle faisait oui de la tête) tout en restant invisible. Ainsi la volonté de Jupiter (**Jovis numen**) se manifeste par le tonnerre et par la foudre. Mais on peut aussi interpréter un simple éternuement (ster**numen**tum, *i*, n) comme le signe d'une volonté divine. D'où la coutume de dire « À vos souhaits » !

### ↪ LIRE LE TEXTE

❶ Relevez, en français et en latin, les qualités qui caractérisent le peuple romain selon Cicéron.

❷ À qui les Romains doivent-ils leur puissance ?

❸ Quel historien exprime le même genre d'opinion (pp. 22 et 40) ?

▶ **S'entraîner à la lecture et à la traduction**

**1** **a. Complétez chaque phrase avec l'un de ces mots au cas qui convient. Plusieurs réponses sont parfois possibles.**

dux – urbs – labor – mare – rex – miles.

**1.** In Italia, multae … pulchrae erant.
**2.** Graeci in multis … navigaverunt.
**3.** Romulus magnus … fuit.
**4.** Longa bella … gerebant.
**5.** Bono … milites semper parent.
**6.** Multos … Hercules Eurystheo … fecit.

**b. Traduisez les phrases obtenues.**

**Vocabulaire :** navigo, as, are, avi, atum : naviguer – paro, as, are, avi, atum : préparer.

**2** **a. Recopiez ces phrases et soulignez en rouge les verbes conjugués, en bleu les compléments de temps, en vert les compléments de lieu.**

**1.** Fabularum tempore, Juppiter, deorum rex, pulchram puellam, Europam, Agenoris filiam, in litore vidit.
**2.** Prima luce, deus in taurum se mutavit paucisque temporibus in terram venit.
**3.** Juppiter amore pulsus puellam rapuit et in insulam Cretam duxit.
**4.** Deinde in Creta multos menses cum Europa vixit.
**5.** Junoni magna ira fuit ; itaque e caelo venire puellamque interficere statuit.

**b. Traduisez les phrases.**

**Vocabulaire :** Europa, ae, f. : Europe – Agenor, oris, m. : Agénor (roi phénicien) – litus, oris, n. : rivage – taurus, i, m. : taureau – se muto, as, are, avi, atum : se transformer (in + acc : en) – pauci, ae, a : peu nombreux – pulsus, a, um : poussé – insula, ae, f. : île – mensis, is, m. : mois – ita : ainsi – caelum, i, n. : ciel – statuo, is, ere, ui, utum : décider de + inf.

**3** **a. Lisez en latin et en français la suite de l'histoire de Jupiter et Sémélé (p. 115).**

*Junon a pris l'apparence de la vieille nourrice de Sémélé pour lui donner ce funeste conseil : demander à son amant Jupiter de lui faire la démonstration de sa toute-puissance. Comme Jupiter a juré d'exaucer tous les vœux de Sémélé, il tient sa promesse.*

A deo nubili venti et tonitrum et fulgura congregabantur. Inevitabile fulmen additur. Statim Cadmi filia fulminatur : uritur infelix Semela igneque deletur !

Le dieu rassemblait les vents qui apportent les nuages, le tonnerre et les éclairs. Il rajoute la foudre qu'on ne peut éviter. Aussitôt la fille de Cadmos est foudroyée : elle est brûlée la pauvre Sémélé et elle est anéantie par le feu.

*Jupiter accablé veut au moins sauver l'enfant qu'attendait Sémélé.*

Imperfectus adhuc infans genetricis ab alvo
eripitur patrioque tener (si credere dignum est)
insuitur femori maternaque tempora complet.

Le bébé encore inachevé est arraché du ventre de sa mère, tout fragile (s'il est permis de le croire), il est cousu dans la cuisse de son père et il arrive à terme (= il accomplit le temps normal passé dans le ventre maternel).

**Ovide**, *Métamorphoses*, III, vers 310-312.

*Cet enfant, c'est le dieu Bacchus, que les Grecs appellent Dionysos.*

**b. Dans le texte latin, relevez tous les verbes au passif avec leur sujet.**

**c. Relevez tous les compléments d'agent.**

**4** **a. En vous aidant du texte de l'exercice 3, traduisez en latin ces courtes phrases.**

**1.** La pauvre fille du roi Cadmos est brûlée par la foudre [fulmen, *inis*, n.] de Jupiter.
**2.** Le bébé est arraché et cousu dans la cuisse [femur, *femoris*, n.] de Jupiter.
**3.** Le bébé est appelé Bacchus par les Romains.

**b. Que signifie en français l'expression « être né de la cuisse de Jupiter » ?**

▶ **Réviser le vocabulaire**

**5** **Voici un extrait d'un petit guide de culture générale pour les élèves romains. En vous aidant de la traduction replacez les mots de la liste au bon endroit dans le texte latin.**

aer – aqua – caelum – de mundo – cosmos – mare – elementa mundi – ignis – mundus – orbem terrarum – quattuor – terra – venti.

… est universitas rerum in quo omnia sunt et extra quem nihil ; qui Graece dicitur … … … sunt … : … ex quo est …, … ex qua … Oceanum, … ex quo … et tempestates, … quam propter formam ejus … … appellamus.

**Lucius Ampelius**, *Liber memorialis*, « … … ».

Le monde est l'ensemble des choses : en lui il y a tout et hors de lui, rien ; en grec, on l'appelle *cosmos*. Les éléments du monde sont quatre : le feu à partir duquel est [formé] le ciel, l'eau à partir de laquelle est [formée] la mer Océan, l'air à partir duquel sont [formés] les vents et les tempêtes, la terre que, à cause de sa forme, nous appelons « cercle des terres ».

**Ampélius**, *Aide-mémoire*, « *Du monde* », IIe siècle après J.-C.

**6 a.** Retrouvez dans la grille les onze noms latins qui correspondent aux définitions suivantes. Ils sont inscrits horizontalement ou verticalement.

| D | E | I | M | U | N | D | U | S |
|---|---|---|---|---|---|---|---|---|
| E | O | C | P | I | E | T | A | S |
| U | M | O | N | S | T | R | U | M |
| S | A | S | T | E | R | R | A | H |
| H | O | M | I | N | E | S | C | O |
| P | R | O | D | I | G | I | U | M |
| S | H | S | F | I | D | E | S | O |

**1.** Elle est notre « mère universelle » (p. 106). **2.** Il est immortel et il habite dans le ciel (p. 114). **3.** Du haut du ciel, ils nous surveillent (mettez le nom précédent au pluriel). **4.** C'est « le respect de la parole donnée » (p. 114). **5.** Le premier a été fabriqué avec de la terre (p. 106). **6.** Ils ont suivi le premier (mettez le nom précédent au pluriel). **7.** Énée est son modèle (p. 114). **8.** Depuis le *big bang*, c'est « un tout bien rangé » en grec (p. 106). **9.** Cerbère en est un (p. 124). **10.** Quatre éléments le constituent (p. 106). **11.** C'est un « événement surnaturel » envoyé par les dieux (p. 124).

**b.** Avec les cinq lettres non utilisées, formez le mot d'origine grecque qui désigne l'état de l'univers avant le *big bang* de la création.

▶ **Enrichir son vocabulaire**

**7 a.** Replacez chaque mot dans la phrase qui convient.

apollon – herculéen – mercure – minerve.

**1.** Depuis son accident, il est obligé de porter une ... pour maintenir sa tête bien droite. **2.** En quelques jours, il a accompli un travail ... . **3.** Cet acteur de cinéma est très fier de sa beauté : il se prend pour un ... . **4.** Autrefois nommé *vif-argent*, le ... est un métal très fluide : il se déplace très vite.

**b.** Quel dieu ou déesse, héros ou monstre se cache derrière chacun de ces mots ?

**8 Même consignes que l'exercice 7 avec ces mots.**

cerbère – céréales – chimérique – volcanique.

**1.** Dans cette île, les spécialistes ont noté une grande activité ... . **2.** Le gardien de cet immeuble ne veut pas nous laisser entrer : c'est un ... . **3.** Son projet est irréalisable : il est totalement ... . **4.** Tous les matins, je prends un grand bol de ... .

▶ **Connaître les légendes**

**9 Tirez au sort un meneur de jeu qui posera en latin les questions du quiz suivant à la classe : après vérification (pp. 104 et 107), le gagnant sera celui / celle qui aura obtenu le plus de bonnes réponses.**

Quis ? Qui ? – Quae ? (avec un féminin) Quelle ? – Quid ? Quoi ? – Quod ? (avec un neutre) Quel ? – Cui ? À qui ? – Quomodo ? Comment ?

**1.** Quis primum hominem creavit ?
   **a.** Saturnus **b.** Vulcanus **c.** Prometheus
**2.** Is est filius :
   **a.** Japeti Titanis
   **b.** Priami Troiae regis
   **c.** deae Veneris
**3.** Quomodo fecit ?
   **a.** e luto **b.** ex aqua **c.** ex igne

**10 Changez de meneur de jeu : même consigne. Pour vérifier les réponses, voir pages 107 et 115.**
**1.** Quis primae mulieris corpus finxit ?
   **a.** Juppiter **b.** Vulcanus **c.** Neptunus
**2.** Quae dea ei animam dedit ?
   **a.** Terra **b.** Vesta **c.** Minerva
**3.** Quod nomen primae mulieri dei dederunt ?
   **a.** Pandora **b.** Eva **c.** Rhea
**4.** Id est (= mulieris nomen significat) :
   **a.** omnium hominum cura
   **b.** omnium dearum corpora
   **c.** deorum omnia dona
**5.** Cui primam mulierem dei dederunt ?
   **a.** Remo, Romuli fratri
   **b.** Epimetheo, Promethei fratri
   **c.** Neptuni, Jovis fratri

**11 Changez de meneur de jeu : même consigne. Pour vérifier les réponses, voir page 111.**
**1.** Quae est prima aetas hominibus ?
   **a.** argentea **b.** aurea **c.** ferrea
**2.** Quis diluvium suscitavit ?
   **a.** Juppiter **b.** Neptunus **c.** Mars
**3.** Vir unus mulierque una superfuerunt :
   **a.** Deucalion et Pyrrha
   **b.** Faunus et Flora
   **c.** Latinus et Lavinia
**4.** Quid ii jactaverunt ?
   **a.** vasa mensae
   **b.** cibum cenae
   **c.** ossa terrae

## ▶ Connaître les travaux d'Hercule

**⑫** Hercule a noté dans son agenda la liste de tout ce qu'il a à faire (ce qui précisément se dit **agenda** en latin). Mais il a mélangé les informations qui doivent le guider dans ses douze travaux. À vous de reconstituer sa « feuille de route » en complétant les phrases avec les mots de la liste.

dragon – Crète – pommes – bœufs – têtes – oiseaux – Thrace – chien – lion – jardin – sanglier – marais – Géryon – cerf – chair – fleuve – Cerbère – flèches – chevaux – ceinture – taureau – Hydre – Augias – Enfers – Eurysthée – Amazones – manteau – écuries.

**1.** Tuer le … de Némée et se faire un … avec sa peau.
**2.** Couper les neuf … de l' … de Lerne.
**3. et 4.** Capturer le … monstrueux qui vit sur le mont Érymanthe et le … sauvage aux cornes d'or pour les rapporter vivants au roi … .
**5.** Transpercer à coup de … les redoutables … de proie du … de Stymphale.
**6.** Nettoyer le fumier des … du roi … en détournant les eaux d'un … .

**7.** Ramener le puissant … de l'île de … .
**8.** Dompter les … du roi de … qui mangent de la … humaine.
**9.** Rapporter la … d'Hippolyte, la reine des … .
**10.** Ramener les … du géant … .
**11.** Tuer le … qui garde le … des Hespérides et rapporter les … d'or.
**12.** Ramener … , le … qui garde l'entrée des … .

---

## ▶ S'exclamer comme les Romains

*Latinis verbis*

*Dans la conversation courante, les Romains jurent beaucoup. Ils aiment prendre des dieux ou des héros célèbres comme témoins de ce qu'ils disent, pour garantir la sincérité de leurs paroles ou simplement pour exprimer leurs émotions (surprise, joie, colère). Il ne s'agit donc pas d'un comportement grossier ou d'un manque de politesse, mais plutôt d'une habitude de langage.*

**À votre tour, apprenez quelques formules pour ponctuer vos phrases.**

### Les verbes

• **juro, as, are, avi, atum** : prêter serment, prendre à témoin, promettre
• **obsecro, as, are, avi, atum** : prier, supplier
• **obsecro (employé seul)** : je t'en prie, de grâce, au nom du ciel

### Les expressions avec Jupiter

*On peut prendre Jupiter à témoin (avec précaution !) :*

• **Jovem (Acc.), Jove (Abl.)** : par Jupiter !
• **Jovem lapidem juro** (Cicéron) : je jure par le Jupiter de pierre.

*N.B. Les Anglais distingués (comme les personnages de bande dessinée Blake et Mortimer) jurent encore « By Jove ! ».*

Soror, hercle, salve !

Et tu, edepol, salve !

### D'autres expressions

*Attention ! à n'utiliser que dans les cas extrêmes, car aucune de vos paroles ne pourra être modifiée par la suite :*

• **Stygiae paludis numen juro.** (Virgile) Je jure par la volonté divine du Styx [le fleuve des Enfers].

*On jure aussi **par les divinités du foyer** (p. 76), par la main droite qui est la main du serment :*

• **Te per Genium dextramque deosque Penates obsecro...** (Horace) Par ton Génie, par ta (main) droite et par tes dieux Pénates, je t'en conjure...

*Les Romains jurent enfin beaucoup **« par Hercule »** et **« par Pollux »** (fils de Jupiter et frère jumeau de Castor), qui fait partie de la constellation des Gémeaux.*

• **Hercle**, ou avec **me** (moi) : **me hercule** ou **mehercules**, abrégé en **mehercle**.
• **Bene factum, hercle, et gaudeo.** (Plaute) Bien fait, par Hercule, et je m'en réjouis.
• **Et tu, edepol, salve !** (Plaute) Et toi, par Pollux, salut !

*Mort d'Actéon*, vase grec (détail),
env. 440 avant J.-C., Paris,
Musée du Louvre.

**Découvrir** le texte

## La punition d'Actéon

*Actéon est un beau jeune homme qui aime la chasse.*
*Un jour, en suivant ses chiens, il se retrouve dans une forêt qu'il ne connaît pas.*

| | |
|---|---|
| **V**allis erat piceis et acuta densa cypressu,<br>nomine Gargaphie succinctae sacra Dianae.<br>[…] | **I**l y avait un vallon couronné de pins et de cyprès.<br>On le nomme Gargaphie, et il est consacré à Diane,<br>qui porte sa tunique retroussée. […] |

*Actéon est entré sans le savoir dans le domaine de la déesse. Il l'aperçoit en train de se baigner nue,*
*entourée de ses compagnes. Celles-ci se précipitent pour la cacher. Trop tard !*

| | |
|---|---|
| Quae, quamquam comitum turba est stipata suarum,<br>in latus obliquum tamen adstitit oraque retro<br>5  flexit et, ut vellet promptas habuisse sagittas,<br>quas habuit sic hausit aquas vultumque virilem | Bien que ses compagnes aient fait un cercle autour d'elle,<br>elle [= Diane] baisse la tête et détourne son visage,<br>5  de même qu'elle voudrait avoir sous la main ses flèches<br>toutes prêtes, de même elle prend de l'eau et la jette<br>à la figure du jeune homme, |
| perfudit spargensque comas ultricibus undis<br>addidit haec cladis praenuntia verba futurae :<br>« Nunc tibi me posito visam velamine narres,<br>10  sit poteris narrare, licet ! » Nec plura minata<br>dat sparso capiti vivacis cornua cervi, | tout en arrosant ses cheveux pour se venger<br>elle ajoute ces mots qui annoncent un désastre à venir :<br>« Maintenant va raconter que tu m'as vue sans voile,<br>10  si tu peux encore raconter ! » Et sans menacer davantage,<br>elle fait pousser des bois de cerf sur sa tête encore<br>dégoulinante d'eau, |
| dat spatium collo summasque cacuminat aures<br>cum pedibusque manus, cum longis bracchia mutat<br>cruribus et velat maculoso vellere corpus ;<br>15  additus et pavor est : fugit Autonoeius heros | elle allonge son cou, fait dresser ses oreilles en pointe,<br>change ses mains en pieds, ses bras en longues pattes<br>fines et couvre tout son corps d'une peau tachetée ;<br>15  et elle ajoute la frayeur en prime : il fuit, le fils<br>d'Autonoé [fille du roi de Thèbes Cadmus] |
| et se tam celerem cursu miratur in ipso. | et, tout en courant, il s'étonne lui-même d'être si rapide. |
| **Publius Ovidius Naso**, *Metamorphoseon libri*, liber tertius. | **Ovide** (43 avant J.-C.-18 après J.-C.), *Métamorphoses*,<br>livre III, vers 155-156, 186-199. |

*Celui qui était un chasseur renommé n'est plus qu'un pauvre cerf chassé : ses cinquante chiens se ruent sur lui.*
*En voyant le malheureux déchiqueté par la meute, Diane s'estime enfin vengée.*

→ **LIRE LE TEXTE**

❶ Quelle déesse est citée au vers 2 ? Quelle activité protège-t-elle (p. 119) ?

❷ Quel adjectif latin la qualifie ? Quel est son sens précis (exercice 12 p. 79) ?

❸ Que signifie un lieu « consacré » ? Quel mot latin traduit-il (vers 2) ?

❹ Quelle faute a commise Actéon ? Quelle est sa punition ?

❺ Quels vers décrivent la transformation d'Actéon ? Relevez les étapes de cette métamorphose.

▶ Les dieux ont le privilège de l'immortalité.
Ils ont aussi celui de se transformer ou de transformer les mortels.

## Crime et châtiment

Retrouvez le déroulement de l'histoire d'Actéon comme sur une bande dessinée. Sous la fresque, une inscription en latin prend la défense du malheureux chasseur. Elle se termine par ces mots :

PRO CRIMINE P[O]ENAS FERRE LICET : TALIS NEC DECET IRA (DEAS).

Il est permis de faire payer [les mortels] pour un crime, mais une telle colère ne convient pas (aux déesses).

Francesco **Mazzola** dit **Le Parmesan**, *Diane et Actéon*, 1524, fresque du château de Fontanellato, près de Parme (Italie).

**Gros plan sur...** *Le croissant de lune est l'attribut distinctif de Diane (p. 119), sœur jumelle d'Apollon, lui-même associé au soleil. Diane est une déesse qui refuse l'amour et le mariage. Elle n'aime que la chasse et la nature sauvage.*

→ **LIRE LES IMAGES**

❶ Quel moment précis de l'histoire est représenté sur le document 1 ? Décrivez-le en vous inspirant des vers d'Ovide (p. 134). Quel geste est en train de faire la déesse ?

❷ Quelle est l'apparence d'Actéon ? Quels objets montrent qu'il aime la chasse ?

❸ Où est Actéon sur le document 2 ?

# Des dieux et des hommes

Les *Métamorphoses* d'Ovide peuvent se lire comme un passionnant roman d'aventures, mais elles sont aussi une invitation à réfléchir sur des questions essentielles. Qui a créé le monde et les hommes (p.104)? Peut-on changer de forme? Quelle est la nature d'un dieu? Vit-il dans un espace **sacré**, interdit aux hommes?

*Actéon et Artémis (Diane)*, relief en terre cuite, env. 440 avant J.-C., Naples, Musée archéologique.

## Sacer

L'adjectif **sacer**, sacra, sacrum désigne ce qui est **sacré**, séparé du monde humain et con**sacré** (réservé) à une divinité. Pour les Romains, le **respect religieux** dû aux dieux (p. 130) exige qu'on protège tout ce qui leur appartient, tout ce qui est considéré comme **sacré**.

Dans la domus, c'est le pater familias qui fait respecter les rites sacrés (p. 76). Dans la cité, ce sont les prêtres qui sont chargés d'accomplir toutes les cérémonies sacrées.

Les **profanes** sont ceux qui ne sont pas autorisés à toucher aux choses sacrées: l'adjectif **profanus** désigne en effet celui qui doit rester devant (**pro**) l'espace sacré (**fanum**), réservé au dieu (son temple, par exemple), parce qu'il n'a pas le droit d'y entrer.

## Le sacrilège d'Actéon

*Vous avez lu comment le chasseur Actéon a **transgressé** la règle sans le vouloir. Il est allé au-delà (**trans**) de l'espace autorisé et il est entré (**gressus**) dans un espace défini comme interdit, réservé aux dieux (**sacer**). Il a ainsi **profané** le territoire de la déesse de la chasse: il a commis un **sacrilège** et il est immédiatement puni. L'histoire d'Actéon est le récit d'une trans**forma**tio (transformation), mot latin correspondant au grec métamorphosis (métamorphose). Un être sort **au-delà** (préfixe **trans-** ou **méta-**) de sa **forme physique** (**forma** ou **morphé**, en grec) pour en prendre une autre.*

## Jouez avec les mots

### ❶ Un peu de grec

Voici sept pièces de puzzle où sont inscrits des préfixes ou des suffixes directement tirés du grec qui ont servi à composer de nombreux mots français. À vous d'associer les pièces pour retrouver les mots à insérer dans ces phrases. Chacune ne peut être utilisée qu'une fois, sauf la pièce violette qui doit être utilisée quatre fois.

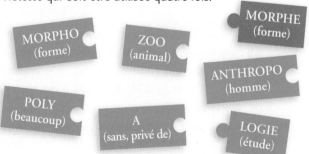

**a.** En grammaire, nous avons appris la … des noms et des verbes.

**b.** Ce vase a la forme d'un animal: il est …

**c.** Tu as perdu ta forme? Ce n'est pas le moment de rester … !

**d.** Les dieux sont à l'image des hommes: ils sont … .

**e.** Ce virus informatique peut prendre beaucoup de formes: il est … .

### ❷ Cherchez l'intrus

Tous les mots de la liste sont issus de **sacer** ou de **profanus**, sauf deux. Lesquels? désacraliser – profaner – sacre – saccager – profanateur – sacrifice – profanation – sacrement – proférer – sacerdoce.

# La déesse au bain

**1 a.** Dea vestem sagittasque deponit.
**b.** <u>Sparsos</u> per collum capillos
colligit in nodum.
**c.** In aquam fontis pedem ponit.
**a.** La déesse pose son vêtement
et ses flèches. **b.** Elle rassemble
en un nœud ses cheveux <u>répandus</u>
sur son cou. **c.** Elle met le pied
dans l'eau de la source.

**2** Dea, veste sagittisque depositis,
capillis sparsis per collum in nodum
collectis, in aquam fontis pedem ponit.
Après avoir déposé son vêtement
et ses flèches et rassemblé en
un nœud ses cheveux répandus
sur son cou, la déesse met le pied
dans l'eau de la source.

*Diane dans son bain*, mosaïque romaine, IIIᵉ siècle après J.-C.,
Philippopolis (Syrie), Musée de Shahba.

**3 Posito velamine**, deam <u>nudatam</u>
Actaeon vidit.
Une fois le voile <u>posé</u> [= le voile ayant été posé],
Actéon a vu la déesse <u>déshabillée</u> [= nue].

**4** Dea hominis corpus cum cervi corpore mutat.
La déesse échange le corps de l'homme
avec le corps d'un cerf.

**5 Corpore <u>mutato</u>**, homo cervus videtur.
Le corps <u>ayant été changé</u>, l'homme est vu
comme un cerf. [= Après la transformation
de son corps, l'homme ressemble à un cerf.]

**6** Canes Acteonis membra dilacerant.
**<u>Dilaceratis</u>** venatoris **membris**, deae
ira satiatur.
Les chiens déchirent les membres d'Actéon.
Une fois les membres du chasseur
<u>déchiquetés</u> [= les membres du chasseur
ayant été déchiquetés], la colère de la déesse
est rassasiée.

D'après **Ovide**, *Métamorphoses*, III.

## 🔍 Le participe parfait passif

**En latin et en français**

**❶** Avec quel mot sparsos est-il accordé dans
la phrase 1 b ? Comment est-il traduit ? À quelle
classe grammaticale (noms, adjectifs, verbes...)
appartient-il ?

**❷** Dans la phrase 2, depositis, sparsis et collectis
sont-ils traduits par des noms, des adjectifs ou
des verbes ?

**❸** Relevez les mots soulignés en latin dans les
phrases 3, 5 et 6. À quelle classe grammaticale
appartiennent les mots qui les traduisent en
français ?

## 🔍 L'ablatif absolu

**En français**

**❹** Relisez les phrases 1 (a, b, c) et 2. L'action
est-elle racontée de la même façon ?

**❺** Quelle est la fonction de l'expression « après
avoir déposé son vêtement et ses flèches et
rassemblé ses cheveux » (phrase 2) ?

**En latin et en français**

**❻** À quel cas sont les groupes de mots en gras
dans les phrases 3, 5 et 6 ? Observez les groupes
de mots qui les traduisent : quelle est la fonction
de chacun d'eux ?

# 1 Le participe parfait passif

- Le **participe parfait passif** se forme à partir du radical du **supin** (dernière forme des temps primitifs, p. 48). Il a les mêmes terminaisons que les adjectifs de la 1re classe (-us, -a, -um).

| | 1re conjugaison | 2e conjugaison | 3e conjugaison | 3e conjugaison mixte | 4e conjugaison |
|---|---|---|---|---|---|
| Supin | amatum | visum | lectum | captum | auditum |
| Participe | amatus, a, um *ayant été aimé* | visus, a, um *ayant été vu* | lectus, a, um *ayant été lu* | captus, a, um *ayant été pris* | auditus, a, um *ayant été entendu* |

- Le **participe parfait de la voix passive** est souvent employé comme **adjectif épithète**. Il s'accorde en **cas**, **genre** et **nombre** avec le nom auquel il se rapporte. On peut le traduire par une proposition subordonnée relative.

  Exemple ▶ Vox **audita** perit ; **scripta** manet. **Entendue** une parole se perd ; **écrite** elle reste.
  Une parole [**qui a été**] **entendue** se perd ; une parole [**qui a été**] **écrite** reste.

# 2 L'ablatif absolu

- On appelle **ablatif absolu** un groupe indépendant, comme détaché (c'est le sens d'*absolu*) du reste de la phrase. Il est composé d'un **participe parfait passif et d'un nom**, tous les deux à **l'ablatif**, accordés en genre et nombre.

  Exemple ▶ **Posito velamine**, deam nudatam Actaeon vidit.
  **Le voile ayant été posé** [= une fois le voile posé], Actéon a vu la déesse nue.

- L'**ablatif absolu** peut se traduire par un **complément circonstanciel de temps** qui exprime une antériorité par rapport au verbe principal.

  Exemple ▶ Dea, **sagittis depositis**, in aquam fontis pedem ponit.
  **Après avoir déposé ses flèches**, la déesse met le pied dans l'eau de la source.

- L'**ablatif absolu** peut aussi se traduire par un **complément circonstanciel de cause**.

  Exemple ▶ **Dea nudata visa**, Actaeon in cervum mutatur. **La déesse ayant été vue nue** [= Parce qu'il a vu la déesse nue], Actéon est changé en cerf.

> **Aperto libro.**
> À livre ouvert.
>
> (Expression qui signifie qu'on lit un texte sans aucune difficulté)

## VOCABULAIRE à retenir

### Verbes

| | |
|---|---|
| addo, is, ere, didi, ditum | ajouter |
| excito, as, are, avi, atum | faire naître, provoquer |
| muto, as, are, avi, atum | changer |
| paro, as, are, avi, atum | préparer |
| perficio, is, ere, feci, fectum | terminer |
| pervenio, is, ire, veni, ventum | arriver à |
| sedeo, es, ere, sedi, sessum | s'asseoir |
| verto, is, ere, ti, sum | faire tourner, transformer |

### Noms

| | | |
|---|---|---|
| capillus, *i*, m. | cheveu |
| hostis, *is*, m. | ennemi |
| vestis, *is*, f. | vêtement |

### Mots invariables

| | |
|---|---|
| ibi | ici, à cet endroit |
| tandem | enfin |

## ▶ S'entraîner à lire et à dire

**1** Histoire courte : Sur la toile

**Lisez les paroles de cette étrange brodeuse. Qui est-elle ? Vous le découvrirez p. 141.**

Pallas me docuit texendi nosse laborem ;
nec pepli radios poscunt nec licia telae ;
nulla mihi manus est, pedibus tamen omnia fiunt.

Pallas [autre nom de Minerve] m'a enseigné l'art du tissage, mais mes tissus ne demandent ni navettes ni cordons pour travailler sur la toile, je n'ai pas de mains, ce sont mes pieds qui font tout.

**Symphosius** (IV<sup>e</sup> siècle après J.-C.), *Aenigmata*, XVII.

## ▶ Conjuguer et décliner

**2** **Formez le participe parfait passif de ces verbes.**
muto, as, are, avi, atum – voco, as, are, avi, atum – accipio, is, ere, cepi, ceptum – verto, is, ere, ti, sum – mitto, is, ere, misi, missum – addo, is, ere, didi, ditum.

**3** **Donnez le participe parfait passif de ces verbes.**
videre – agere – ducere – facere – dicere – legere.

**4** **a. Dans cette liste, repérez les participes parfaits passifs. Donnez leur cas, leur genre, leur nombre. Plusieurs réponses sont parfois possibles.**
debetis – capto – dictis – habetis – amatis – acta.
**b. Indiquez la personne, le temps, et la voix de chaque verbe à l'indicatif et traduisez.**

**5** **Traduisez ces groupes formant un ablatif absolu.**
**Ex.** ▶ posito velamine → le voile ayant été posé.
verbis dictis – pace facta – vocibus auditis – populis ductis – duce victo.

**6** **a. Identifiez le cas, le genre et le nombre de ces groupes nom + participe parfait passif. Plusieurs réponses sont parfois possibles.**
hostes victos – urbium captarum – epistula missa – consilia audita – puerum spectatum.
**b. Mettez chaque groupe à l'ablatif et traduisez sur ce modèle :** posito velamine → une fois le voile posé, après avoir posé le voile.

## ▶ Reconnaître l'ablatif absolu et s'initier à la traduction

**7** **Identifiez a. les compléments circonstanciels de temps et de lieu, b. les groupes à l'ablatif absolu.**
Juppiter et Mercurius de caelo in terram quondam venerunt. Positis alis, Mercurius cum Jove per Graeciam ivit. Juppiter et Mercurius longas horas iter fecerunt viribusque absumptis, tutum tectum petiverunt. Ad parvam casam tandem pervenerunt. Ibi, Philemon et Baucis, rustici Graeci, vitam tranquillam agebant.

Magna paupertate magnificam mensam deis praebere non poterant. Baucis tamen cenam paravit. Philemon et Baucis Jovis mirum praemium accipiunt : in arbores mutantur.

**Vocabulaire :** caelum, *i*, n. : ciel – quondam : un jour – ala, *ae*, f. : aile – hora, *ae*, f. : heure – vires, *virium*, f. : les forces – absumo, is, ere, sumpsi, sumptum : épuiser – tutus, a, um : sûr – tectum, *i*, n. : toit – casa, *ae*, f. : cabane – vitam agere : mener une vie – paupertas, *atis*, f. : pauvreté – mirus, a, um : étonnant – praemium, *ii*, n. : récompense – arbor, *oris*. f. : arbre.

## ▶ S'initier à la traduction

**8** **Traduisez le texte de l'exercice 7.**

**9** **a. Repérez les CC de lieu et de temps et les CC à l'ablatif.**
**b. Identifiez et traduisez les groupes à l'ablatif absolu.**
**c. Repérez les compléments d'agent.**
Latona a Jove amabatur gravidaque erat. Facto cognito, Juno Latonae invidebat eamque semper vexabat. In terris marique Latona errare debebat frustraque tutum locum petebat. At Juppiter in tuto Latonam tandem collocavit. In Neptuni insulam Latona pervenit ibique Apollinem Dianamque peperit. Sed, Latona sublata, Juno irata erat. Tandem Latonam interficere mala dea statuit draconemque Pythonem ei mittit. Apollini autem a Vulcano arma dantur et Latonae filius monstrum sagittis interficit.

**Vocabulaire :** gravida : enceinte – cognosco, is, ere, cognovi, cognitum : apprendre – invideo, es, ere, vidi, visum : être jaloux de (+ datif) – vexo, as, are, avi, atum : tourmenter – erro, as, are, avi, atum : errer – frustra : en vain – in tuto collocare : mettre en sûreté – pario, is, ere, peperi, partum : mettre au monde – tollo, is, ere, sustuli, sublatum : enlever – iratus, a, um : en colère – statuo, is, ere, statui, statutum : décider – draco, *onis*, m. : serpent fabuleux.

**10** **Traduisez le texte de l'exercice 9.**

## ▶ Comprendre le sens des mots

**11** **Complétez avec le nom qui convient :** profane – profanateur – sacre – sacrifice.
**1.** David a peint le … de Napoléon. **2.** Ce héros a fait le … de sa vie pour sauver sa famille. **3.** Un … a réussi à s'introduire dans la tombe du pharaon. **4.** Aux yeux du … , tout paraît mystérieux.

**Chassez l'intrus !**
**12** **Quel adjectif qualificatif ne vient pas du latin forma ?**
formel – difforme – infirme – conforme – informe.

# La métamorphose : un privilège des dieux

## Jupiter et Europe

Grand séducteur, Jupiter est le champion de la métamorphose. Sous les formes les plus variées (cygne, pluie d'or...) il s'unit à de belles mortelles (Léda, Danaé...). Pour Europe, fille d'un roi phénicien, il s'est transformé en gentil taureau. Une fois la princesse montée sur son dos, il l'enlève et traverse la mer pour l'emmener en Crète. Europe aura trois fils du maître du monde, dont Minos, premier roi de l'île de Crète.

**1.** *Europe sur le taureau*, fresque de la maison de Jason à Pompéi, env. 15 après J.-C., Naples, Musée archéologique.

**2.** *Europe emportée par le taureau*, fresque de la villa de Poppée, Oplontis, env. 50 après J.-C., Naples, Musée archéologique.

**3.** Pièce grecque de deux euros.

### → DU MYTHE AUX IMAGES

❶ **Document 1.** Europe jouait sur la plage avec ses amies quand un taureau est arrivé. Qui est ce taureau ? Les jeunes filles ont-elles l'air effrayé ? Décrivez leur attitude. Qu'a déjà fait Europe ?

❷ **Document 2.** Quelle est la particularité du taureau ?

❸ **Document 3.** Qui figure sur la pièce de monnaie ? Comparez avec le document **1**.

## Un pouvoir merveilleux

La métamorphose ressemble à un tour de magie. Elle mélange les espèces vivantes (insectes, animaux, hommes) et les règnes naturels (minéral, végétal, animal). Dans la mythologie gréco-romaine, les magiciens sont les dieux : ils peuvent transformer un être humain en araignée, en fleur, en pierre, en loup, etc. Ils sont les seuls capables de se métamorphoser et de revenir à leur forme d'origine, les seuls qui réussissent à transformer les êtres et les choses selon leur fantaisie, comme le font de gentilles fées ou de méchantes sorcières.

Gustave Doré, *Arachné*, gravure pour *La Divine Comédie* (*Le Purgatoire*, chant XII) de Dante (détail), 1861.

**4** Dans quels contes de fées avez-vous lu des histoires de métamorphoses ?

Jean Mathieu, *Le roi Lycaon*, gravure pour les *Métamorphoses* d'Ovide, 1619.

## La punition des insolents

Les êtres humains subissent la métamorphose. C'est parfois une récompense ou une délivrance (Daphné est transformée en laurier pour échapper à Apollon), mais le plus souvent c'est le châtiment imposé par une divinité en colère. En effet, les dieux surveillent les hommes (p. 112) et ne tolèrent ni désobéissance ni vanité. Par exemple, Jupiter change le cruel roi Lycaon en loup ; Minerve, furieuse d'entendre la brodeuse Arachné se comparer à elle, la transforme en araignée ; Latone, mère d'Apollon et de Diane, métamorphose des paysans en grenouilles parce qu'ils l'ont mal accueillie ; Bacchus punit des pirates en les transformant en dauphins (pp. 142-143). Les malheureux métamorphosés gardent leur faculté de penser, mais ils ne retrouveront jamais leur forme d'origine.

**5** Lycaon est le modèle des *lycanthropes*. Quel nom composé se cache derrière ce nom savant venu du grec ?

---

### Activités B2i ····· Faire une recherche sur Internet ··

**1. La séquence de la transformation**

Choisissez une histoire de métamorphose et sélectionnez les éléments qui décrivent la transformation étape par étape. Vous pouvez accompagner vos notes d'images ou de dessins personnels.
Pensez à chercher des exemples dans les romans, les bandes dessinées ou le cinéma (par exemple *Harry Potter*, p. 151).

**2. Le mythe d'Europe**

Rédigez un court exposé pour présenter les liens unissant le personnage mythologique d'Europe et le continent qui porte son nom.

@ Pour vous aider, retrouvez des liens utiles sur :
http://latin.magnard.fr/liens5e

### Pour aller plus loin À LIRE

***Les Métamorphoses***
d'Ovide, © Pocket Jeunesse Classiques, département Univers poche, 2009.

***Les Métamorphoses***
d'Ovide (extraits),
© GF Étonnants classiques,
Flammarion, 2006.

# L'instant de la métamorphose

Statue du bassin de Latone, jardins du château de Versailles, XVIIᵉ siècle.

Statue du bassin de Latone, jardins du château de Versailles, XVIIᵉ siècle.

> La voix aussi est rauque maintenant,
> les cous gonflés se distendent,
> Les cris d'insulte mêmes dilatent
> les bouches béantes ;
> Les épaules touchent la tête, les cous
> semblent avoir disparu ;
> Le bas du dos verdit, le ventre (la plus
> grosse partie du corps) blanchit,
> ce sont de nouvelles créatures qui sautent
> dans la boue du marais : des grenouilles.
>
> **Ovide**, *Métamorphoses*, VI, vers 377-381.

Bassin de Latone, jardins du château de Versailles, XVIIᵉ siècle.

## ✂ RETROUVER L'HISTOIRE

**1.** Quels documents associez-vous à ces trois épisodes racontés par Ovide dans ses *Métamorphoses* ?
**a. Des pirates** ont tenté d'enlever Bacchus. **b. Daphné** a supplié les dieux de la délivrer d'Apollon qui voulait la séduire. **c. Des paysans** ont insulté Latone et ses enfants, Diane et Apollon.

**2.** En quoi les personnages signalés en gras dans les phrases ci-dessus sont-ils en train de se transformer ?

## ✂ CONFRONTER DES IMAGES ET UN TEXTE

**3.** Comparez les personnages des documents **1** et **2**. Sont-ils au même stade de la métamorphose ?

**4.** Retrouvez-les sur le document **3**.

**5.** Le bassin de Latone vous paraît-il une illustration fidèle du texte d'Ovide ? Justifiez votre réponse.

**6.** À votre avis, qui est représenté au sommet du bassin ?

▲ **4** *Bacchus et les pirates*, mosaïque, IIIᵉ siècle après J.-C., Tunis, Musée du Bardo.

*La métamorphose de Daphné,* **5** ▶
mosaïque, IVᵉ siècle
après J.-C., Piazza Armerina
(Sicile), villa du Casale.

✖ **OBSERVER ET RETROUVER**

**7.** Quels éléments du corps de Daphné sont en cours de transformation (document **5**) ? Comparez avec les personnages des documents **1**, **2** et **4**.

**8.** Décrivez les personnages dans l'eau sur le document **4**. À quel stade de la métamorphose sont-ils ?

**9.** Comment les couleurs rendent-elles le processus de la métamorphose sur la mosaïque **4** ?

✖ **DU TEXTE AUX IMAGES, DES IMAGES AU TEXTE**

**10.** Sur le modèle d'Ovide et en partant des documents **4** et **5**, rédigez un court récit racontant le processus de la métamorphose de Daphné ou de celle des pirates.

*Découvrir* le texte

## Un flatteur de talent

**Vulpes et corvus**

**Q**ui se laudari gaudet verbis subdolis,
Fere dat poenas turpi paenitentia.

Cum de fenestra corvus raptum caseum
comesse vellet celsa residens arbore,
5 vulpes ut vidit blande sic coepit loqui :

« O qui tuarum, corve, pennarum est nitor !
Quantum decorem corpore et vultu geris !
Si vocem haberes, nulla prior ales foret ! »

At ille stultus, dum vult vocem ostendere,
10 emisit ore caseum, quem celeriter
dolosa vulpes avidis rapuit dentibus.
Tum demum ingemuit corvi deceptus stupor.

Hac re probatur quantum ingenium polleat ;

virtute semper praevalet sapientia.

**Caius Julius Phaedrus**, *Fabularum*
*Aesopiarum libri*, liber primus.

**Le renard et le corbeau**

**C**elui qui se réjouit d'être flatté par des paroles hypocrites
se condamne souvent à la honte et aux remords.

Alors qu'un corbeau voulait manger un fromage dérobé
sur une fenêtre, installé sur un arbre élevé,
5 un renard, dès qu'il le vit, commença à lui parler ainsi
en le flattant :

« Ô corbeau, quel brillant éclat est celui de tes plumes !
Quelle élégance tu montres avec ton corps et ta mine !
Si tu avais de la voix, aucun oiseau ne serait le premier
[avant toi]. »

Mais ce sot, alors qu'il veut montrer sa voix,
10 laissa tomber de son bec le fromage, que rapidement
le renard rusé déroba de ses dents voraces.
Alors seulement la stupidité du corbeau trompé s'exprima
par des gémissements.

Par cette histoire il est prouvé combien l'intelligence
a de pouvoir ;
le bon sens prudent l'emporte toujours sur les qualités viriles.

**Phèdre** (env. 15 avant J.-C.-70 après J.-C.), *Fables*,
livre I, 14 (texte intégral).

### → LIRE LE TEXTE

**1** De combien de parties se compose le texte ? À quoi servent les vers 1 et 2, 13 et 14 ?

**2** Quel adjectif qualifie le renard (vers 11) ? Que signifie l'expression « en le flattant » ?

**3** Quels mots décrivent le corbeau dans le propos du renard ? Dans le propos du narrateur ? Sont-ils valorisants ou dévalorisants ?

**4** Comment appelle-t-on ce genre de texte ?

**5** Quel auteur français a aussi écrit une histoire de renard et de corbeau ?

Illustration du chapitre « De flatterie ou adulation » dans *Fleur de vertu*, manuscrit réalisé pour François de Rohan, 1530, Paris, BNF.

▶ La fable donne la parole aux animaux pour qu'ils servent d'exemples aux hommes.

# Un prédateur au pelage flamboyant

Nommé **Vulpes *vulpes*** par les naturalistes qui désignent les espèces animales par leurs noms latins, le « renard roux » est un prédateur : il se nourrit de diverses proies (**praeda**, *ae*, f.). Dans les fables antiques, ce petit mammifère représente l'hypocrisie et la ruse.

**Gaston Phébus** (comte de Foix), *Livre de la chasse*, manuscrit du début du XVe siècle, Paris, BNF.

*Gros plan sur...*

*Dans l'Antiquité, la couleur rousse a mauvaise réputation : pour les Égyptiens, Seth, le méchant frère d'Osiris, est un dieu roux, comme le géant Typhon pour les Grecs. À Rome, l'adjectif **rufus** est un surnom dont on se moque (p. 72). Au Moyen Âge, on considère les roux comme des êtres fourbes et cruels, à l'image du renard.*

→ **LIRE L'IMAGE**

❶ L'illustration est une sorte de « bande dessinée » : combien de renards y sont représentés ? Décrivez ce qu'ils font.

❷ Quels autres animaux figurent sur l'illustration ? Quelle est leur relation avec le renard ?

❸ D'après cette illustration, quels sont les traits de caractère du renard (ex. 2 p. 149) ?

# La leçon de la fable

On considère souvent que les fables (fabulae) sont réservées aux enfants. Cependant, elles s'adressent à tous les hommes car elles leur donnent de précieuses leçons de conduite.

*À travers des situations et des personnages imaginaires (le plus souvent des animaux), les fables montrent la manière dont les hommes se conduisent dans la vie, ce que le latin exprime par le nom* **mores** *(pluriel de* **mos***, moris, m. : usage, coutume). C'est pourquoi elles comportent un bref commentaire (***morale** *ou* **moralité***) qui nous invite à réfléchir sur nous-mêmes à partir de l'anecdote racontée.*
*Pour Phèdre, la fable est agréable et utile : elle a pour mission de faire rire (risum movere) et de toucher par l'exemple (exemplo movere).*

**Gustave Doré**, *Le Corbeau et le Renard*, illustration pour les *Fables* de La Fontaine, 1867.

*La Fontaine a dédié ses fables au petit-fils de Louis XIV, alors âgé de six ans. Il lui explique ainsi son projet :*

Tout parle en mon ouvrage, et même les poissons :
Ce qu'ils disent s'adresse à tous tant que nous sommes ;
Je me sers d'animaux pour instruire les hommes.

**Jean de La Fontaine**, Préface «*À Monseigneur le Dauphin*», vers 4-6, 1668.

## mot-clé 🔑 Fabula

Vous avez déjà vu l'origine du mot **fabula**, *ae*, f. et vous savez comment les Romains aiment donner au récit de leurs origines une dimension **fabuleuse** (p. 40). En littérature, la **fable** est un genre de récit dont on attribue l'invention à **Ésope**, un ancien esclave qui aurait vécu en Grèce au VIe siècle avant J.-C. On dit qu'il racontait des histoires courtes et amusantes, avec des animaux comme personnages, pour distraire ses contemporains tout en leur donnant une leçon de *morale*. Les fables d'Ésope, traduites en latin par **Phèdre** (p. 144), eurent beaucoup de succès à Rome, puis pendant tout le Moyen Âge. Elles ont directement inspiré La Fontaine.

## Jouez avec les mots

### ❶ Magister dixit
Associez chaque mot à sa définition.

| | |
|---|---|
| fabuliste | qui écoute avec amabilité ceux qui lui parlent |
| affabuler | qui a été fixé par le destin |
| fabuleux | raconter des histoires imaginaires comme si elles étaient vraies |
| facile | qui ne peut être exprimé par des paroles |
| ineffable | petit récit datant du Moyen Âge |
| affable | qui appartient au monde de la fable |
| fable | auteur qui compose des fables |
| fatal | qui se fait sans peine |
| fabliau | récit à base d'imagination |

### ❷ Cherchez l'intrus
Tous les mots cités dans l'exercice précédent sont formés sur la racine **fa-** (parler, pp. 24 et 40), sauf un : lequel ?

# De vulpe et uva

1 **a. Ut** vulpes fame cogitur, uvam adpetit. **b.** Sed eam tangere non potest.
   **a. Quand** le renard est poussé par la faim, il cherche à atteindre
   une grappe de raisin. **b.** Mais il ne peut pas l'atteindre.

2 **Postquam** summis viribus saluit, discedens dicit :
   **Après qu'**il a sauté de toutes ses forces, il dit en s'en allant :

3 **a.** «Nolo uvam sumere **dum** acerba est !
   **b.** Nolo eam edere **antequam** matura est ! »
   **a.** «Je ne veux pas cueillir la grappe de raisin **tant qu'**elle est acide !
   **b.** Je ne veux pas la manger **avant qu'**elle soit mûre ! »

4 **Ubi primum** homines consilia perficere non possunt, ea verbis elevant.
   **Dès que** les hommes ne peuvent pas mener à bien leurs projets,
   ils les rabaissent en paroles.

5 Phaedrus, **cum** fabulas scribebat, exempla hominibus dare volebat.
   **Quand** Phèdre écrivait des fables, il voulait donner des exemples
   aux hommes.

D'après **Phèdre**, *Fables*, livre IV, 3.

*Le Renard et les raisins*, illustration pour la fable d'Ésope, gravure, XVIIIe siècle.

## 🔑 La proposition subordonnée circonstancielle de temps à l'indicatif

**En français**

❶ Relevez les verbes conjugués. Combien de propositions composent chaque phrase ?

❷ Dans chaque phrase, relevez le verbe de la proposition principale.

❸ Les mots en gras sont-ils des prépositions, des verbes ou des conjonctions (coordination ou subordination) ?

❹ Quelle information apporte la proposition qu'ils introduisent ? Comment s'appelle cette proposition ?

**En latin**

❺ Dans chaque phrase, relevez les verbes conjugués. À quels temps de l'indicatif sont-ils ?

❻ Observez **postquam** et **antequam** (phrases 2 et 3 b). Quel est l'élément commun aux deux mots ? Quels adjectifs qualificatifs français rattachez-vous à post et à ante ?

## 🔑 La construction de la phrase

Pour comprendre et traduire une phrase latine, il faut suivre son déroulement en repérant les groupes qui la composent (p. 12). Lisez les deux premiers vers de la fable de Phèdre.

> Fame coacta vulpes alta in vinea
> uvam adpetebat, summis saliens viribus.
>
> Poussé par la faim, un renard cherchait
> à atteindre une grappe de raisin tout en haut
> d'une vigne, sautant de toutes ses forces.

**En latin et en français**

❼ Comparez la place des groupes colorés en latin et en français. Que remarquez-vous ?

❽ Recopiez ce tableau et complétez-le avec les éléments mis en couleur dans la phrase latine.

| Les éléments essentiels | | |
|---|---|---|
| Sujet : ... | Verbe : ... | COD : ... |
| **Les éléments non essentiels** | | |
| Complément circonstanciel de moyen à l'ablatif : ... (groupe adjectif + nom) | Complément circonstanciel de lieu à l'ablatif : ... (préposition + adjectif + nom) | |

# 1 La proposition subordonnée circonstancielle de temps à l'indicatif

● La **proposition subordonnée circonstancielle de temps à l'indicatif** précise **à quel moment** se situe l'action de la proposition principale. Elle est introduite par une **conjonction de subordination** (un ou deux mots).

| Conjonctions de subordination | Exemples |
|---|---|
| cum, ubi, ut, quando : quand, lorsque, au moment où | **Cum** gallinae vulpem vident, fugiunt. **Quand** les poules voient le renard, elles s'enfuient. |
| cum primum, ubi primum, ut primum : dès que, aussitôt que | **Ubi primum** gallinae vulpem viderunt, pavent. **Dès que** les poules ont vu le renard, elles ont peur. |
| dum : dans le même temps que, pendant que | **Dum** gallinae escam quaerunt, vulpes appropinquat. **Pendant que** les poules cherchent leur nourriture, le renard s'approche. |
| antequam : avant que | **Antequam** gallinae vulpem vident, tranquillae sunt. **Avant que** les poules aient vu [subjonctif en français] le renard, elles sont tranquilles. |
| postquam : après que | **Postquam** eum viderunt, in agros non jam exeunt. **Après qu'**elles l'ont vu, elles ne sortent plus dans les champs. |

# 2 Phrase simple, phrase complexe

● Une **phrase simple** comporte une proposition construite autour d'un verbe avec son sujet.

● Une **phrase complexe** comporte deux propositions ou plus : une proposition **principale**, complétée par une ou plusieurs propositions **subordonnées**.

| 2 phrases simples | 1 phrase complexe |
|---|---|
| 1. Vulpes corvum decipit. Le renard trompe le corbeau. 2. Vulpes gaudet. Le renard se réjouit. *(ou)* | ● **Corvo decepto**, vulpes gaudet. **Le corbeau ayant été trompé** (= après qu'il a été trompé), le renard se réjouit. > **Proposition participiale à l'ablatif absolu** (un nom sujet et un participe parfait passif, p. 138) + proposition principale |
| | ● **Postquam corvus decepit**, vulpes gaudet. **Après qu'il a trompé le corbeau**, le renard se réjouit. > **Proposition subordonnée circonstancielle de temps à l'indicatif** (ci-dessus) + proposition principale |

| 1 phrase simple | 1 phrase complexe |
|---|---|
| Ab hominibus vulpes dolosa dicitur. Le renard est dit [= qualifié de] fourbe par les hommes. | ● Homines dicunt **vulpem dolosam esse**. Les hommes disent **que le renard est fourbe**. > Proposition principale + **proposition infinitive** qui complète un verbe exprimant une parole ou une pensée (p. 107) |

## VOCABULAIRE à retenir

**Noms**

| | | |
|---|---|---|
| avis, *is*, f. | oiseau | |
| esca, *ae*, f. | nourriture | |
| vulpes, *is*, f. | renard | |

**Adjectifs**

| | |
|---|---|
| rectus, a, um | droit |
| stultus, a, um | sot |

**Verbes**

| | |
|---|---|
| decipio, is, ere, cepi, ceptum | tromper |
| fingo, is, ere, finxi, fictum | façonner |
| gaudeo, es, ere | se réjouir |

**Mots invariables**

| | |
|---|---|
| multum | beaucoup, souvent (adverbe) |
| nunquam | ne ... jamais, pas du tout |
| unquam | un jour, quelquefois |

> Ubi satur sum, nulla crepitant ;
> quando esurio, tum crepant.
>
> Quand je suis rassasié,
> ils [mes intestins] ne crient
> pas du tout ; quand j'ai faim,
> alors ils se mettent à crier.
>
> **Plaute**, *Les Ménechmes*, V, 5, vers 926.

# S'exercer

## ▶ S'entraîner à lire et à dire en latin

### ❶ Histoire courte : Le mot de la fin
**Lisez les dernières volontés de Marcus Grunnius Corocotta (pp. 97 et 102).**

*Optimi amatores mei, rogo vos ut corpus meum bene condiatis de bonis condimentis, nuclei, piperis et mellis, ut nomen meum in sempiternum nominetur.* [...] *Explicit testamentum porcelli.*

Vous, mes meilleurs amis, je vous demande de bien assaisonner mon corps avec de bons condiments, amande, poivre et miel, afin que mon nom soit connu pour l'éternité. [...] Ici finit le testament du porcelet.

## ▶ Réviser les déclinaisons et les conjugaisons

### ❷ Lisez cette explication du nom du renard, puis déclinez ou conjuguez à l'oral les mots en gras.

*Vulpes* **dicitur**, quasi *volupes*. **Est** enim *volubilis* **pedibus** et nunquam rectis **itineribus**, sed tortuosis anfractibus **currit**, fraudulentum **animal insidiisque** decipiens. Nam dum non **habet escam**, fingit **mortem**, sicque descendentes quasi ad cadaver aves rapit et **devorat**.

On dit *vulpes* pour *volupes* [volvere : tourner + pes, *pedis*, m. : pied]. Car *il tourne sur ses pattes* [*volubilis*] et jamais ne court en ligne droite, mais en zigzaguant ; c'est un animal fourbe et qui trompe par des pièges. En effet, dans les périodes où il n'a pas de nourriture, il fait le mort ; il attrape ainsi les oiseaux qui descendent, le prenant pour un cadavre, et il les dévore.

**Isidore de Séville** (530-636 après J.-C.), *Étymologies*, XII, 4, 29.
**Vocabulaire :** curro, is, ere, cucurri, cursum : courir – insidiae, *arum*, f. pl. : piège – mors, *mortis*, f.: mort – cadaver, *eris*, n. : cadavre – devoro, as, are, avi, atum : dévorer.

## ▶ Reconnaître les subordonnées de temps

### ❸ Recopiez ces phrases et complétez-les par la proposition subordonnée circonstancielle de temps qui convient (aidez-vous de l'exercice 2).
**1.** Aves descendunt. **2.** Vulpes fingit mortem.
**3.** Vulpes numquam recta itinera facit.
**4.** A vulpe aves rapiuntur et devorantur.
**a.** Dum escam non habet **b.** Postquam descendunt
**c.** Cum vulpem quasi ad cadaver vident **d.** Dum currit.

### ❹ Recopiez les phrases de l'exercice 3 en suivant l'ordre des informations données par Isidore de Séville (exercice 2), puis traduisez.

### ❺ a. Traduisez ces phrases.
**1.** Postquam aves rapit, vulpes escam habet.
**2.** Ut corvum decepit, vulpes gaudet.
**3.** Ubi primum gallinam devoravit, vulpes fugit.
**Vocabulaire :** corvus, *i*, m. : corbeau – gallina, *ae*, f. : poule.

**b. Remplacez la proposition subordonnée circonstancielle de temps par un ablatif absolu ayant le même sens.**

### ❻ a. L'âne est la cible de nombreux proverbes. Traduisez ceux-ci.
**1.** Asinus asinum fricat. **2.** Asinus asino pulcher semper est. **3.** Asinos non curo. **4.** Asinum tondes. **5.** Asino fabulam narras. **6.** Lutetiam si asinum mittis, equus non redit.
**Vocabulaire :** asinus, *i*, m. : âne – frico, as, are, cui, catum : frotter – Lutetia, *ae*, f. : Lutèce (Paris aujourd'hui) – curo, as, are, ari, atum : s'occuper de – tondeo, es, ere, totondi, tonsum : tondre.

**b. Expliquez la moralité de chacun de ces proverbes : de quel comportement humain se moquent-ils ?**

### ❼ En vous aidant du lexique (pp. 154-156), traduisez cette fable.
**De vitiis hominum.**
Peras imposuit Juppiter nobis duas :
propriis repletam [sous-entendu unam perarum] vitiis post tergum dedit,
alienis ante pectus suspendit gravem [sous-entendu alteram perarum].
Hac re videre nostra mala non possumus ;
alii simul delinquunt, censores sumus.

        **Phèdre**, *Fables*, IV, 10, (texte intégral).
**Vocabulaire :** gravis, e (adjectif) : lourd (Acc. gravem) – hac re : à cause de cette chose, pour cette raison – pera, *ae*, f. : sacoche.

## ▶ Comprendre le sens des mots

### ❽ a. De quel nom latin (p. 151) sont issus ces mots ?
bêtise – bestialité – bêtifier – bêta – bétail – embêter.
**b. Complétez ces phrases avec le mot qui convient.**
**1.** Dans cette ferme, on compte de nombreuses têtes de … . **2.** Ce crime témoigne d'une grande … . **3.** Il agit ainsi uniquement pour nous … . **4.** Ce gros … a fait preuve d'une rare … . **5.** Arrêtez de … , nous comprenons parfaitement !

### ❾ Un intrus s'est glissé dans cette liste de mots issus du latin mos, *moris* (p. 146). Relevez-le.
moralité – moralement – moraliste – immoral – mémorable – amoral – moralisateur.

**Devinette** ❿ En 50 avant J.-C., Jules César a envahi la Gaule (Gallia, *ae*, f.). Le coq (gallus, *i*, m.) est devenu l'emblème de la France. Pourquoi ?

# Le latin après le latin

*Renart fait semblant d'être blessé pour attirer Tiécelin le corbeau,*
manuscrit du *Roman de Renart*, 1325-1350, Paris, BNF.

## De goupil à renard

Savez-vous que le *renard* s'est d'abord appelé le *goupil*, du latin **vulpecula**, *ae*, f., diminutif de **vulpes** ?

Champion en ruses de toutes sortes dans les fables, il est devenu le héros d'un « roman » médiéval où il se nomme **Renart** (avec un **t**) en ancien français. Ce nom est tiré d'un nom propre d'origine germanique, *Raginhard* (*ragin* = conseil + *hard* = dur), devenu **Reinardus** en latin. Malicieux et malhonnête, toujours prêt à jouer de bons tours à ses « compères », Renart a tant de succès que son nom propre devient un nom commun : c'est ainsi que le *renard* a pris la place du *goupil*.

---

*En ancien français*

**D**e Renart ne va nus a destre :
Renars fet tot le monde pestre ;
Renars atret, Renars acole,
Renars est molt de male escole.

*En français contemporain*

**P**ersonne n'est plus adroit que Renard,
Renard fait paître tout le monde,
Renard attire, Renard embrasse,
Renard est un bien mauvais exemple.

*Le Roman de Renart*, branche IV,
avertissement du conteur,
vers 23-26, env. 1170-1250.

---

**D**e Renart ne va nus a destre.
**P**ersonne ne vient de la droite de Renard. (Personne n'est mieux placé, n'est plus *adroit* que lui). En latin, on dirait :
**R**einardi venit nullus a dextra.

### → AUX ORIGINES DU FRANÇAIS

La langue du *Roman de Renart* n'est plus du latin, mais pas encore du français moderne, comme vous pouvez le constater.

**1** Comparez la place des groupes colorés dans les trois versions du vers 1 ci-dessus. Quelles remarques pouvez-vous faire ?

**2** Quelle différence remarquez-vous dans le nom propre du *renard* en ancien français entre le vers 1 et les vers suivants ?

**3** Comment traduiriez-vous ce nom en latin aux vers 2, 3 et 4 ? Pourquoi ? Quelle marque grammaticale retrouvez-vous en ancien français (mêmes vers) ?

**4** Pestre vient du verbe pasco, is, ere, pavi, pastum : faire paître (le bétail), d'où le sens de « se moquer de quelqu'un ». Quelle consonne du verbe latin, encore présente dans pestre, a disparu dans *paître* ? Quel signe voyez-vous à sa place ?

**5** Quels mots latins reconnaissez-vous dans l'expression [Renars] est molt de male escole ?

# Le bestiaire des fables

La grande originalité de la fable, c'est de mettre en scène des bêtes (**bestia**, *ae*, f.) qui parlent, donnant ainsi la dimension merveilleuse d'un prodige (p. 124) à une histoire ordinaire. Pour les hommes, qui ne doivent pas oublier qu'ils sont aussi des animaux (p. 105), ces bêtes sont un symbole de leurs propres traits de caractère. Le loup est la figure traditionnelle de la cruauté, le renard celle de la ruse et de la fourberie ; le lion incarne la force et le pouvoir, l'âne la sottise et la vanité.

**6** Quel adjectif d'origine grecque, venant des mots « homme + forme », s'applique à un animal à qui on a donné certains aspects de l'homme (p. 136) ?

Benjamin Rabier, *Le renard et les raisins*, illustration extraite des *Fables* de La Fontaine, 1906.

# Le Roman de Renart

On appelle ***Roman de Renart*** un ensemble d'histoires écrites en **langue romane** (p. 8) par des auteurs anonymes entre 1170 et 1250. Destinées à être lues à voix haute (peu de gens savent lire au Moyen Âge), ces histoires en vers (octosyllabes) mettent en scène des animaux selon la tradition des fables en latin inspirées d'Ésope (p. 146). Elles sont aussi une parodie (une imitation pour faire rire) des romans de chevalerie très à la mode à cette époque, et une critique de la société féodale, dominée par des seigneurs tout-puissants. Les animaux, Renart, Ysengrin (le loup) et son épouse Hersent, Tibert (le chat), Chantecler (le coq), Brun (l'ours), forment une cour autour du roi Noble, le lion.

**7** Que désigne aujourd'hui le nom *roman* ?

*Noble et sa cour*, manuscrit du *Roman de Renart*, 1325-1350, Paris, BNF.

---

**Activités B2i** ···· Constituer un dossier sur un thème ·

**1. À chacun son « bestiaire »**
Recherchez des proverbes, maximes et citations constitués à partir d'animaux (exemple : l'âne, p. 149, exercice 6).

**2. Qui sont-ils ?**
Retrouvez qui se cache derrière ces deux célèbres renards. Le premier est un justicier masqué qui a choisi de s'appeler *renard* en espagnol, le second se nomme *renard de feu* en anglais et il guide beaucoup de visiteurs sur la toile.

@ Pour vous aider, retrouvez des liens utiles sur :
http://latin.magnard.fr/liens5e

**Pour aller plus loin À LIRE**

***Fables d'Ésope***,
© Hachette - Le Livre de Poche Jeunesse, 2008.

***Le Roman de Renart***,
© Flammarion, GF Étonnants classiques, 2008.

# Vulpes sum…

**1** **La fable a fait de moi le prince de la ruse. Qui suis-je ?**

Antoine de Saint-Exupery,
*Le Petit Prince,*
© Gallimard.

**E**xiguum corpus sed cor mihi corpore majus ;
sum versuta dolis, arguto callida sensu ;
et fera sum sapiens, sapiens fera si qua vocatur.

**J**'ai un corps de petite taille mais un cœur plus grand que mon corps ;
je suis expert en ruses, je m'y connais en fines astuces ;
et je suis une bête sauvage savante, si on peut être traité de savant quand on est bête.

**Symphosius**, *Aenigmata*, XXXIV, «Vulpes».

**2** **Aujourd'hui c'est un étrange petit garçon blond qui m'a rendu unique au monde en me donnant son affection. Lisez comment j'ai fait sa connaissance et traduisez.**

Tum ipsum prodiit vulpes.

VULPES. – Salve.

REGULUS. – Salve.

**Quod cum regulus urbane respondisset, se convertit nec quidquam vidit.**

5 Tum vox :

VUL. – Hic sum… sub malo.

REG. – Quae bestia es ? valde venusta es.

VUL. – Vulpes sum.

Quam regulus invitavit :

10 REG. – **Veni mecum lusum. Adeo tristis sum.**

VUL. – Tecum ludere non possum. Nam non mansueta sum.

REG. – Hem ! da mihi veniam.

**Sed, cum regulus paulisper commentatus**
15 **esset, haec addidit :**

REG. – Quid significat mansuescere ?

VUL. – Non nostra es. Quid quaeris ?

REG. – Homines quaero. Sed quid significat mansuescere ?

20 VUL. – **Homines arcus tonantes habent et venantur. Perquam molestum est !** Gallinas etiam alunt. **Hac una re utiles sunt.** Gallinas quaeris ?

REG. – Non gallinas quaero. Amicos quaero. Sed quid significat mansuescere ?

**Antoine de Saint-Exupery**, *Regulus*, XXI, trad. Augustus Haury, © Mariner Books, 2001.

—

tum ipsum : juste à ce moment-là – prodeo, is, ire, ii, itum : s'avancer – regulus, *i*, m. : petit roi (diminutif de rex, *regis*, m. : roi), petit prince

**Comme le petit prince avait répondu poliment à cela, il se retourna mais ne vit rien.**

hic (adverbe) : ici – sub : sous – malus, *i*, f. : pommier
bestia, *ae*, f. : bête – valde (adverbe) : beaucoup, très, tout à fait – venustus, a, um : gracieux, beau, aimable – quam = et eam

**Viens jouer avec moi. Je suis si triste.**

tecum (cum + te) : avec toi – mansuetus, a, um : apprivoisé – da mihi veniam : pardonne-moi

**Mais, comme le petit prince avait réfléchi un petit moment, il ajouta ceci :**

significo, as, are : signifier, vouloir dire – mansuesco, is, ere, suevi, suetum : apprivoiser

**Les hommes ont des arcs qui font entendre le tonnerre (= fusils) et ils chassent. C'est bien gênant.**
gallina, *ae*, f. : poule – alo, is, ere, alui, altum : nourrir, élever
**Par cette chose seulement ils sont utiles
(= c'est leur seul intérêt).**

**Vous avez reconnu ce petit prince en quête d'amitié (p. 9) ? Vous pouvez lire sa fabuleuse histoire écrite par Antoine de Saint-Exupéry en 1943 (*Le Petit Prince*, Gallimard, 1946).**

# In Harrii mundo

© Bloomsbury Publishing

**3** Lisez ces phrases, choisissez la bonne réponse et traduisez en vous aidant du vocabulaire ci-dessous et du lexique pp. 154-156. Vous verrez comment les aventures d'un jeune apprenti sorcier s'inspirent du monde merveilleux des légendes gréco-romaines.

*Felis maculosa*, chat tigré, mosaïque pompéienne, Ier siècle après J.-C. Naples, Musée archéologique.

### a. In magorum schola

Condiscipuli, … **(1)** ! Harrius Potter sum.
Magorum magnae scholae … **(2)** sum.
Scholae sententia in lingua … **(3)** est :
Draco dormiens nunquam titillandus.
In lingua Gallica : … **(4)**.
Cum amicis meis magicas disciplinas … **(5)**.
Pauci magi nominantur « Animagi » quod in … **(6)**
se mutare possunt.
In schola nostra, professor McGonagall Animagus est : cum
se mutat, … **(7)** videtur, ut in tabula tessellis picta videtis.
Hominum … **(8)** et mundi elementa quoque transformare
potest : nos … **(9)** docet.
Professoris praenomen deae nomen est : … **(10)**.

1. salve / salvete / valete
2. professor / coquus / discipulus
3. Latina / Romana / Anglica
4. Il ne faut jamais réveiller un chat qui dort. / Il ne faut jamais chatouiller un dragon qui dort. / Qui dort dîne.
5. discunt / disco / discit
6. aquam / antrum / animal
7. felis maculosa / lupa alba / gallina parva
8. corpora / nomina / ludos
9. Musicam / Picturam / Transformationem
10. Cornelia / Minerva / Lavinia

### b. In silva interdicta

Juxta magorum … **(1)** magna silva est.
Ibi multae mirificae … **(2)** vivunt :
ex antiquarum … **(3)** libris exire videntur.
Sed discipuli in silvam intrare non … **(4)**.
Inter silvae bestias prodigiosus canis est :
tria … **(5)** habet, ut in fabulis Graecis.
… **(6)** enim jam vidistis : in Inferorum … **(7)**
sedebat.
Sed Hercules monstrum … **(8)** potuit.
In historia mea, canis … **(9)** est *Fluffy* in linguam
Anglicam, *Touffu* in linguam Gallicam.
Ubi primum musicam … **(10)**, dormit.

1. urbem / scholam / terram
2. bestiae / deae / Musae
3. populorum / fabularum / insularum
4. possum / potest / possunt
5. corpora / capita / cubicula
6. Centaurum / Cerberum / Chimaeram
7. vestibulo / flumine / culina
8. venire / vincere / vivere
9. dominus / forma / nomen
10. audiunt / auditur / audit

*Le chien Touffu*, image du film *Harry Potter à l'école des sorciers* de Chris Colombus, 2001.

**Vocabulaire :** magus, i, m. : magicien, sorcier – magicus, a, um : magique – mirificus, a, um : étonnant, merveilleux – prodigiosus, a, um : prodigieux, monstrueux – tabula tessellis picta : tableau fabriqué au moyen de tesselles – transformo, as, are, avi, atum : transformer.

**4** Créez votre monstre et inventez-lui un nom en mélangeant des mots latins, comme l'a fait l'auteur de *Harry Potter* avec *Animagus*. Ensuite donnez-lui une forme : fabriquez une image (découpage, dessin, etc.) puis rédigez une courte notice explicative en latin.

Par exemple, voici un **vulpiscis** : un renard (**vulpes**) – poisson (**piscis**).

Monstro Vulpis caput pedesque sunt. Magnam piscis caudam habet.
ou bien : Monstrum cum vulpis capite pedibusque et magna piscis cauda feci.
**Vous trouverez une réserve de mots p. 156.**

# LEXIQUE

 Retrouvez les mots-clés aux pages indiquées.

## A

- accipio, is, ere, cepi, ceptum : recevoir
- acerbus, a, um : acide
- ad + acc. : vers, près de
- addo, is, ere, didi, ditum : ajouter
- adduco, is, ere, duxi, ductum : ramener
- adpeto, is, ere, ivi, itum : chercher à atteindre
- aedifico, as, are, avi, atum : construire
- aetas, atis, f. : époque, période (p. 111)
- ager, agri, m. : champ
- ago, is, ere, egi, actum : mener, faire
- albus, a, um : blanc
- alienus, a, um : qui appartient à un autre
- aliquando : un jour, l'autre jour
- alius, a, aliud : autre, un autre
- altus, a, um : haut, élevé
- amicus, i, m. : ami
- amo, as, are, avi, atum : aimer
- amor, oris, m. : amour
- animal, alis, n. : être vivant, animal
- ante + acc. : avant
- antrum, i, n. : antre, caverne
- ara, ae, f. : autel
- ater, atra, atrum : noir
- audio, is, ire, ivi, itum : entendre
- aut... aut... : ou bien
- autem : d'autre part, or, quant à
- avis, is, f. : oiseau

## B

- bellum, i, n. : guerre
- bene : bien
- bonus, a, um : bon
- bos, bovis, m. : bœuf

## C

- capillus, i, m. : cheveu
- capio, is, ere, cepi, captum : prendre
- caput, itis, n. : tête
- causa, ae, f. : cause
- cena, ae, f. : repas (pp. 94, 99)
- ceno, as, are, avi, atum : dîner

- censor, oris, m. : censeur, critique
- certus, a, um : sûr, certain
- cibus, i, m. : nourriture, aliment
- civis, is, m. : citoyen
- clam : en cachette
- cogo, is, ere, coegi, coactum : contraindre
- collega, ae, m. : collègue, ami
- colo, is, ere, colui, cultum : cultiver, honorer, entretenir
- commodus, a, um : confortable
- condo, is, ere, didi, ditum : fonder
- consido, is, ere, sedi, sessum : s'asseoir
- consilium, ii, n. : avis, conseil
- conviva, ae, m. ou f. : invité(e), convive
- copia, ae, f. : abondance, troupe militaire
- corona, ae, f. : couronne
- corpus, oris, n. : corps
- credo, is, ere, didi, ditum : croire
- cum + abl. : avec
- cupio, is, ere, ivi, itum : désirer
- cura, ae, f. : soin, souci

## D

- de + abl. : à propos de ; du haut de, à partir de (marque la provenance)
- debeo, es, ere, bui, bitum : devoir
- decipio, is, ere, cepi, ceptum : surprendre, tromper
- deinde : puis, ensuite
- deleo, es, ere, evi, etum : détruire
- delinquo, is, ere, liqui, lictum : manquer, faire une faute
- demum : seulement
- descendo, is, ere, scendi, scensum : descendre
- desum, dees, deesse, defui : manquer à (+ datif)
- deus, i, m. : dieu (p. 114)
- dico, is, ere, dixi, dictum : dire
- discedo, is, ere, cessi, cessum : s'éloigner
- discipulus, i, m. : élève (p. 64)
- disco, is, ere, didici, discitum : apprendre

- diu : longtemps
- do, das, dare, dedi, datum : donner
- doceo, es, ere, docui, doctum (+ 2 acc.) : enseigner (quelque chose à quelqu'un)
- dolosus, a, um : fourbe, rusé
- dominus, i, m. : maître (de maison)
- domus, us, f. : maison (p. 84)
- duco, is, ere, duxi, ductum : conduire
- durus, a, um : dur, difficile
- dux, ducis, m. : guide, chef

## E

- elevo, as, are, avi, atum : diminuer (verbis elevare : rabaisser en paroles)
- enim : car, en effet (toujours placé après le 1er mot)
- eo, is, ire, ivi, itum : aller
- equus, i, m. : cheval
- erigo, is, ere, rexi, rectum : élever, dresser, ériger
- esca, ae, f. : nourriture
- et, -que : et
- excito, as, are, avi, atum : faire naître, provoquer
- exeo, is, ire, ivi, itum : sortir

## F

- fabula, ae, f. : légende, conte, fable, histoire (pp. 24, 40, 146)
- facio, is, ere, feci, factum : faire
- fama, ae, f. : tradition, réputation, rumeur (p. 24)
- fames, is, f. : faim
- familia, ae, f. : famille (p. 46)
- fatum, i, n. : destin, prédiction, oracle, destinée, fatalité (p. 24)
- fides, ei, f. : foi, fidélité, loyauté, confiance (p. 114)
- filia, ae, f. : fille
- filius, ii, m. : fils
- fingo, is, ere, finxi, fictum : modeler, façonner
- focus, i, m. : feu, foyer
- fons, tis, m. : source, fontaine
- forma, ae, f. : forme, apparence
- fortuna, ae, f. : sort, hasard, fortune

# LEXIQUE

## G

- gallina, *ae*, f. : poule
- gaudeo, es, ere : se réjouir
- Genius, *ii*, m. : Génie (p. 80)
- gens, *gentis*, f. : famille (p. 46)
- genus, *eris*, n. : origine, race, espèce, genre (p. 16)
- gero, is, ere, gessi, gestum : faire, mener

## H

- habeo, es, ere, ui, itum : avoir
- habito, as, are, avi, atum : habiter (avec acc. ou in + abl.)
- heri : hier
- homo, *inis*, m. : homme
- hostis, *is*, m. : ennemi

## I

- ibi : ici
- ignis, *is*, m. : feu
- imperium, *ii*, n. : autorité, pouvoir, puissance (p. 7)
- impono, is, ere, posui, positum : charger, poser sur (+ datif)
- in + abl. : dans
- incipio, is, ere, cepi, ceptum : entreprendre de
- infans, *tis*, m. ou f. : petit enfant, bébé (pp. 24, 81)
- insula, *ae*, f. : île, immeuble (p. 89)
- inter + acc. : au milieu de, entre
- interficio, is, ere, feci, fectum : tuer
- intro, as, are, avi, atum : entrer
- ira, *ae*, f. : colère
- iter, *itineris*, n. : chemin, route

## J

- jam : déjà, désormais
- jubeo, es, ere, jussi, jussum : ordonner
- juvenis, *is*, m. ou f. : homme ou femme dans la pleine force de l'âge (p. 81)

## L

- labor, *oris*, m. : travail
- laboro, as, are, avi, atum : travailler

---

- Lar, *Laris*, m. : Lare (p. 76)
- latus, a, um : large
- lego, is, ere, legi, lectum : lire
- lex, *legis*, f. : loi
- liberi, *orum*, m. : enfants
- litterae, *arum*, f. : lettres (p. 69)
- locus, *i*, m. : lieu
- longus, a, um : long
- ludo, is, ere, lusi, lusum : jouer, se moquer de
- ludus, *i*, m. : école, jeu (p. 64)
- lux, *lucis*, f. : lumière

## M

- magister, *tri*, m. : maître (d'école) (p. 64)
- magnificus, a, um : somptueux
- magnus, a, um : grand
- majores, *um*, m. (toujours au pluriel) : ancêtres (pp. 45, 70)
- malum, *i*, n. : mal, défaut
- malus, a, um : mauvais
- mare, *is*, n. : mer
- mater, *tris*, f. : mère
- matrona, *ae*, f. : matrone (p. 50)
- maturus, a, um : mûr
- memoria, *ae*, f. : mémoire, souvenir (p. 70)
- mens, *mentis*, f. : pensée, esprit
- mensa, *ae*, f. : table
- meus, a, um : mon, ma, mes
- miles, *itis*, m. : soldat
- miser, era, erum : malheureux
- mitto, is, ere, misi, missum : envoyer
- moneo, es, ere, ui, itum : avertir
- mons, *montis*, m. : montagne
- monstrum, *i*, n. : monstre, phénomène bizarre (p. 124)
- mors, *mortis*, f. : mort
- mos, *moris*, m. : coutume
- multi, ae, a : nombreux
- multum : beaucoup, souvent (adverbe)
- mundus, *i*, m. : monde (p. 106)
- muto, as, are, avi, atum : changer

## N

- nam : car, en effet
- narro, as, are, avi, atum : raconter

---

- natura, *ae*, f. : nature
- nescio, is, ire, ivi, itum : ne pas savoir, ignorer
- nolo, non vis, nolle, nolui : ne pas vouloir
- nomina, *ae*, f. : nom (p. 54)
- non : ne... pas
- noster, tra, trum : notre, nos
- novus, a, um : nouveau
- numen, *inis*, n. : volonté divine (pp. 124, 130)
- nunc : maintenant
- nunquam : ne ... jamais, pas du tout

## O

- orbis terrarum : cercle des terres (p. 7)

## P

- pareo, es, ere, ui, itum : obéir
- paro, as, are, avi, atum : préparer
- parvus, a, um : petit
- pater, *tris*, m. : père
- pater familias : père de famille (pp. 16, 44, 46, 51, 70, 80)
- patria, *ae*, f. : patrie (p. 16)
- pauci, ae, a : peu nombreux, quelques
- paveo, es, ere, pavui : avoir peur
- pax, *pacis*, f. : paix
- pectus, *oris*, n. : poitrine
- pecunia, *ae*, f. : argent
- Penates, *tium*, m. : Pénates (pp. 15, 76)
- perficio, is, ere, feci, fectum : terminer, achever, mener à bien
- periculum, *i*, n. : danger
- pervenio, is, ire, veni, ventum : arriver à
- peto, is, ere, ivi, itum : chercher à atteindre, demander
- pingo, is, ere, pinxi, pictum : peindre
- pius, a, um : pieux (p. 21)
- poena, *ae*, f. : punition
- pomoerium, *ii*, n. : emplacement des remparts de Rome (p. 34)
- pono, is, ere, posui, positum : placer, servir à table
- populus, *i*, m. : peuple (p. 34)

- possideo, es, ere, sedi, sessum : posséder
- post + acc. : après
- praebeo, es, ere, bui, bitum : offrir
- primum : en premier lieu, d'abord
- primus, a, um : premier
- prodigium, *ii*, n. : prodige (p. 124)
- proprius, a, um : qui appartient en propre
- puer, *eri*, m. : enfant (p. 81)
- pulcher, chra, chrum : beau
- puto, as, are, avi, atum : penser, juger

## Q

- quaero, is, ere, quasivi, qaesitum : demander
- quidem : à la vérité, qui plus est
- quotidie : chaque jour

## R

- rapio, is, ire, rapui, raptum : enlever
- rectus, a, um : droit
- reddo, is, ere, didi, ditum : rendre
- regnum, *i*, n. : règne, royaume
- religio, *onis*, f. : sentiment religieux (p. 130)
- relinquo, is, ere, liqui, lictum : laisser, abandonner
- repleo, es, ere, plevi, pletum : remplir
- res publica : chose publique (p. 7)
- rex, *regis*, m. : roi (p. 34)
- rogo, as, are, avi, atum : demander

## S

- sacer, sacra, sacrum : sacré, consacré (p. 136)
- saepe : souvent
- sagitta, *ae*, f. : flèche
- salio, is, ire, salui, saltum : sauter
- scio, is, ire, scivi, scitum : savoir
- scribo, is, ere, scripsi, scriptum : écrire
- sed : mais

- sedeo, es, ere, sedi, sessum : s'asseoir
- semper : toujours
- senex, *senis*, m. : vieillard (p. 81)
- servo, as, are, avi, atum : garder, protéger
- servus, *i*, m. : esclave
- simul : en même temps
- soleo, es, ere : avoir l'habitude de
- soror, *oris*, f. : sœur
- specto, as, are, avi, atum : regarder
- sto, as, are, steti, statum : se tenir debout
- studeo, es, ere, dui, - : s'appliquer à (+ datif)
- stultus, a, um : sot, insensé
- supplico, as, are, avi, atum : prier, supplier
- suspendo, is, ere, pendi, pensum : suspendre
- suus, a, um : son, sa, ses

## T

- tandem : enfin
- tango, is, ere, tetigi, tactum : toucher
- taurus, *i*, m. : taureau
- templum, *i*, n. : temple
- tempus, *oris*, n. : temps (p. 100)
- teneo, es, ere, tenui, tentum : tenir
- tergum, *i*, n. : dos
- terra, *ae*, f. : terre (p. 106)
- terreo, es, ere, ui, - : effrayer
- timeo, es, ere, ui, - : craindre
- toga, *ae*, f. : toge (p. 59)
- tranquillus, a, um : tranquille
- triclinium, *i*, n. : lit, salle à manger (pp. 84, 94)
- tum : alors
- tunc : alors
- tunica, *ae*, f. : tunique
- tutela, *ae*, f. : protection
- tuus, a, um : ton, ta, tes

## U

- unquam : un jour, quelquefois
- unus, a, um : un
- urbs, *urbis*, f. : ville (p. 34)

## V

- valeo, es, ere, ui, itum : être en bonne santé
- vastus, a, um : vaste
- venio, is, ire, veni, ventum : venir
- verbum, *i*, n. : mot
- verto, is, ere, ti, sum : faire tourner, transformer
- vester, tra, trum : votre, vos
- vestis, *is*, f. : vêtement
- via, *ae*, f. : voie, chemin
- video, es, ere, vidi, visum : voir
- villa, *ae*, f. : villa, maison de campagne (p. 89)
- vinco, is, ere, vici, victum : vaincre
- vinea, *ae*, f. : vigne
- vinum, *i*, m. : vin
- vires, *virium*, f. : les forces (vis, f. sg.)
- virgo, *inis*, f. : jeune fille vierge (p. 81)
- virtus, *utis*, f. : vertu, courage
- vita, *ae*, f. : vie
- vitium, *ii*, n. : vice, travers
- vivo, is, ere, vixi, victum : vivre
- voco, as, are, avi, atum : appeler
- volo, vis, velle, volui : vouloir
- vox, *vocis*, f. : voix
- vulpes, *is*, f. : renard

### Réserve de mots (pour la page 153)

- aranea, *ae*, f. : araignée
- canis, *is*, m. ou f. : chien, chienne
- capra, *ae*, f. : chèvre
- corvus, *i*, m. : corbeau
- delphinus, *i*, m. : dauphin
- felis, *is*, f. : chat
- leo, *onis*, m. : lion
- lupus, *i*, m. : loup
- mus, *muris*, m. : souris
- musca, *ae*, f. : mouche
- rana, *ae*, f. : grenouille
- taurus, *i*, m. : taureau

# DÉCLINAISONS

## Les noms

### Les cas et les déclinaisons (p. 18)

| Cas | Fonction |
|---|---|
| Nominatif (N.) | sujet ou attribut du sujet |
| Vocatif (V.) | apostrophe |
| Accusatif (Acc.) | complément d'objet direct (COD), compléments circonstanciels (lieu, temps) |
| Génitif (G.) | complément du nom |
| Datif (D.) | complément d'objet second (COS) ou complément d'objet indirect (COI) |
| Ablatif (Abl.) | compléments circonstanciels (cause, moyen, manière, lieu, temps) |

### La première déclinaison (p. 26)

| Cas | Singulier | Pluriel |
|---|---|---|
| Nominatif | fama | famae |
| Vocatif | fama | famae |
| Accusatif | famam | famas |
| Génitif | famae | famarum |
| Datif | famae | famis |
| Ablatif | fama | famis |

### La deuxième déclinaison (p. 36)

| Cas | Masculin | | | | | | Neutre | |
|---|---|---|---|---|---|---|---|---|
| | Singulier | Pluriel | Singulier | Pluriel | Singulier | Pluriel | Singulier | Pluriel |
| Nominatif | populus | populi | puer | pueri | ager | agri | bellum | bella |
| Vocatif | popule | populi | puer | pueri | ager | agri | bellum | bella |
| Accusatif | populum | populos | puerum | pueros | agrum | agros | bellum | bella |
| Génitif | populi | populorum | pueri | puerorum | agri | agrorum | belli | bellorum |
| Datif | populo | populis | puero | pueris | agro | agris | bello | bellis |
| Ablatif | populo | populis | puero | pueris | agro | agris | bello | bellis |

### La troisième déclinaison (p. 108)

| Cas | Masculin et féminin | | | | | | Neutre | | | |
|---|---|---|---|---|---|---|---|---|---|---|
| | Singulier | Pluriel | Singulier | Pluriel | Singulier | Pluriel | Singulier | Pluriel | Singulier | Pluriel |
| Nominatif | ignis | ignes | lux | luces | urbs | urbes | corpus | corpora | mare | maria |
| Vocatif | ignis | ignes | lux | luces | urbs | urbes | corpus | corpora | mare | maria |
| Accusatif | ignem | ignes | lucem | luces | urbem | urbes | corpus | corpora | mare | maria |
| Génitif | ignis | ignium | lucis | lucum | urbis | urbium | corporis | corporum | maris | marium |
| Datif | igni | ignibus | luci | lucibus | urbi | urbibus | corpori | corporibus | mari | maribus |
| Ablatif | igne | ignibus | luce | lucibus | urbe | urbibus | corpore | corporibus | mari | maribus |

# Les adjectifs

### Les adjectifs qualificatifs en -us, -a, -um (p. 36)

| Cas | Masculin | | Féminin | | Neutre | |
|---|---|---|---|---|---|---|
| | Singulier | Pluriel | Singulier | Pluriel | Singulier | Pluriel |
| **Nominatif** | magnus | magni | magna | magnae | magnum | magna |
| **Vocatif** | magne | magni | magna | magnae | magnum | magna |
| **Accusatif** | magnum | magnos | magnam | magnas | magnum | magna |
| **Génitif** | magni | magnorum | magnae | magnarum | magni | magnorum |
| **Datif** | magno | magnis | magnae | magnis | magno | magnis |
| **Ablatif** | magno | magnis | magna | magnis | magno | magnis |

# Les pronoms personnels

### Les pronoms ego, tu, nos, vos (p. 78)

| Cas | Singulier | | Pluriel | |
|---|---|---|---|---|
| | 1re pers. | 2e pers. | 1re pers. | 2e pers. |
| **Nominatif** | ego | tu | nos | vos |
| **Vocatif** | - | tu | - | vos |
| **Accusatif** | me | te | nos | vos |
| **Génitif** | mei | tui | nostri | vestri |
| **Datif** | mihi | tibi | nobis | vobis |
| **Ablatif** | me | te | nobis | vobis |

### Le pronom is, ea, id (p. 78)

| Cas | Singulier | | | Pluriel | | |
|---|---|---|---|---|---|---|
| | Masculin | Féminin | Neutre | Masculin | Féminin | Neutre |
| **Nominatif** | is | ea | id | ei (*ou* ii) | eae | ea |
| **Accusatif** | eum | eam | id | eos | eas | ea |
| **Génitif** | ejus | ejus | ejus | eorum | earum | eorum |
| **Datif** | ei | ei | ei | eis (*ou* iis) | eis (*ou* iis) | eis (*ou* iis) |
| **Ablatif** | eo | ea | eo | eis (*ou* iis) | eis (*ou* iis) | eis (*ou* iis) |

# CONJUGAISONS

| | | 1<sup>re</sup> conjugaison | 2<sup>e</sup> conjugaison | 3<sup>e</sup> conjugaison | 3<sup>e</sup> conjugaison mixte | 4<sup>e</sup> conjugaison | *sum* | *possum* |
|---|---|---|---|---|---|---|---|---|
| **ACTIF** | **Indicatif présent** | amo<br>amas<br>amat<br>amamus<br>amatis<br>amant | video<br>vides<br>videt<br>videmus<br>videtis<br>vident | lego<br>legis<br>legit<br>legimus<br>legitis<br>legunt | capio<br>capis<br>capit<br>capimus<br>capitis<br>capiunt | audio<br>audis<br>audit<br>audimus<br>auditis<br>audiunt | sum<br>es<br>est<br>sumus<br>estis<br>sunt | possum<br>potes<br>potest<br>possumus<br>potestis<br>possunt |
| | **Indicatif imparfait** | amabam<br>amabas<br>amabat<br>amabamus<br>amabatis<br>amabant | videbam<br>videbas<br>videbat<br>videbamus<br>videbatis<br>videbant | legebam<br>legebas<br>legebat<br>legebamus<br>legebatis<br>legebant | capiebam<br>capiebas<br>capiebat<br>capiebamus<br>capiebatis<br>capiebant | audiebam<br>audiebas<br>audiebat<br>audiebamus<br>audiebatis<br>audiebant | eram<br>eras<br>erat<br>eramus<br>eratis<br>erant | poteram<br>poteras<br>poterat<br>poteramus<br>poteratis<br>poterant |
| | **Indicatif parfait** | amavi<br>amavisti<br>amavit<br>amavimus<br>amavistis<br>amaverunt | vidi<br>vidisti<br>vidit<br>vidimus<br>vidistis<br>viderunt | legi<br>legisti<br>legit<br>legimus<br>legistis<br>legerunt | cepi<br>cepisti<br>cepit<br>cepimus<br>cepistis<br>ceperunt | audivi<br>audivisti<br>audivit<br>audivimus<br>audivistis<br>audiverunt | fui<br>fuisti<br>fuit<br>fuimus<br>fuistis<br>fuerunt | potui<br>potuisti<br>potuit<br>potuimus<br>potuistis<br>potuerunt |
| | **Infinitif présent** | amare | videre | legere | capere | audire | esse | posse |
| | **Infinitif parfait** | amavisse | vidisse | legisse | cepisse | audivisse | fuisse | potuisse |
| **PASSIF** | **Indicatif présent** | amor<br>amaris<br>amatur<br>amamur<br>amamini<br>amantur | videor<br>videris<br>videtur<br>videmur<br>videmini<br>videntur | legor<br>legeris<br>legitur<br>legimur<br>legimini<br>leguntur | capior<br>caperis<br>capitur<br>capimur<br>capimini<br>capiuntur | audior<br>audiris<br>auditur<br>audimur<br>audimini<br>audiuntur | – | – |
| | **Indicatif imparfait** | amabar<br>amabaris<br>amabatur<br>amabamur<br>amabamini<br>amabantur | videbar<br>videbaris<br>videbatur<br>videbamur<br>videbamini<br>videbantur | legebar<br>legebaris<br>legebatur<br>legebamur<br>legebamini<br>legebantur | capiebar<br>capiebaris<br>capiebatur<br>capiebamur<br>capiebamini<br>capiebantur | audiebar<br>audiebaris<br>audiebatur<br>audiebamur<br>audiebamini<br>audiebantur | – | – |

# CRÉDITS ICONOGRAPHIQUES

*Toutes les traductions pour lesquelles aucun nom de traducteur n'est précisé sont l'œuvre des auteurs de ce manuel.*

**Maquette de couverture :** d'Inguimbert, Goussot et Oxygène
**Maquette intérieure :** Delphine d'Inguimbert et Valérie Goussot
**Iconographie :** Cécile Depot
**Cartographie :** Valérie Goncalves et Christel Parolini
**Illustrations :** Aurélie Pollet (pp. 43, 73, 103 et 133) et Claude Quiec (p. 33)
**Relecture typographique :** François Fièvre
**Édition :** Sarah Zylberberg

Achevé d'imprimer en août 2016 par Wilco aux Pays Bas / N° éditeur : 2016_1528 / Dépôt légal : avril 2010

www.magnard.fr

ISBN : 978-2-210-47521-2

# L'Italie antique

GAULE TRANSALPINE

ALPES

GAULE CISALPINE

LIGURES

Pô

Pô

ILLYRIE

ÉTRUSQUES

Tibre

ÉTRURIE

SABINS

Mer Adriatique

Tarquinia

CORSE

Rome

Ostie

LATINS

LATIUM

Albe-la-Longue

CAMPANIE

Naples

Cumes

Pompéi

APULIE

Brindes

Tarente

Mer Tyrrhénienne

Paestum

GRECS

SARDAIGNE

Crotone

Mer Ionienne

Messine

Mer

Méditerranée

SICILE

Agrigente

GRECS

Syracuse

AFRIQUE

Carthage

0          250 km

| | Plaines |
| | Collines |
| | Montagnes |

*SABINS*   Nom de peuples